Dans l'ombre du harem

Du même auteur
aux Éditions J'ai lu

La captive d'Istanbul, *J'ai lu* 3613
Chassé-croisé, *J'ai lu* 3776
La libertine, *J'ai lu* 5697

Bertrice Small

Dans l'ombre du harem

Traduit de l'américain
par Catherine Plasait

Titre original :

BEDAZZLED
Kensington Books
Published by Kensington Publishing Corp, N.Y.

PROLOGUE

Londres, 1616

— Il est mort, mère ?

Le petit garçon, curieux, se pencha sur le corps effondré dans le fauteuil capitonné de bleu.

La femme prit le petit miroir qu'elle portait attaché à sa ceinture et l'approcha du visage de l'homme. La glace resta intacte, sans le moindre signe de respiration.

— Il est mort, mon fils, répondit-elle calmement.

Puis elle sortit de la poche intérieure de sa jupe un poignard au manche incrusté de pierres précieuses. Elle le regarda un moment, regrettant de devoir le perdre à jamais. Enfin, elle le tendit au garçon et ordonna :

— Enfonce-le-lui dans le cœur, comme je t'ai montré.

Le petit contempla l'arme.

— J'ai toujours eu envie de ce poignard, se plaignit-il. Pourquoi ne pas en choisir un autre ? Maintenant, je ne pourrai plus l'avoir, c'est injuste !

— Nous en avons parlé mille fois, fils ! Tout le monde sait que ce poignard appartient à ton frère. Et tout le monde sait que lord Jeffers et lui ont eu une altercation au sujet de lady Clinton. Quand cette arme sera trouvée plantée dans la poitrine de lord Jeffers, on pensera forcément que c'est ton frère qui l'a assassiné. Tu veux devenir l'héritier de ton père, n'est-ce pas, *caro mio* ? continua la femme en souriant. Être fils cadet n'apporte guère de satisfactions !

— Sans doute, soupira le garçon. On va pendre Dev pour meurtre, mère ?

— Si on l'attrape, oui, mais je ne pense pas qu'on y arrivera. Je n'aimerais pas avoir la mort de ton frère aîné sur la conscience. Je veux seulement que toi, mon chéri, tu deviennes l'héritier. Ce n'est pas notre faute si ton père avait déjà un enfant quand je l'ai épousé.

— Mais si on ne pend pas Dev, comment pourrai-je être héritier de mon père ? S'il prouve son innocence ?

— Ton frère n'en aura pas l'occasion, mon chéri. Il est impétueux, il se laissera convaincre de fuir l'Angleterre avant qu'on ait le temps de l'arrêter. Ensuite, avec la menace de la pendaison, il n'osera plus remettre les pieds dans ce pays. Maintenant, vas-y, enfonce le poignard.

Elle effleura sa main afin de l'encourager, et le garçon obéit. Il retourna la lame dans la plaie avec un certain plaisir, remarqua sa mère, qui n'en fut pas choquée outre mesure. Ensuite, elle prit le gobelet dans lequel avait bu sa victime, jeta le contenu dans la cheminée, et essuya avec son mouchoir les quelques particules de verre finement pilé qui lui avaient servi à tuer lord Jeffers. Elle le remplit de vin et le posa sur la table, en face d'un autre gobelet qu'elle renversa, comme si la victime s'était mise en colère, ou levée d'un bond.

— Voilà ! dit-elle, satisfaite de sa mise en scène.

Le garçon commençait à s'agiter.

— Nous y allons, mère ? s'impatienta-t-il.

Elle le prit par la main et ils sortirent discrètement de la maison que lord Jeffers avait louée pour son séjour à Londres. Il avait accordé la nuit à son valet, qui ne rentrerait pas avant l'aube.

Ils montèrent sur leurs chevaux, cachés près de l'allée qui menait à la demeure.

La femme savait que son beau-fils était déjà averti de la mort de lord Jeffers, et des soupçons qui allaient se porter sur lui. Bien sûr, le jeune homme discuterait – il discutait toujours –, il tenterait d'argumenter avec le majordome de la famille, mais le malheureux Rogers l'inciterait à fuir, car il le connaissait depuis sa naissance et l'aimait comme un fils. Rogers se faisait vieux, à présent, et son esprit ne fonctionnait plus très bien. La femme l'avait informé, avant de quitter la maison ce soir-là, que lord Jeffers serait retrouvé au matin, le poignard de Deverall planté dans le cœur. Si Rogers ne le prévenait pas, il serait arrêté et pendu. Après tout, il s'était querellé en public avec lord Jeffers pour les beaux yeux de cette garce de lady Clinton !

— Mais, milady… comment le savez-vous ? avait balbutié le majordome, désorienté.

Il avait frémi en voyant le sourire de la femme. Il était un peu diminué, certes, mais il avait compris que c'était elle qui allait perpétrer le meurtre. Il l'avait toujours considérée comme dangereuse. Pourtant, il ne pouvait rien contre elle. Son maître était à la Cour, auprès du roi, et il n'avait pas le temps de lui envoyer un messager. Et puis, croirait-il à une histoire aussi invraisemblable ?

Jamais Rogers ne l'aurait imaginée capable de tuer pour parvenir à ses fins. Elle offrait toutefois à Dev une chance de s'échapper, même si cela signifiait pour lui renoncer à tout… à sa vie, à son héritage.

Il s'était incliné, raide.

— Je veillerai à ce que mon maître se sauve sans être importuné, madame.

— Je savais que je pourrais compter sur vous. Vous avez toujours été un homme prudent, Rogers. N'est-il pas rassurant pour vous de savoir qu'il sera sain et sauf, et que vous aurez une vieillesse confortable ?

— Si, milady, avait-il répondu. Je vous suis reconnaissant de votre générosité…

Moins d'un an plus tard, Rogers mourut tranquillement dans son sommeil, emportant avec lui la vérité sur la mort de lord Jeffers.

PREMIÈRE PARTIE

Angleterre, 1625-1626

1

— Bienvenue en France, madame, dit le duc de Saint-Laurent à sa belle-mère, en l'aidant de descendre de son grand carrosse de voyage.

— Merci, monsieur, répondit Catriona Stewart-Hepburn, qui croisa rapidement le regard de son gendre avant de chercher quelqu'un derrière lui.

James Leslie, le duc de Glenkirk, s'avança vivement, un grand sourire sur son beau visage viril. Il prit sa mère dans ses bras.

— Jemmie ! s'écria-t-elle, ses yeux verts noyés de larmes. Mon petit !

— Je ne suis plus vraiment un petit, mère, répliqua-t-il en riant, avant de reculer pour l'admirer. Je suis tellement heureux de vous voir, milady ! Quand nous avons appris que vous viendriez, nous avons amené toute notre progéniture, afin que vous puissiez faire la connaissance de vos petits-enfants, dont certains sont déjà grands.

— Ainsi que de ta femme, Jemmie. Tu es marié depuis plus de dix ans, et je ne l'ai jamais rencontrée.

— Jasmine était tellement occupée avec nos enfants qu'elle ne pouvait guère voyager. Venez, rentrons. Tout le monde vous attend au château. Ma femme, ma sœur, les enfants…

Lady Stewart-Hepburn se tourna vers le duc de Saint-Laurent.

— C'est tellement gentil de nous accueillir tous, Jean-Claude !

— La maison est grande, répondit aimablement le duc de Saint-Laurent. Quelques enfants de plus ou de moins...

Lady Stewart éclata de rire. Son fils James Leslie, issu d'un premier mariage, avait trois garçons ainsi que deux beaux-fils et deux belles-filles. Cela faisait sept enfants, à ajouter aux six de sa fille Francesca et de son gendre. Francesca avait épousé son beau duc français quatorze ans plus tôt, à l'âge de seize ans, et ils filaient encore le parfait amour. Peu après, son cher second mari, Francis Stewart-Hepburn, était mort, mais il avait vécu suffisamment pour voir ses filles établies : Francesca avec Jean-Claude, et Jeannie, ou Gianna, avec le marquis de San Ridolfi. Quant à leur fils, Ian, il était encore célibataire.

— Comment va Jeannie ? demanda le duc de Glenkirk à sa mère.

— Tellement italienne que tu n'imaginerais jamais qu'elle est écossaise ! répondit-elle.

— Et Ian ? Quelles bêtises a-t-il encore inventées ?

— Il faudra que nous parlions de lui, déclara lady Stewart tandis qu'ils pénétraient au salon.

— Grand-mère ! Grand-mère ! s'écrièrent les enfants de Francesca en se précipitant pour l'embrasser.

— Bienvenue chez nous, maman, dit la duchesse de Saint-Laurent. Grâce au Ciel, vous êtes arrivée sans encombre.

— Le voyage est long et fastidieux, Francesca, mais ce n'est pas dangereux.

Comme sa fille était belle ! songeait Catriona. Elle avait la superbe chevelure auburn de son père, son sourire…

Elle embrassa ses petits-enfants avant d'apercevoir, au côté de son fils aîné, une superbe femme aux cheveux de jais parée de somptueux bijoux.

— Milady, je vous présente mon épouse, Jasmine, dit le duc de Glenkirk.

Jasmine plongea dans une gracieuse révérence.

— Bienvenue en France, madame. Je suis heureuse de vous rencontrer enfin.

— Moi aussi, répliqua Catriona en embrassant sa belle-fille. Vous êtes magnifique, Jasmine, et très différente de l'épouse que j'avais choisie pour Jemmie quand il était jeune.

— J'espère que la comparaison n'est pas à mon désavantage, madame.

Lady Stewart-Hepburn eut un petit rire.

— Isabelle était une charmante enfant, mais elle aurait paru insignifiante à côté de vous… Maintenant, je veux faire la connaissance de mes petits-enfants ! Tous ! Car je considère les vôtres, Jasmine, comme ceux de Jemmie. Il les a élevés plus longtemps que leurs pères, je crois.

Les yeux turquoise de Jasmine se voilèrent fugitivement, puis elle se ressaisit et fit venir ses enfants.

— Voici mon aînée, lady India Lindley.

La jeune fille s'inclina.

— Et son frère, Henry Lindley, marquis de Westleigh. Ensuite, ma seconde fille, lady Fortune Lindley, et enfin mon fils Charles Frederick Stuart, duc de Lundy.

Tous saluèrent avec grâce et assurance.

Catriona s'adressa au duc de Lundy, âgé de onze ans :

— Nous sommes apparentés, du côté de votre père.

— Mon grand-père m'a en effet parlé de vous. Il disait que vous étiez la plus belle femme d'Écosse, et je vois qu'il n'avait pas exagéré, madame.

Elle éclata de rire.

— Mon Dieu, vous êtes bien un Stuart !

Elle se demandait ce que penserait l'enfant s'il apprenait que son grand-père, à présent décédé, avait été un véritable satyre, et qu'il avait détruit son premier mariage !

— Voici maintenant les enfants de Jemmie, poursuivit Jasmine. Patrick, Adam, et Duncan. Nous avons eu une petite fille, hélas nous l'avons perdue il y a presque deux ans. Elle a été emportée par une mauvaise fièvre, un mois après ma chère grand-maman dont elle portait le nom, ainsi que celui de Janet Leslie : Janet Skye.

— Je me rappelle mon arrière-grand-mère Janet, dit Catriona. Nous l'appelions Mam, et c'était une femme extraordinaire.

— Ma grand-mère aussi.

— Est-il vrai que vous avez vécu dans un harem ? demanda brusquement India.

Lady Stewart se tourna vers elle. C'était presque une femme, et elle était aussi ravissante que sa mère, avec sa chevelure aile de corbeau et ses étonnants yeux dorés.

— Oui. J'étais dans le harem du grand vizir du sultan.

— Quel sultan ?

— Il n'y en a qu'un. Le sultan turc.

Les yeux d'India brillaient de curiosité.

— Est-ce que c'était merveilleux, ou horrible ?

— Les deux, répondit Catriona, tandis que Jasmine faisait les gros yeux à sa fille dont elle trouvait l'indiscrétion déplacée.

India ne se laissa pas démonter.

— Ma mère a été élevée dans un harem, insista-t-elle.

— Vraiment ?

— Mon père était le Grand Moghol, en Inde, expliqua Jasmine. Et ma mère était anglaise. Elle est à présent mariée au comte de BrocCairn.

— Je me rappelle de votre mère, dit Catriona. Velvet. Elle a séjourné avec nous à l'Hermitage, il y a quelques années. Vous ne lui ressemblez guère.

— On dit que je tiens plutôt de mon père et de ma grand-mère maternelle.

Cela expliquait les yeux en amande et le teint délicatement doré de la jeune femme, se dit lady Stewart. Quant à la pétulante India, elle avait une peau de porcelaine et des reflets presque bleus dans les cheveux, mais d'où tenait-elle ces étonnants yeux dorés, yeux de chat, avec de petites pépites noires ?

Catriona s'assit dans un fauteuil près de la cheminée. Le mois d'avril était frais, en France. Sa famille s'était groupée autour d'elle, qui sur un tabouret, qui sur un sofa. Les plus petits jouaient entre eux.

— Quel âge a India ? demanda-t-elle.

— Elle aura dix-sept ans fin juin, répondit Jasmine, qui devinait déjà la suite.

— Et elle n'est pas mariée ?

Jasmine secoua la tête.

— Fiancée ?

— Non, madame.

— Alors vous devriez y songer, et vite, car cette jeune personne semble mûre pour l'amour. Presque trop mûre, à mon avis...

James Leslie éclata de rire.

— India n'a encore rencontré aucun jeune homme qui retienne son attention, mère. Or je tiens à ce que mes filles se marient par amour. C'est ce que j'ai fait, et jamais je ne l'ai regretté.

— Mam m'a fiancée à ton père quand j'avais quatre ans, et nous nous sommes mariés juste avant ta naissance. J'en avais seize, alors, et l'amour n'avait aucune part dans cette union. Pourtant, j'ai fini par éprouver de l'affection pour mon époux.

— Mais vous aimiez follement lord Bothwell, rappela James à sa mère. Et puis, cela s'est passé il y a quarante-sept ans. Les temps ont changé.

— Tu permettrais à ta belle-fille de faire un mariage en dessous de sa condition au nom de l'amour ? riposta Catriona.

— India ne choisirait pas n'importe qui, madame, intervint Jasmine. Car elle est orgueilleuse et fière de ses racines. Elle est la petite-fille d'un grand monarque, et la famille de son père était de haute et ancienne noblesse. Elle adorait ma grand-mère et ne se lassait pas d'entendre le récit de ses aventures, particulièrement celles qui impliquaient la reine Elizabeth, sa grande amie. Le moment venu, India saura choisir un mari avec discernement.

— Vous n'avez reçu aucune demande en mariage ?

— Plusieurs, mais aucune ne plaisait à India, répondit le duc de Glenkirk. Elle avait l'impression que les familles ne s'intéressaient qu'à sa fortune, et non à elle. En l'occurrence, elle ne se trompait pas.

— Mais les jeunes filles amoureuses pour la première fois manquent souvent de prudence et de jugement, dit Catriona.

— Eh bien, puisque personne n'a encore conquis ma fille, je pense que nous n'avons aucune raison de nous inquiéter, la rassura Jasmine.

Les Leslie de Glenkirk étaient venus en France représenter leur pays au mariage par procuration de leur nouveau roi, Charles Ier, avec la princesse française Henriette-Marie, sœur du roi de France. Le roi James était mort brusquement le 27 mars, alors que les négociations du mariage étaient déjà conclues, malgré quelques difficultés au sujet de la religion de la fiancée. Charles Stuart se retrouvait soudain monarque, et sans descendance. Il considérait qu'il ne pouvait quitter le royaume si vite après le décès de son père, mais il tenait à ce que le mariage soit célébré sur-le-champ : aussi avait-il demandé qu'on amène la princesse en Angleterre. L'union devait être scellée en juin, pourtant il en avança la date au 1er mai, afin que ses ennemis au Parlement n'aient pas le temps de se mobiliser pour retarder ou annuler le mariage. Le duc de Buckingham avait été choisi pour remplacer le roi au mariage par procuration, mais il devait assister aux funérailles du défunt roi qui aurait lieu fin avril. En effet, il n'était pas rare que l'on garde le corps en l'état pendant plusieurs semaines. On désigna donc pour représenter Charles le duc de Chevreuse qui, apparenté à la fois à la famille royale de France et à celle d'Angleterre par l'intermédiaire de leur ancêtre commun, le duc de Guise, était acceptable pour les deux pays.

La plupart des courtisans restèrent à Londres, mais Charles insista pour que les Glenkirk assistent au mariage. Ce serait plus gai que l'enterrement du malheureux roi, avait fait remarquer Glenkirk à son épouse. Et si sa sœur, la duchesse de Saint-Laurent, demandait à leur mère de venir de Naples, Jasmine et les enfants pourraient enfin faire sa connaissance.

Le jeune roi avait d'autres raisons de vouloir les envoyer en France. James Leslie était un de ses lointains parents, et le petit Charles Frederick Stuart était son neveu, bien qu'il soit né hors mariage. De tels accidents importaient peu aux Stuarts : sauf quand il s'agissait de succession, les bâtards étaient considérés comme des membres légitimes de leur clan. Le roi tenait à ce qu'il y ait au mariage quelqu'un de sa famille. D'autre part, comme les Leslie venaient rarement à la Cour, il n'était guère gênant qu'ils n'assistent pas à la cérémonie funèbre.

Les Leslie étaient inscrits sur la liste des invités qui devraient se trouver à la signature du contrat de mariage et aux fiançailles, le 28 avril, ainsi qu'au mariage le 1er mai. Leurs cinq aînés les accompagneraient, tandis que les Saint-Laurent, lady Stewart-Hepburn et les deux plus jeunes Leslie ne viendraient que pour le mariage proprement dit.

Glenkirk et sa famille furent émerveillés par la magnificence du palais du Louvre. Ils furent accueillis par deux ambassadeurs anglais, le comte de Carlisle et le vicomte Kensington, qui les menèrent aussitôt dans les appartements du roi, où devait avoir lieu la signature. Mais il fallait auparavant se plier au protocole. Les deux ambassadeurs présentèrent le contrat au roi et à son chancelier. Quand Louis XIII eut donné son accord, on fit venir sa sœur.

Henriette-Marie fit son entrée, escortée par sa mère, Marie de Médicis. Elle était vêtue d'une robe or et argent brodée de fleurs de lys, incrustée de diamants, émeraudes, rubis et saphirs. Lorsqu'elle fut assise, on appela le duc de Chevreuse qui arriva dans un costume noir orné de diamants. Il s'inclina devant le roi et la princesse, présenta sa lettre de créance à Louis XIII qui la tendit à son chancelier avant de signer le contrat. Les autres signataires étaient Henriette-Marie elle-même, Marie de Médicis, la reine de France, Anne d'Autriche, le duc de Chevreuse et les deux ambassadeurs anglais.

Une fois cette formalité accomplie, on procéda à la cérémonie de fiançailles proprement dite qui fut présidée par le parrain de la princesse, le cardinal de La Rochefoucauld, tandis que le duc de Chevreuse donnait les réponses à la place du roi d'Angleterre. Ensuite, la princesse se rendit au couvent des Carmélites, rue Saint-Jacques, où elle resterait jusqu'au mariage.

Le duc de Glenkirk et sa famille retournèrent au château de Saint-Laurent.

Le jour du seizième anniversaire de Henry Lindley, le 30 avril, ils se mirent de nouveau en route pour Paris, où devait avoir lieu le mariage. Le voyage fut long à cause des encombrements sur les routes menant à la capitale. Ils s'installèrent dans la résidence parisienne du duc de Saint-Laurent.

Le 1er mai fut une journée triste et grise. Dès dix heures du matin, il se mit à pleuvoir, ce qui n'empêcha pas la foule de se masser sur le parvis de Notre-Dame. L'archevêque de Paris était furieux que l'on ait choisi le cardinal de La Rochefoucauld pour célébrer le mariage dans sa cathédrale, mais la famille royale avait refusé d'écouter ses protestations. Vexé, l'archevêque s'était retiré sur ses terres. Toutefois il ne pouvait refuser à la princesse l'accès de son palais, proche de la cathédrale, et à deux heures, Henriette-Marie quittait le Louvre pour aller se préparer dans la demeure de l'archevêque.

Une galerie surélevée avait été construite spécialement entre le palais de l'archevêque et la porte de la cathédrale. Elle était drapée de tentures ornées de fleurs de lys. Devant le portail ouest, on avait érigé une estrade abritée d'un dais d'or imperméabilisé à la cire.

À six heures, la procession nuptiale sortit de la demeure de l'archevêque pour s'engager dans la galerie.

Des Suisses de la garde royale ouvraient la marche, suivis par des tambours et des soldats munis de bannières bleu et or, puis venait la musique, hautbois, grosse caisse et trompettes. Le grand maître des cérémonies précédait les chevaliers du Saint-Esprit, puis les hérauts du roi en grand uniforme.

Le duc de Chevreuse était vêtu de noir et les crevés de son costume laissaient voir la soie or de la doublure, tandis qu'il portait sur la tête un large béret de velours orné de diamants qui scintillaient malgré le temps maussade. Venaient derrière lui le comte de Carlisle et le vicomte Kensington.

La foule se bousculait au pied de la galerie en criant ses vœux de bonheur à la princesse. Seuls quelques privilégiés resteraient devant l'estrade pour assister à la cérémonie. Le roi d'Angleterre étant protestant, il était indispensable que la cérémonie soit célébrée à l'extérieur. Ensuite, on dirait une messe dans l'église.

India Lindley, l'une des heureuses élues, frissonna et serra davantage son manteau autour d'elle. Elle regrettait de ne pas avoir choisi sa pelisse doublée de fourrure, mais celle-ci aurait été beaucoup moins élégante. Bouche bée, elle admirait les courtisans français dans leurs somptueux atours. Elle-même avait l'impression d'être une parente de province. Fortune et elle avaient l'air de pauvresses, comparées à la toute jeune Catherine-Marie Saint-Laurent dont la tenue bordeaux et or était absolument ravissante.

— Voilà la mariée! chuchota Fortune à son oreille.

L'adolescente profitait pleinement du spectacle, sans se soucier une seconde d'être démodée.

La princesse arrivait, escortée de ses frères, le roi Louis XIII resplendissant en argent et or, et le prince Gaston d'Orléans en soie bleue. La petite mariée, âgée de seize ans, portait une incroyable robe de soie crème rebrodée de fleurs de lys, de perles et de diamants qui lançaient leur éclat au moindre de ses mouvements. Elle avait sur la tête une délicate couronne d'or, ornée d'une énorme perle en forme de poire.

— J'en ai de plus belles, murmura la duchesse de Glenkirk.

Sa belle-mère pouffa discrètement.

La reine mère, Marie de Médicis, était comme d'habitude en grand deuil, mais pour l'occasion, elle avait sorti tous ses diamants. La reine de France, Anne d'Autriche, tout en or, saphir et perles, menait la tête de la Cour. Quelques Anglais attendaient déjà sous le dais.

Le cardinal procéda à la cérémonie, puis tout le monde entra dans la cathédrale où se trouvaient déjà les autres invités. Après avoir installé la jeune reine sur un trône, le duc de Chevreuse, les ambassadeurs et les Anglais se rendirent dans le palais de l'archevêque, car ils n'assisteraient pas à la messe.

— C'est ridicule ! souffla Jasmine.

— Taisez-vous ! rétorqua fermement son mari.

Comme sa femme, il trouvait absurdes ces querelles entre catholiques et anglicans, mais il leur fallait vivre avec, et les accepter sous peine de se faire des ennemis. Lady Stewart approuva d'un signe de tête la sagesse de son fils.

— Vous avez vu ces toilettes ? s'écria India. C'était éblouissant !

— Il est normal qu'une mariée soit belle, répondit Jasmine.

— Non, je ne parle pas de la reine, qui est somptueuse, évidemment. Ce sont les tenues des dames de la Cour que j'envie ! Bien sûr, maman, vos bijoux magnifiques rehaussent votre robe, mais Fortune et moi avons l'air de petites souris comparées à ces dames. C'est affreusement humiliant ! Nous sommes là pour représenter notre roi, et nous voilà vêtues comme des filles de ferme !

— Qu'est-ce qui te déplaît dans nos robes ? demanda Fortune. Moi, je les trouve jolies. Toutefois, j'aime beaucoup la coiffure de la reine Anne. Pourrais-je me faire couper les cheveux comme elle, maman ?

— Non. Tes cheveux sont superbes, ma chérie, il n'est pas question d'y toucher. Si la reine de France éprouve le besoin de friser les siens, c'est qu'ils sont moins beaux que les tiens.

— Et moins roux, marmonna l'adolescente.

— Je me commanderai une garde-robe complète dès que je serai rentrée en Angleterre, décréta India. Et j'éblouirai la cour de Charles avec la mode française. La nôtre est tellement terne, toujours dans des teintes bleu pâle, rose, beige, noire... Et puis, vous avez tant de bijoux, maman. Je vous en prie, donnez-m'en quelques-uns.

— Elle sait ce qu'elle veut ! commenta Catriona, s'adressant à son fils. Elle a dû être plutôt difficile à élever, non ?

Le duc de Glenkirk sourit.

— Pas plus que les autres, mère. Elle s'est toujours montrée obéissante.

— Elle ne le restera pas longtemps, à mon avis. Donne-lui ce qu'elle demande, et ensuite trouve-lui un mari.

— Je suis d'accord avec votre mère, Jemmie, intervint Jasmine. Il y a chez India un aspect rebelle qui me rappelle un peu mon frère Salim. Je me souviens que mon père lui pardonnait toujours, même quand il commettait des fautes graves. Malheureusement, c'était un ivrogne, un voleur, un menteur. Et un meurtrier. C'est la seule chose que mon père n'a pu lui pardonner.

— Qu'a-t-il fait ? demanda Catriona, intriguée.

— Salim me voulait comme un homme désire une femme, et mon père ne le supportait pas, alors il m'a mariée au prince Javid Khan. Salim l'a assassiné, et mon père, sentant sa fin proche, m'a fait quitter l'Inde. À l'âge d'India, j'étais sur le point d'épouser mon second mari, le père de mes trois aînés.

— Eh bien, je le répète, il faut lui trouver un mari. Il est grand temps qu'elle se pose dans la vie. Je pourrais lui trouver un parti convenable à Naples...

— Oh, non ! protesta Jasmine. Je ne veux pas qu'elle soit aussi loin ! Comme ma grand-mère, je tiens à avoir ma famille près de moi, en Angleterre ou en Écosse. Seul mon oncle Ewan O'Flaherty vit en Irlande, et vous, madame, dans le royaume de Naples. Jemmie m'a parlé de vos... problèmes avec notre défunt roi, mais à présent qu'il est mort et enterré, n'envisageriez-vous pas de rentrer en Écosse ? Vous aurez toujours votre place à Glenkirk.

— Dieu vous bénisse, ma chère Jasmine, dit Catriona d'une voix enrouée par l'émotion. Mais mon bien-aimé Bothwell est enterré à Naples, dans le jardin de notre villa, et c'est là que je veux reposer un jour, à ses côtés. En outre, mes vieux os sont trop habitués au climat du Sud pour supporter l'humidité glaciale de l'Écosse.

— Votre arrière-grand-mère est bien revenue dans un pays du Nord après un long séjour dans les contrées chaudes, fit remarquer le duc.

— Je ne suis pas Janet Leslie.

Au-dehors, le canon tonnait.

— On dirait que la messe est enfin finie, dit le comte avec une pointe de sarcasme.

— Il était temps ! renchérit le vicomte Kensington. Les catholiques croient-ils réellement que Dieu va leur pardonner leurs péchés parce qu'ils passent des heures agenouillés à l'église ? En tout cas, espérons que notre nouvelle petite reine sera aussi féconde que sa mère !

— Venez voir ! s'écria James. La pluie a cessé, et on tire un feu d'artifice.

Ils regardèrent les fusées qui explosaient dans le ciel en gerbes multicolores.

Ensuite, tous les invités gagnèrent le palais de l'archevêque où un festin les attendait dans la grande salle, décorée pour l'occasion des tapisseries du Louvre.

La table de banquet allait d'un bout à l'autre de la pièce, et le roi trônait au milieu sous un dais, encadré par sa mère et sa sœur, la toute nouvelle reine d'Angleterre.

Les festivités durèrent toute la semaine. Il y avait tant de bals et de soupers qu'il était difficile d'assister à tous, mais le plus somptueux fut offert par la reine mère dans le palais du Luxembourg.

Puis George Villiers, le duc de Buckingham, arriva à Paris, chargé, annonça-t-il, d'escorter la jeune reine en Angleterre. C'était un homme grand, extrêmement séduisant. Lorsqu'il regardait une femme, elle se sentait unique au monde. Son épouse l'adorait, même s'il avait une réputation de coureur. Buckingham était si beau que le défunt roi James l'avait surnommé Steenie parce que, disait-il, il avait le visage parfait de saint Stephen.

La reine de France ne cacha pas son admiration pour le jeune homme, tandis que les hommes de la Cour le détestèrent sur-le-champ. Il était arrogant, selon eux, et se comportait comme le roi en personne. Leurs femmes n'étaient pas de cet avis et jetaient des œillades langoureuses au duc dès qu'elles le croisaient, soupiraient en contemplant ses boucles châtains, sa moustache et sa petite barbe en pointe.

Il arriva un jour en costume de soie gris argent, rebrodé de perles, mais ces perles ne cessaient de se détacher et de rouler sur le plancher. Comme les domestiques se précipitaient pour les ramasser, le duc leur fit signe en souriant de ne pas s'en donner la peine. Les perles n'étaient que des babioles, affirma-t-il, sous-entendant qu'il en avait bien d'autres chez lui.

— Vous l'avez fait exprès, lui reprocha la duchesse de Glenkirk en riant. Ces perles sont mal cousues, et c'est volontaire. Vous vouliez seulement agacer ces malheureux Français. Quelle perversité, Steenie !

Ils se connaissaient depuis les premiers pas de Villiers à la cour du roi James.

Ses yeux sombres pétillant de malice, il sourit sans répondre.

Le 31 mai, la reine d'Angleterre et sa suite quittèrent enfin Paris. Il s'agissait de plusieurs centaines de personnes, les nobles qui feraient partie de sa maison, un nombre incalculable de domestiques, femmes de chambre, cuisiniers, sans compter un médecin, un apothicaire, un tailleur, une brodeuse, un parfumeur, un horloger, onze musiciens, un bouffon et vingt-quatre prêtres dont un évêque.

Louis XIII, atteint d'une forte angine, pouvait à peine parler quand il fit ses adieux à sa sœur à Compiègne, avant de retourner se reposer à Paris. À Amiens, Marie de Médicis fut fiévreuse à son tour, et il fut évident que Henriette-Marie devrait continuer sa route sans la présence de sa mère. Déjà, Charles envoyait message sur message réclamant sa petite reine.

La troupe embarqua à Boulogne où une vingtaine de navires les attendaient. De nombreux gentlemen et leurs épouses vinrent accueillir leur nouvelle reine. Toutefois, même si elle se montrait polie, Henriette-Marie ne leur témoigna pas une grande chaleur. Il fallait éviter de frayer avec des protestants, lui avaient dit ses conseilleurs spirituels, qui se moquaient bien qu'elle fasse bonne impression sur ses nouveaux sujets, du moment que son âme était sauve...

Le duc de Glenkirk et les siens avaient pris congé de la reine à Paris. Ils retournèrent au château de Saint-Laurent afin de profiter quelques jours encore de lady Stewart-Hepburn.

James Leslie insista pour que sa mère les accompagne en Écosse.

— Vous ne connaissez même pas notre jeune roi, mère, dit-il. Venez à Glenkirk avec nous.

Catriona secoua la tête. Elle avait été une véritable beauté, et c'était encore une fort belle femme avec ses cheveux blancs et ses yeux d'un vert étonnamment clair.

— Écoute, Jemmie, répondit-elle, tu es mon fils aîné et je t'aime de tout mon cœur, mais je ne quitterai pas Bothwell, comme je l'ai déjà dit à Jasmine. En outre, mes vieilles articulations ne le supporteraient pas : ce serait me priver de dix ans de vie. Or si j'ai sincèrement aimé mon Francis, je ne suis pas pressée d'aller le retrouver dans l'au-delà, ajouta-t-elle en riant. D'ailleurs, tu t'es fort bien débrouillé sans moi, ces dernières années.

— Vos enfants ne vous manquent pas ? Mes frères et mes sœurs vous ont donné aussi des petits-enfants, mère.

— Qui sont tous venus me rendre visite à Naples, à un moment ou un autre, compléta-t-elle. Eux non plus n'ont pas besoin de moi, Jemmie. Une femme élève ses enfants, puis elle doit les laisser partir, vivre leur vie. Le père et la mère sont des soleils pour leurs enfants, jusqu'au jour où ils s'en vont, où les parents prennent moins de place dans leur existence. Et ce n'est pas triste, car ils souhaitent les voir s'épanouir.

« Bientôt, les trois aînés de Jasmine quitteront le giron familial, et il faudra leur permettre de s'envoler, Jemmie, comme je vous ai laissés partir, tes frères, tes sœurs et toi. Maintenant, tu dois aussi me laisser partir, fils. Tu ne t'en rends peut-être pas compte, mais c'est ce que tu as fait, il y a bien longtemps, lorsque j'ai quitté l'Écosse et que tu es devenu le chef des Leslie de Glenkirk. Me revoir après toutes ces années t'a rendu nostalgique, voilà tout.

James secoua la tête.

— Je n'avais pas compris avant aujourd'hui à quel point vous me manquez, mère. Ne reviendrez-vous jamais en Écosse ?

— Tu sais que je ne quitterai jamais mon défunt mari.

— Je suis certain qu'il aurait aimé être enseveli dans sa terre natale, dit doucement le duc de Glenkirk, avant de poursuivre avec un petit rire : Il attendait peut-être notre cousin le roi James à la porte du paradis, en compagnie de la reine Ann. Elle a toujours aimé Bothwell, n'est-ce pas ?

— Toutes les femmes adoraient Francis, se souvint Catriona, un sourire aux lèvres. Cependant, s'il attendait le roi James à la porte du paradis, le roi a dû croire qu'il s'était trompé de chemin !... Mais oui, tu as raison, il aurait aimé reposer dans sa patrie.

— Croyez-vous qu'il lui déplairait que ce soit sur la terre des Leslie ?

— Près de l'ancienne abbaye, dit Catriona. Tu pourrais, Jemmie ?

— Mon père n'y est pas enterré.

Sa mère l'ignorait, car elle avait alors fui l'Écosse, mais le père du duc, cinquième comte de Glenkirk, n'avait pas péri en mer comme on l'avait déclaré. Il avait été capturé par les Espagnols et était parti avec eux explorer le Nouveau Monde, où il avait refait sa vie.

James Leslie l'avait appris quelque vingt-cinq ans plus tôt, lorsque son père avait fait irruption à Glenkirk en s'excusant de sa longue absence. Il avait été grandement soulagé d'apprendre qu'il pouvait continuer à mener l'existence qui lui plaisait et retourner vers la jeune femme qui l'attendait, de l'autre côté des mers. James Leslie ne l'avait jamais revu.

— Mon père était un bon Écossais, dit-il, et s'il l'avait pu, il se serait fait enterrer à Glenkirk. Je ne pense pas qu'il aurait vu d'objection à ce que vous y reposiez, Bothwell et vous. En outre, qui sera au courant, à part nous ?

— Alors un jour, nous rentrerons ensemble en Écosse, décida Catriona, les larmes aux yeux.

Elle marqua une pause, l'émotion menaçant de la submerger.

— Nous voyagerons dans le même cercueil, ainsi personne ne se posera de questions. On pensera que c'est la vieille mère du duc de Glenkirk qui revient pour être enterrée chez elle, et personne ne saura où se trouve la tombe de Bothwell. Car même à Naples, il y a des gens qui croient aux fariboles de sorcellerie que le roi James a fait courir au sujet de Francis. Certains viennent prendre de la terre sur sa tombe, persuadés qu'elle a des pouvoirs magiques. Je dois la faire surveiller, sinon ils seraient capables de déterrer son corps pour l'utiliser dans leurs rites païens !

— Je ne crois pas que vous soyez déjà prête à rentrer à la maison, mère, dit James avec un sourire.

— En effet !

Elle serra son fils contre elle.

— Merci de ta générosité, Jemmie, ajouta-t-elle.

— J'ai toujours aimé partager des secrets avec vous, mère. Seule Jasmine sera dans la confidence.

— Entendu... Tu vas me manquer.

— Vous me manquerez aussi, répondit le duc de Glenkirk en l'embrassant.

2

— Quelle folie ! dit la comtesse d'Alcester à sa nièce sur un ton de reproche. Tu vas pourrir cette petite, Jasmine, en lui offrant une garde-robe de cette importance. Tous les chasseurs de dot vont lui sauter dessus, quand elle paradera à la Cour dans ces somptueuses toilettes.

— Croyez-vous, tante Willow, que j'aie si peu de discernement ? se défendit India. J'ai refusé une douzaine de propositions en Écosse, parce que je savais que c'était ma fortune qui attirait les prétendants. Ce ne sont pas de belles robes qui altéreront mon jugement sur les hommes.

— Tu as la langue trop bien pendue pour une jeune fille de bonne famille ! rétorqua sèchement la comtesse.

India était une forte tête, comme sa mère autrefois. « Comme ma propre mère, songea avec amertume lady Edwardes, comtesse d'Alcester. Dieu merci, mes filles ont toujours été dociles, ainsi que mes petites-filles... »

— Si tu veux mon avis, Jasmine, reprit-elle, James et toi devriez trouver un époux convenable pour India et cesser de la gâter outrageusement.

Willow se hissa hors de son fauteuil et épousseta sa jupe noire.

— Je n'aime plus Londres, marmonna-t-elle, et personne ne devrait y vivre à cette époque de l'année. Il y fait trop chaud, trop humide. Mais il fallait bien que nous venions accueillir notre nouvelle reine.

— Je la trouve très jolie, dit India.

— Toutes les jeunes filles sont jolies. Mais nous aurons des problèmes avec sa religion, vous verrez. Et si tous ces Français qui l'accompagnent persistent dans leurs manières grossières, le roi aura intérêt à les renvoyer.

Elle se dirigea majestueusement vers la porte.

— Je rentre chez moi, annonça-t-elle. Nous nous verrons demain à la Cour. J'espère, Jasmine, que ta fille sera vêtue comme il convient à une jeune Anglaise de son rang.

— Vieille bique ! maugréa India dès que la porte se fut fermée sur Willow.

— Elle a oublié ce qu'est la jeunesse, voilà tout, dit Jasmine, qui n'était pourtant pas loin de partager l'opinion de sa fille.

Willow avait toujours mis un point d'honneur à se montrer sage et comme il faut. On avait l'impression qu'elle se donnait un mal fou pour ne pas ressembler à sa mère, une femme passionnée, au caractère affirmé. Ce qui la rendait austère et souvent ennuyeuse.

— Cependant, reprit Jasmine, ta grand-tante a raison : il faut que tu portes une tenue discrète pour accueillir la reine. Il ne serait pas convenable que tu l'éclipses, alors qu'elle cherchera à faire bonne impression sur ses nouveaux sujets. Je suppose qu'elle se sentira un peu mal à l'aise, un peu effrayée, parmi tous ces inconnus.

— Comme vous, quand vous êtes arrivée en Angleterre ? demanda India.

Jasmine acquiesça.

— Au moins la reine aura-t-elle la possibilité de regagner sa patrie, si elle en a envie. Moi, je ne pouvais plus rentrer en Inde.

— Avez-vous parfois regretté d'en être partie ?

— Non. Une page était tournée. Mon destin me menait ici, avec ton père, et plus tard en Écosse avec mon cher Jemmie, ton beau-père. Il ne faut jamais lutter contre ton destin, India, même si ce n'est pas celui que tu aurais souhaité.

— Je ne vois rien de passionnant dans mon avenir, maman, dit India. Je vais devoir prochainement choisir un époux, sous peine de rester vieille fille. Ensuite j'aurai des enfants, comme vous, comme ma grand-mère Velvet, comme mon arrière-grand-mère Mme Skye. Il n'y a là rien d'excitant ni d'extraordinaire, je le crains.

— Mme Skye, ma mère et moi n'avons pas eu des existences ternes, India, lui rappela Jasmine. Pourtant, je ne te souhaite pas de vivre autant d'aventures que nous. J'ignore si tu le supporterais, après avoir connu une enfance protégée.

— Grand-mère aussi a eu une enfance facile.

— C'était une autre époque, dit doucement Jasmine en songeant que sa fille, née et élevée en Angleterre, ne connaissait pas la moitié de l'histoire.

La jeune fille soupira.

— Venez m'aider à choisir ce que je porterai demain. Et il faut aussi décider pour Fortune, sinon elle s'habillera n'importe comment, et nous aurons honte pour elle. Fortune se moque complètement de son apparence !

La duchesse de Glenkirk éclata de rire. C'était tellement vrai ! India ne pensait qu'à l'impression qu'elle produisait, et elle était toujours impeccable, alors que sa jeune sœur, véritable garçon manqué, avait toujours les cheveux en bataille, les jupes tachées de boue et les ongles plus ou moins propres. La mère de Jasmine affirmait que Fortune changerait en grandissant, mais celle-ci allait fêter ses quinze ans d'ici quelques semaines, et il n'y avait aucun signe d'amélioration dans son comportement. Comment Jasmine et Rowan Lindley avaient-ils pu engendrer deux filles si diamétralement opposées ?

— Occupons-nous d'abord de Fortune, déclara Jasmine, qui savait qu'il faudrait un temps infini à India pour se décider sur sa tenue.

— Le plus difficile sera de lui trouver quelque chose de propre, même si Nelly se donne un mal fou pour que sa garde-robe soit à peu près présentable. Personne ne me met en rage comme Fortune, maman ! conclut India en riant. Et pourtant, même si elle ne s'en rend pas compte, je l'adore !

— Je sais, dit la duchesse.

Elles montèrent aux appartements d'India dans un bruissement de soie.

La jeune fille, impressionnée par le faste de la Cour française, était rentrée en Angleterre avec la ferme intention de se faire exécuter une bonne douzaine de robes. Elle avait donc dévalisé les entrepôts de la société O'Malley-Small où étaient gardées les fabuleuses étoffes ramenées d'Inde par sa mère, presque vingt ans auparavant. Il y en avait tant qu'elle et sa sœur pourraient y puiser toute leur vie. Elle avait choisi des couleurs qui flattaient son teint et avait elle-même surveillé la fabrication des robes, nettement plus riches que ce que l'on portait couramment en Angleterre. Persuadée que ses tenues seraient aussi belles que celles de la reine et de ses dames d'honneur, elle avait hâte de se rendre à la Cour.

Le roi et la reine s'étaient mariés une nouvelle fois dans l'abbaye de Canterbury, puis ils étaient entrés à Londres par le fleuve car la menace d'une épidémie de grippe planait sur la ville. Ce n'était pas l'entrée officielle dont avait rêvé Henriette-Marie, cependant elle avait salué gracieusement la foule amassée sur la rive, par les vitres ouvertes de la barge royale.

Ensuite, la jeune reine s'était reposée de son long voyage, et ce fut seulement à la fin juin qu'elle se sentit assez remise pour assister à la proclamation officielle de son mariage.

La cérémonie eut lieu dans le palais de Whitehall. Le contrat fut lu à haute voix devant le roi et la reine, assis sur leurs trônes, les dignitaires de la Couronne et la Cour.

India, en regardant autour d'elle, s'aperçut avec satisfaction qu'elle était la plus élégante des dames anglaises. Fortune avait, naturellement, levé les yeux au ciel lorsqu'elle avait vu sa sœur enfiler un étroit corset, mais India savait que cela mettait ses seins discrètement en valeur au-dessus du décolleté carré. Les crevés de sa robe bordeaux laissaient voir un brocart ivoire et or, en harmonie avec le jupon sur lequel s'ouvrait la jupe. La duchesse avait refusé à sa fille l'autorisation de porter ses rubis, estimant que les perles convenaient mieux à l'occasion. Les cheveux noirs de la jeune fille étaient coiffés en chignon, avec un accroche-cœur sur l'oreille gauche.

— Bon sang, c'est la plus belle fille que j'aie jamais vue ! dit Adrian Leigh, le vicomte Twyford, à son ami John Summers.

— Trop riche pour toi, répondit lord Summers.

— Tu sais qui elle est, John ? Et pourquoi ne pourrais-je séduire cette superbe créature ?

— Parce que c'est la belle-fille du duc de Glenkirk, India, et la sœur du marquis de Westleigh. Une héritière hors de portée. Tu n'as pas envie de te marier, Twyford, tu as envie de séduire. Essaie avec cette beauté, et tu ne feras pas de vieux os.

— Je serai un jour comte d'Oxton, John, objecta le vicomte. Et quelle belle comtesse elle ferait ! India, as-tu dit ? C'est un drôle de nom.

— La duchesse de Glenkirk, sa mère, est originaire d'Inde, bien que sa mère soit anglaise, ou écossaise, je ne sais plus. C'est une famille très riche et plus ou moins apparentée aux Stuarts. Le demi-frère de lady Lindley, le duc de Lundy, est aussi le neveu du roi. Un bâtard, bien sûr, mais tu connais les Stuarts.

— Ces femmes ont visiblement le sang chaud ! déclara le jeune homme sans quitter India des yeux.

— Attention, Adrian, plaisanta son ami. Si ta mère découvre que tu t'intéresses à cette jeune personne, elle sera furieuse. Elle t'adore, et on raconte que jamais elle ne te confiera aux soins d'une autre femme !

— Ma mère ferait mieux de rester à Oxton Hall et de s'occuper de père, dont la santé décline depuis quelques années.

— Mais c'est encore une très belle femme, répliqua lord Summers.

— Elle se donne assez de mal pour ça ! C'est son seul intérêt dans la vie. Elle ne m'empêchera sûrement pas de me marier, John, quand j'aurai trouvé la femme de ma vie. Or je crois que c'est le cas. Il faut absolument qu'on me présente à lady India. Connais-tu quelqu'un de sa famille ?

— Oui, son frère, Henry Lindley, le marquis de Westleigh. Mon domaine borde le sien à Cadby. S'il est là... Tiens ! Justement, je l'aperçois, avec son beau-père le duc. Viens, Adrian, ne laissons pas passer l'occasion.

Les deux jeunes gens traversèrent le salon qui regorgeait de monde. Une fois la lecture du contrat terminée, le roi s'était rendu dans une petite salle à manger, tandis que la reine se retirait dans ses appartements, laissant les courtisans bavarder entre eux.

Arrivé près du duc de Glenkirk, qui s'entretenait avec son beau-fils, lord Summers s'arrêta, attendant de croiser le regard de Henry Lindley, ce qui ne tarda pas.

— Mes respects, milord, dit-il. Voici mon ami, le vicomte Twyford, qui a vu votre sœur et affirme qu'il mourra si vous ne le présentez pas.

Lord Summers souriait amicalement à Henry, de trois ans son cadet.

— Qui sont ces jeunes gens, Henry ? intervint James Leslie, le duc de Glenkirk.

— Lord John Summers, père, dont le domaine est mitoyen du mien. Il nous arrive de chasser ensemble, lorsque je réside à Cadby. Et son ami, le vicomte Twyford.

— Avez-vous un nom, jeune homme ? insista le duc.

— Adrian Leigh, milord. Je suis le fils du comte d'Oxton, et son héritier, répondit-il en s'inclinant.

— Et avec quelles intentions souhaitez-vous rencontrer ma belle-fille ?

Il y eut un rire léger. La duchesse de Glenkirk avait entendu les paroles de son mari, et elle posa la main sur son bras.

— Ne soyez pas si collet monté, Jemmie ! Le vicomte Twyford me semble tout à fait convenable, et India est une ravissante jeune fille. Ses intentions ! répéta-t-elle en riant. Henry, emmène ces deux jeunes gens et présente-les à ta sœur. Vous êtes un homme d'honneur, monsieur, je ne me trompe pas ? demanda-t-elle à Adrian.

— Oui, milady, je le suis, répondit-il avec la fougue d'un collégien.

— Alors, allez avec mon fils.

Les trois jeunes hommes retraversèrent la salle, cette fois en direction d'India qui bavardait avec Fortune. Elle sourit et tendit la main à son frère.

— Henry !

— Maman m'a permis de te présenter ces deux messieurs, India.

— Je connais déjà lord Summers, dit-elle aimablement. Vous chassez avec Henry à Cadby, n'est-ce pas ?

— J'ignorais que vous m'aviez vu, lady India, et nous n'avons pas été présentés officiellement, dit-il en s'inclinant.

— Comment aurais-je pu ne pas remarquer un si séduisant gentilhomme ? répliqua-t-elle, coquette, en penchant légèrement la tête.

— Par le sang du Christ ! jura sa sœur.

— Fortune ! la gronda India, scandalisée. C'est ma jeune sœur et elle sort dans le monde pour la première fois. Elle est incapable de se comporter correctement.

— Parce que tu trouves correct d'aguicher un

homme que tu viens tout juste de rencontrer ? s'indigna la jeune fille.

India rougit.

— Je ne l'aguichais pas, j'étais seulement polie.

Henry coupa court à la dispute en éclatant de rire.

— Ah, les sœurs ! Toujours en train de se chamailler... India, j'aimerais te présenter le vicomte Twyford, qui languit de te connaître.

India Lindley tourna son regard doré vers Adrian Leigh et lui offrit sa main.

— Comment allez-vous, monsieur ? murmura-t-elle.

— Beaucoup mieux depuis quelques secondes, répondit-il galamment.

Fortune leva les yeux au ciel.

— J'ai brusquement la nausée, Henry. Voudrais-tu m'emmener loin de ces écœurantes niaiseries ?

India ne l'entendit même pas. Elle retira sa main de celle d'Adrian.

— India ! s'écria quelqu'un derrière elle. Bonjour, ma belle cousine.

Elle fit volte-face. Un jeune homme follement élégant s'inclinait.

— René ! Mon Dieu... comme tu as grandi !

Il était vraiment magnifique.

— Eh oui, je suis devenu un homme, rétorqua-t-il en français.

— Nous sommes en Angleterre ! fit-elle remarquer. Et tu parles parfaitement l'anglais. Comme je suis heureuse de te voir !

Elle s'adressa de nouveau à lord Summers et au vicomte :

— Voici le chevalier Saint-Justin, mon cousin. René, je te présente John Summers et Adrian Leigh, le vicomte Twyford. Je ne savais pas que tu accompagnais la reine, je ne t'ai pas vu à Paris. Que fais-tu ici ?

— L'un des gentilshommes d'honneur de Sa Majesté est tombé malade, et comme j'étais à Paris pour traiter une affaire, je me suis arrêté au Louvre afin de saluer le roi. Apparemment, je me trouvais au bon endroit au bon moment. C'est un honneur pour toute la famille que j'aie été choisi, chère India.

— Et quel est précisément votre lien de parenté ? demanda Adrian, jaloux de ce bel étranger.

Lord Summers et Henry furent choqués qu'il formule une telle interrogation, mais India ne parut pas s'en offusquer.

— L'arrière-grand-mère de René et mon arrière-grand-père étaient frère et sœur, répondit-elle. J'ai passé une partie de mon enfance en France, et nous jouions souvent ensemble... Tu n'as pas reconnu Henry, René ? Et voici Fortune, là-bas, avec maman.

Le chevalier salua Henry.

— Ravi de te revoir. Maintenant, je vais aller présenter mes respects à vos parents et à lady Fortune.

— Je t'accompagne ! déclara India en posant la main sur son bras. Maman va être tellement surprise ! Viens avec nous, Henry.

Sur un gracieux sourire aux deux autres jeunes gens, elle s'éloigna.

— On dirait que tu as un soupirant, commenta René tandis qu'ils se dirigeaient vers les Leslie.

— Un peu hardi à mon goût, intervint Henry. D'ailleurs, j'ai entendu raconter une histoire fort déplaisante sur sa famille, mais je ne sais plus de quoi il s'agit...

— J'espère que tu ne vas pas devenir un frère trop protecteur, Henry, coupa sèchement India. Rappelle-toi que je suis ton aînée. J'ai trouvé le vicomte charmant, et fort séduisant.

— Tu as tout juste dix mois de plus que moi, India, protesta son frère. Le comte d'Oxton… Oui, ça y est, je me souviens ! Son fils aîné a été impliqué dans le meurtre d'un de ses rivaux et il a fui l'Angleterre. On n'a plus jamais entendu parler de lui. Le comte s'est retiré du monde après cette histoire. Ton soupirant est le fils de la seconde femme du comte, dont on dit volontiers qu'elle choisit ses amants parmi les domestiques et les fermiers. Charmant ! Je suis étonné qu'un garçon sérieux comme Summers soit son ami. Je ne crois pas que ce soit un bon parti pour toi, India.

— On ne peut reprocher au vicomte les actes de son demi-frère ou de sa mère, Henry, c'est injuste ! s'indigna India. Je le trouve agréable, et s'il désire me rendre visite, j'accepterai avec plaisir. Et surtout, pas un mot à père au sujet de sa famille. Sinon, il entendra parler de cette petite camériste, à Greenwood, que tu pourchassais dans les couloirs…

— Juste Ciel ! Comment le sais-tu ?

— Tous les hommes font-ils autant de bruit quand ils honorent une femme ?

Le chevalier éclata de rire.

— Tu n'as pas changé, India ! Mais Henry a raison : un homme est souvent influencé par sa famille, dans le bon ou le mauvais sens. En outre, tu peux espérer mieux qu'un vicomte, en tant que fille de marquis et belle-fille de duc.

— Je ferai ce que je veux ! s'entêta India. Je ne suis pas seulement bien née, René. Je suis riche aussi, et quand on est riche, on peut choisir.

— Dans les limites de la bienséance, lui rappela sévèrement Henry.

Tandis que la reine s'efforçait de trouver sa place parmi sa nouvelle cour, les plus jeunes courtisans de sa suite, dont le chevalier Saint-Justin, s'étaient liés d'amitié avec les Anglais de leur âge. Ils se moquaient bien des tensions qui persistaient entre les deux pays, et voulaient seulement s'amuser. C'était l'été, il faisait beau et ils passaient leur temps à chasser, pique-niquer, faire du bateau ou organiser des concours de tir à l'arc. Ils occupaient leurs nuits en bals et soirées costumées.

La jeune reine se mêlait souvent à leurs jeux car, comme sa défunte belle-mère, elle adorait les distractions. Le roi, toutefois, écrasé par ses nouvelles responsabilités, ne participait guère à ces divertissements.

— Je veux rentrer à Queen's Malvern, se plaignit Fortune auprès de sa mère, par une matinée chaude et humide. Pourquoi restons-nous à la Cour ? L'été sera bientôt fini, et nous repartirons pour Glenkirk !

— Ta sœur a fait son entrée dans le monde, expliqua Jasmine, et si nous voulons lui dénicher un mari, il faut rester ici où se trouvent les jeunes gens de bonne famille.

— Eh bien, qu'India reste si ça lui chante, mais pourquoi n'irions-nous pas à Queen's Malvern ? Nous en avons tous envie. N'est-ce pas, Henry ?

— Je devrais être à Cadby, acquiesça son frère.

Jasmine regarda ses enfants.

— Charles ?

— J'ai offert mes respects à mon oncle et j'ai été présenté à la reine, répondit le jeune duc de Lundy. Je n'ai plus besoin de paraître à la Cour avant le couronnement qui aura lieu dans le courant de l'hiver.

La duchesse interrogea du regard ses trois fils Leslie.

— Nous préférerions aussi être à Queen's Malvern, répondit Patrick, l'aîné.

— Alors je suppose que nous pourrons vous envoyer à Queen's Malvern, tandis que votre père et moi resterons à la Cour afin de chaperonner India. À condition que vous vous comportiez comme des personnes raisonnables…

— Adali se trouve à Queen's Malvern, lui rappela Fortune, et vous savez comme il veille sur nous. Il est sans doute plus sévère que vous.

— Eh bien…

— Je l'aiderai à s'occuper des garçons, insista Fortune.

— Quant à moi, je serai à Cadby, renchérit Henry. Adali n'aura en charge que les plus jeunes. Fortune passe ses journées à cheval, et il ne peut rien lui arriver.

— Je ne vois pas pourquoi votre père refuserait… décida enfin Jasmine. Entendu, vous pouvez partir pour Queen's Malvern.

— Hourra ! s'écrièrent les enfants en chœur.

— Quand ? demanda Fortune.

— Demain, si vous avez bouclé vos bagages.

Il y eut un nouveau cri de joie.

À cet instant, India pénétra dans le salon.

— Que se passe-t-il ?

— Nous partons pour Queen's Malvern, annonça Fortune.

— Non ! hurla la jeune fille. C'est impossible ! Je ne veux pas repartir pour la campagne. On s'ennuie à périr, et après il faudra rentrer en Écosse. Oh non… Je ne verrai plus jamais Adrian !

Elle se tourna vers sa sœur, furieuse.

— C'est ta faute, Fortune ! Tu es jalouse parce que les hommes se retournent sur moi et que pas un ne regarde tes cheveux poil-de-carotte ! Je te déteste ! Je ne te le pardonnerai jamais !

Elle se jeta sur un sofa, la tête entre les bras.

— À mon avis, on devrait l'expédier à Glenkirk sans perdre une minute, marmonna Henry.

— Il n'était pas question de toi, India, expliqua Jasmine. J'avais l'intention de te permettre de rester ici avec ton père et moi… mais je me demande si Henry n'a pas raison. Présente immédiatement tes excuses à ta sœur. Et j'ignorais que tu t'étais entichée du vicomte Twyford. C'est un soupirant inacceptable pour une jeune fille de ton rang.

India se mordit la lèvre.

— Mais je l'aime, maman. Il est charmant, il est gai… et il m'aime aussi !

— Te l'a-t-il dit ?

— Grand Dieu, non ! Mais René en est certain.

— Fortune attend toujours tes excuses, lui rappela fermement Jasmine.

India vint prendre sa sœur dans ses bras.

— Je suis désolée. Tu sais que je ne le pensais pas, Fortune…

L'adolescente soupira.

— Si c'est ainsi qu'on devient quand on est amoureuse, je me garderai bien d'attirer l'attention d'un homme sur moi !

Puis elle se dirigea vivement vers la porte.

— Il faut que je me dépêche, si je veux être prête à partir demain. Venez, les garçons !

Ses frères se précipitèrent à sa suite.

— Pourquoi ne partez-vous pas avec eux, papa et vous ? demanda India, candide.

— Parce qu'il te faut un chaperon.

— Mais j'ai dix-sept ans !

— Tout juste.

— À l'époque de grand-mère Velvet, les filles venaient à la Cour bien plus tôt, grommela India. Je ne comprends pas pourquoi je ne peux pas rester seule ici.

— À l'époque de ta grand-mère, les jeunes filles de ton âge étaient soit dames d'honneur au service de la reine Elizabeth, soit mariées, soit confiées à des parents. Mais nous ne sommes plus à cette époque, et une jeune femme de bonne famille doit être chaperonnée par son père et sa mère, si on ne veut pas que les gens croient qu'elle n'a aucun intérêt, ou que ses mœurs sont légères.

India esquissa une grimace.

— Vous êtes tellement vieux jeu !

— Tant que tu vivras sous mon toit, tu m'obéiras. J'espère que tu ne me donneras pas l'occasion de regretter de te laisser à la Cour, alors que je préférerais mille fois partir à Queen's Malvern avec ta sœur et tes frères. Je suis parfaitement capable de changer d'avis, India... Maintenant, parle-moi un peu de ce vicomte Twyford. Songe-t-il à te demander en mariage ? Ce n'est pas un époux pour toi, tu le sais.

— Pourquoi ?

— La famille de son père est honorable. Mais je suis sûre que tu as entendu parler de son frère, Deverall.

— Deverall Leigh a tué un rival, dit India.

— C'est ce que l'on a raconté, et sa fuite tend à prouver sa culpabilité. Toutefois, nombreux sont ceux qui n'y croient pas. Deverall était un jeune homme honnête, mais c'est son poignard qu'on a trouvé planté dans le cœur de la victime, alors il a quitté l'Angleterre. Ce qui arrangeait beaucoup sa mère et son demi-frère, Adrian... L'assassinat a eu lieu sans témoin. Le majordome de lord Jeffers était absent, et il n'y avait personne d'autre dans la maison. Deverall Leigh ne peut plus rentrer en Angleterre, car il serait pendu. J'ai entendu dire que son père l'avait déshérité. Qu'aurait-il pu faire d'autre, le malheureux ? Donc, ton ami Adrian sera un jour le comte d'Oxton, et sans doute bientôt.

— Mais pourquoi reprochez-vous à Adrian le comportement de son frère, maman ? Vous avez dit que sa famille était honorable.

— J'ai dit : la famille de son père. Sa mère, c'est différent... C'est une étrangère, et sa famille n'est pas du rang de celle de son mari. On raconte qu'elle a des amants de basse condition. Son époux est un homme brisé. Or ce jeune homme qui te plaît tant est son fils. C'est elle qui l'a élevé. Quel genre de personnage peut-il être ? Les chiens ne font pas des chats, India. En outre, les Leigh ne sont guère fortunés, or tu as toujours évité comme la peste les coureurs de dot. Comment sais-tu que Adrian Leigh n'en est pas un ?

— Il est de toute évidence intéressé par *moi*, maman ! Les autres me posaient des questions sur mes terres, mes propriétés, mes rentes. Adrian n'aborde jamais ces sujets.

— Dans ce cas, peut-être est-il différent, India,

même s'il ne te convient pas comme époux. Néanmoins, tant qu'il se comporte convenablement, je ne vois pas pourquoi tu cesserais de le voir.

« Mieux vaut qu'elle ne me croie pas irréductiblement opposée à ce jeune homme, songeait Jasmine, cela la pousserait dans ses bras. Il est intelligent, cet Adrian. Il sait forcément qu'India est très riche : ce n'est un secret pour personne... »

Le lendemain, le duc et Jasmine assistèrent au départ des enfants pour Queen's Malvern.

— Je les aurais volontiers accompagnés ! dit Jemmie avec une pointe d'amertume.

Il se consolait en pensant qu'ils retourneraient dans le Nord à l'automne, que cela plaise à India ou non. En attendant, ils lui accorderaient une certaine liberté, car rien n'était plus vexant pour une jeune fille que de se sentir surveillée en permanence.

Ce jour-là, India dansa toute la soirée, superbe dans une robe de soie bleu vif au col de dentelle argent, au corsage rebrodé de perles. Elle portait également des perles dans les cheveux. Un précieux collier ornait son cou, et elle était absolument radieuse.

— Vous êtes la jeune fille la plus ravissante du monde ! déclara Adrian, une flamme passionnée dans ses yeux saphir.

— Je sais !

Elle rit de son étonnement.

— Préféreriez-vous que je rougisse comme une bécasse au moindre compliment ? le taquina-t-elle.

— Non. J'ai envie de vous enlever et de vous faire

l'amour pendant des heures. Cela vous plairait-il, mon India ?

— Je suis vierge, alors je n'en sais rien, répondit hardiment la jeune fille. Et je ne suis pas *votre* India. Même quand je serai mariée, je n'appartiendrai à personne, Adrian. Les femmes, dans ma famille, ont toujours été indépendantes. Je ne vois aucune raison d'être différente.

— Je ne tiens pas à vous changer, assura-t-il avec ferveur. Je vous adore telle que vous êtes, India, ajouta-t-il en effleurant ses lèvres.

Elle détourna le visage.

— Je ne vous ai pas donné la permission de m'embrasser, protesta-t-elle en jouant avec les revers de son pourpoint de soie bleue.

— Je serais un piètre soupirant si j'attendais votre autorisation, répliqua-t-il, avant de l'attirer dans une alcôve où il la plaqua contre le mur. Vous êtes faite pour les baisers, et je jure qu'aucune autre bouche ne touchera jamais la vôtre.

Il posa résolument ses lèvres sur les siennes.

Tièdes, fermes, pas désagréables du tout… se dit la jeune fille, le cœur battant.

Il recula en souriant.

— Ça vous a plu, India ?

Elle acquiesça.

— Vous n'avez rien à me dire ? reprit-il.

— Recommencez, ordonna-t-elle. Je veux voir si c'est aussi bien la deuxième fois que la première.

Il éclata de rire.

— Volontiers !

Cette fois, elle participa davantage.

— C'est bien, murmura-t-il. Embrassez-moi aussi…

Elle passa les bras autour de son cou, ses petits seins ronds pressés contre lui.

— Allons, allons ! intervint derrière eux le chevalier Saint-Justin. Cela suffit, cousine !

Rougissante, India s'écarta de son compagnon.

— René !

Il la prit par la main.

— Pense à ta réputation, ma chérie, même si le vicomte s'en moque.

— Mes intentions sont parfaitement honorables, monsieur, se récria Adrian.

— Si c'est le cas, vicomte, vous ne devriez pas attirer une jeune fille dans un coin sombre afin de la griser de baisers.

— René ! s'indigna India, vexée. Je ne suis plus une enfant !

— Ce monsieur sait de quoi je veux parler, India, même si tu l'ignores, insista le chevalier. Maintenant, viens danser avec moi, cousine.

Il planta Adrian et entraîna India vers la piste.

— C'était ton premier baiser, cousine ? demanda-t-il.

Elle poussa un soupir.

— Je serai heureuse quand je n'aurai plus à me justifier de mes actes aux yeux de ma famille ! grommela-t-elle en le suivant à contrecœur. Comment nous as-tu trouvés ?

— Je l'ai vu te pousser dans l'alcôve. Comme tu n'en ressortais pas, j'ai volé à ton secours. Et si je l'ai remarqué, India, je ne suis certainement pas le seul. Si tu permets à des jeunes gens de te coincer dans des endroits sombres, ta réputation en souffrira. C'est ce que cherche ton vicomte, à mon avis, même si tu es trop naïve pour le comprendre.

— Pourquoi lui attribue-t-on systématiquement de mauvaises intentions ?

— Disons plutôt qu'il est opportuniste. Épouser une héritière comme lady India Lindley serait un coup de maître, pour lui.

— Mais je n'ai pas dit que je voulais l'épouser, René ! D'ailleurs, il n'a jamais abordé le sujet.

— Il n'en a pas besoin, ma chérie. S'il souille ton nom, personne ne voudra plus de toi, malgré ta fortune et ta beauté. Alors tu lui tomberas dans les bras comme un fruit mûr. Tu n'aimerais pas qu'on te manipule ainsi, j'en suis certain.

Le chevalier l'embrassa amicalement sur la joue.

— Mais je l'aime bien, René, se défendit India. Cependant, tu as raison : je n'ai aucune envie de me retrouver dans une position que je n'aurais pas choisie. Sans doute faut-il éviter que les messieurs ne m'entraînent dans des coins sombres, comme tu dis.

Elle eut un rire léger.

— Je me croyais une grande fille, René, mais on dirait que ce n'est pas tout à fait le cas. Je suis heureuse de t'avoir comme ange gardien, maintenant que Henry est parti à la campagne avec mes frères et ma sœur. Ils n'apprécient guère Londres.

— Hélas, ma belle, je ne reste pas longtemps. Le gentilhomme dont j'ai pris la place est rétabli, et il ne tardera pas à arriver. Et puis, on a besoin de moi à la maison. Je suis le meilleur vigneron d'Archambault, et je dois retourner en France pour les vendanges. Toi, tu repartiras en Écosse.

— Le roi tient à ce que mes parents assistent au couronnement, dit India. J'espère qu'on me permettra de quitter Glenkirk pour cette occasion.

— Si tu te tiens bien, si tu ne leur donnes aucun souci, je parie qu'ils te le permettront. Mais il faudra que tu sois très, très sage, ajouta René avec un clin d'œil.

Elle lui rendit son clin d'œil.

— C'est promis, cousin. Parce que si je ne reviens pas à la Cour cet hiver, je ne reverrai jamais Adrian. Et alors, je mourrai vieille fille, c'est ça ?

Il éclata de rire.

— Certainement pas ! Il y a quelque part dans le monde un beau jeune homme qui t'attend. Et tu le trouveras, India, sois-en sûre…

3

George Villiers, le duc de Buckingham, était arrivé tout jeune homme à la Cour. Il s'était rapidement attiré les faveurs du roi James, avant d'épouser la fille d'un comte, lady Catherine Manners. Le roi se faisant vieux, il s'était efforcé de plaire à son héritier, son seul fils encore vivant, Charles. Lorsque celui-ci lui succéda, Villiers devint bien vite le second personnage d'Angleterre.

Son ambition ne connaissait plus de bornes. Considérant la jeune reine comme une rivale, il s'appliqua à détruire le peu d'influence qu'elle risquait d'avoir sur son époux. Sa tactique pour séduire le futur roi avait été de créer subtilement des différends entre lui et son père. Puis, quand les querelles éclataient entre père et fils, Steenie intervenait afin de jouer le rôle de médiateur. C'était si habilement fait que James et Charles n'y avaient vu que du feu.

Le duc essaya la même méthode avec la reine, mais Henriette était beaucoup plus fine que son époux, et plus rompue aux intrigues de cour. Elle résista fermement à Villiers qui, craignant de perdre sa position auprès du roi, décida de briser leur mariage en accentuant la mésentente entre eux. Henriette ne pouvait s'en plaindre à son mari, car celui-ci, à l'instar du défunt roi, considérait George Villiers comme son seul véritable ami.

Le roi et la reine étaient tous deux vierges lors de leur mariage, Charles étant beaucoup trop prude pour avoir pris une maîtresse ou culbuté les servantes. Les rapports du jeune couple furent un désastre. La reine avait peur de son timide mais exigeant époux, à qui Villiers serinait que l'homme avait toujours raison car il était supérieur. Il l'avait persuadé que la pudeur de sa femme était une manière de lui tenir la dragée haute et d'obtenir ainsi un moyen de pression sur lui. La situation s'envenima bientôt.

— Comment peut-on imaginer un nom aussi étrange qu'Henriette ? dit un jour Villiers à son ami le roi. La reine est anglaise, désormais, il lui faudrait un nom britannique. Nous pourrions l'appeler la reine Henri...

Comme le duc l'avait espéré, la jeune femme entra dans une rage folle lorsqu'elle eut vent de cette suggestion.

— Je m'appelle Henriette ! hurla-t-elle. La reine Henri ? C'est totalement ridicule !

Charles trouva cet éclat tout à fait déplacé.

— Nous en reparlerons quand vous serez calmée, madame, dit-il, glacial. Quant à tous ces gens sans cesse pendus à vos basques, ajouta-t-il, faisant allusion aux courtisans français, ils doivent rentrer chez eux. Il est temps que vous soyez servie par vos nouveaux sujets.

— Ce ne sont pas mes sujets, répondit sèchement Henriette.

— Vous êtes reine d'Angleterre, lui rappela Charles sur le même ton, vous devez être entourée d'Anglais.

— Nous étions d'accord pour que je choisisse moi-même mes proches, monsieur.

— À condition qu'ils ne soient pas exclusivement français, aboya le roi. Buckingham a essayé de faire entrer sa sœur, la comtesse de Denbigh, dans votre entourage, et vous avez refusé. Cela ne me plaît pas, madame.

— La comtesse est protestante, monsieur. Vous ne pouvez m'obliger à être servie par des protestants.

— Je le suis aussi, et cela ne vous a pas empêchée de m'épouser. Cela ne vous empêchera pas non plus de porter un jour mes héritiers, qui seront également protestants.

— Majesté, intervint Mme Saint-Georges afin de ramener la conversation à son premier sujet. Si le nom d'Henriette vous semble ne pas convenir à une reine d'Angleterre, Mary ne serait-il pas mieux qu'Henri ? Si Votre Majesté est d'accord... Mary est un prénom anglais, et c'est le second de ma maîtresse.

— Cela me semble un bon compromis, décréta le roi, satisfait de mettre un terme à cette dispute.

La reine confirma son accord d'un signe de tête.

Le duc de Buckingham eut lui aussi des raisons de se réjouir. Les Anglais avaient une bonne mémoire, et ils n'oublieraient pas de sitôt Mary Tudor, la dernière reine catholique qui avait persécuté les protestants. Ils ne l'avaient pas aimée, et ils n'aimeraient pas non plus cette reine Mary...

Le Parlement s'ouvrit sans la présence de la reine. Son confesseur, l'évêque de Mende, l'avait dissuadée d'y paraître, à la grande fureur du roi. Le Parlement, vexé, ne lui accorda que le septième des fonds dont il avait besoin. Charles ajourna la session et se retira avec sa maisonnée à Hampton Court, car la peste décimait Londres.

Buckingham continuait son travail de sape vis-à-vis de la reine. Il déclarait que ses vêtements étaient beaucoup trop luxueux, que sa coiffure évoquait la mode française, qu'elle avait mauvais caractère. Il lui conseilla de se montrer plus aimable avec son mari, sinon celui-ci la renverrait. Une fois de plus, il essaya d'obtenir une place auprès d'elle non seulement pour sa sœur, mais aussi pour sa femme et sa nièce. La reine, ulcérée, s'en plaignit au roi. Afin d'éviter une scène, Charles partit chasser, et en son absence, la comtesse de Denbigh fit dire une messe dans la maison de la reine. Henriette et ses courtisans l'interrompirent par deux fois en se promenant bruyamment dans le hall avec leurs chiens, bavardant et riant bien fort. Buckingham se fit un plaisir de rapporter l'incident au roi.

Comme prévu, ce dernier entra en rage, non contre lady Denbigh pour avoir provoqué la reine, mais contre son épouse, qu'il décida de punir en renvoyant toute sa suite à Paris. Buckingham comprit alors qu'il était allé trop loin. Il ne voulait pas être accusé d'avoir mis en danger l'entente entre la France et l'Angleterre, dont ce mariage était la garantie.

À Paris, le roi Louis XIII et sa mère avaient entendu parler de la mésentente du jeune couple. Contrariés, ils envoyèrent un émissaire pour enquêter sur la situation. Buckingham persuada Charles de permettre aux courtisans français de rester encore un peu...

L'épidémie de peste endiguée, on décida que le couronnement serait célébré le 2 février.

À Glenkirk, James Leslie pestait d'être obligé d'effectuer ce long voyage en plein milieu de l'hiver. Avec la neige, il leur faudrait se mettre en route tout de suite après l'Épiphanie.

— Je n'ai pas l'intention de tous vous emmener, mes enfants, annonça-t-il un soir à sa famille assemblée pour le souper.

— Je serai ravie de rester à la maison ! déclara Fortune.

— Henry, Charles et Patrick viendront, parce que les deux premiers sont anglais, et le troisième est mon héritier, continua le duc.

India, qui retenait son souffle, jeta un regard suppliant à sa mère. On avait autorisé Adrian Leigh à lui écrire, et il lui avait beaucoup parlé du couronnement.

— Je pense qu'India devrait nous accompagner, dit enfin Jasmine.

— Pourquoi ? s'étonna James.

— Parce qu'elle est l'aînée de Rowan, et il est normal qu'elle assiste au couronnement de son roi. En outre, ce sera une excellente occasion de rencontrer des jeunes gens de sa condition. Beaucoup d'entre eux, qui ne fréquentent pas habituellement la Cour, seront là pour cette célébration. C'est une chance pour India, Jemmie, et je serai heureuse de l'avoir près de moi.

Il acquiesça à contrecœur.

— Entendu, mais je ne veux pas voir ce joli vicomte lui tourner autour. Il n'est pas pour toi, jeune fille, poursuivit-il en s'adressant directement à India. C'est bien compris ? Je lui ai permis de t'écrire une fois par mois, mais il n'est pas question que tu l'épouses.

India ravala la réplique impertinente qui lui venait aux lèvres et baissa les yeux. Elle avait l'intention de n'en faire qu'à sa tête, mais elle attendrait d'être à Londres pour le clamer à haute voix.

— Oui, papa, dit-elle, docile. Merci d'accepter de m'emmener.

— Il faut que tu te trouves un mari, petite. Soit en Angleterre, soit ici en Écosse. Tu vas avoir dix-huit ans en juin, il est grand temps d'y penser.

— Je veux aimer l'homme que j'épouserai.

— Je ne te traînerai pas à l'autel de force, mon enfant, promit James Leslie. Cependant tu dois te montrer plus souple, plus réaliste.

— J'essaierai, papa, promit la jeune fille.

— Petite menteuse ! la taquina sa sœur un peu plus tard, quand elles furent seules dans leur chambre. Tu veux épouser Adrian Leigh, je le sais. Et il le souhaite aussi, bien qu'il ne t'aime pas vraiment, à mon avis. C'est ta fortune qui l'intéresse.

— Bien sûr que si, il m'aime ! rétorqua India avec colère. Il me le dit dans toutes ses lettres.

Fortune secoua la tête.

— Je suis déconcertée, India. Tu t'es toujours tellement méfiée des coureurs de dot… Et te voilà comme une chiffe molle entre les mains de ce vicomte. Que t'arrive-t-il ?

— Tu ne comprends rien…

— En effet, dit Fortune. Mais j'aimerais comprendre, justement. Tu es ma sœur, et je t'aime. Bien que nous soyons différentes, je m'inquiète pour toi. Adrian Leigh n'a pas le droit de t'écrire comme si vous étiez officiellement fiancés.

India fronça les sourcils.

— Tu n'as pas lu mon courrier, tout de même! s'indigna-t-elle.

— Bien sûr que si! Tu ne le caches pas très bien. Si maman n'avait pas toute confiance en toi, elle l'aurait sans doute lu, elle aussi, et tu n'irais pas au couronnement. Ton Adrian ne manque pas de hardiesse.

— Il m'a embrassée, avoua India. La première fois, René nous a surpris et il m'a sévèrement grondée. Après, nous avons été plus prudents... Oh, Fortune, je n'imagine pas ma vie sans lui! Il faudra que papa révise son opinion à son sujet. Je ne supporterais pas d'épouser un autre que lui.

— Mais enfin, pourquoi?

Fortune était perplexe. Adrian Leigh écrivait des niaiseries – du genre : « tes lèvres sont douces comme des colombes ». Qu'avait-il donc pour transformer sa sœur en oie blanche?

— Je ne saurais t'expliquer, soupira India. Il est merveilleux, voilà tout, et je l'aime. Tu comprendras un jour.

— Méfie-toi, India. Si tu ne choisis pas un fiancé, c'est papa qui choisira pour toi. Les parents en ont le droit, même s'ils ont toujours été très indulgents avec nous.

— Il faut que ce soit Adrian! s'entêta India.

Fortune secoua la tête.

— Nous ne connaîtrons pas la paix dans cette maison jusqu'à ce que tu sois mariée.

— À Adrian, insista la jeune fille.

Fortune éclata de rire.

— J'espère ne jamais avoir une fille qui te ressemble !

Le duc et la duchesse de Glenkirk quittèrent l'Écosse le 7 janvier et arrivèrent à leur résidence londonienne, Greenwood, le 30 du mois. Les domestiques auraient tout juste le temps de défaire les bagages et remettre leur garde-robe en état.

Le vicomte Twyford les attendait, afin de les informer des dernières nouvelles. Cela ne plut guère au duc, qui l'écouta cependant poliment.

La reine, apparemment, n'assisterait pas à la cérémonie. Une fois de plus, elle avait suivi le conseil de son confesseur, ignorant les supplications de son frère et de sa mère qui voulaient la voir couronnée en même temps que son époux. Mais l'évêque de Mende l'avait convaincue que l'archevêque de Canterbury, un protestant, ne pouvait poser la couronne sur la tête d'une catholique. Lui seul en avait le droit.

Comme cette exigence était inconcevable pour les Anglais, la reine ne serait pas du tout couronnée, et elle ne se tiendrait pas à l'abbaye au côté de son mari. Le duc de Buckingham protestait violemment contre cette insulte envers l'Église d'Angleterre et envers Charles.

La Cour ne parlait que de cela, expliqua Adrian Leigh tout en contemplant, l'air enamouré, India qui lui lançait de furtifs coups d'œil entre ses cils…

La mère d'Adrian Leigh était venue à Londres pour le couronnement, ce qui ennuyait profondément le jeune homme. Quand elle avait appris qu'India était là, elle avait entrepris de lui donner des conseils.

— Son beau-père n'abordera même pas le sujet du mariage avec moi, lui répondit le vicomte. J'ai essayé d'y faire allusion, le jour où je suis allé les accueillir à Greenwood, j'ai sollicité un entretien privé mais il a refusé catégoriquement. Comment diable pourrais-je demander la main de cette jeune fille, si on ne m'en laisse pas l'occasion ? India dit qu'il n'apprécie pas ma famille à cause du meurtre de lord Jeffers, et de votre mauvaise réputation. Bon sang, pourquoi frayez-vous avec des individus de basse extraction, madame ? Si vous tenez absolument à prendre des amants, pourquoi ne pas les choisir parmi la noblesse ? Ou au moins montrer un peu plus de discrétion !

— Les nobles n'ont aucun tempérament, répliqua MariElena Leigh, sarcastique. De toute façon, mes aventures ne te regardent pas.

MariElena était encore une fort belle femme au teint clair, aux grands yeux charmeurs. Elle prit une friandise dans une bonbonnière en argent et passa un petit bout de langue sur ses lèvres sensuelles.

— Quand elles m'empêchent d'épouser l'une des plus riches jeunes filles du royaume, madame, je considère que cela me regarde ! rétorqua-t-il avec colère.

— On n'efface pas le passé. Si sa famille ne veut pas de toi, change de tactique, mon chéri. Je suis étonnée que tu n'y aies pas pensé tout seul. Elle t'aime ?

— Elle le croit, dit-il, pensif, mais je suis le premier homme à l'avoir embrassée. Elle n'a aucune expérience, elle a toujours mené une existence très protégée. Ses parents l'ont autorisée à refuser les soupirants qui la courtisaient. Et pourquoi l'a-t-elle fait ? Parce qu'elle pensait qu'ils n'en voulaient qu'à son argent. Moi, je n'ai jamais évoqué sa fortune, même si je sais qu'elle est colossale…

— Une belle dot nous aiderait à rénover Oxton Court, approuva MariElena. Et toi, tu l'aimes ? Tu pourrais être heureux avec elle ?

— Elle est un peu trop indépendante à mon goût, mais sa richesse me ferait aisément oublier ce détail. Et puis, une fois que nous serons mariés, je m'arrangerai pour qu'elle change d'attitude. Quelques enfants la calmeront probablement, ajouta Adrian en riant. Quant à l'avoir dans mon lit, quel plaisir ! Oui, madame, je pense que je serais satisfait avec lady India Lindley… et sa dot.

— Alors tu vas être obligé de prendre ce que tu désires, si on ne te l'offre pas.

— Que voulez-vous dire ? Son beau-père m'adresse à peine la parole.

— Si tu ne saisis pas ta chance, Adrian, le duc veillera à t'évincer. Décide-la à s'enfuir avec toi. Même si vous êtes repris avant que tu aies pu l'épouser, sa réputation sera souillée, personne ne voudra plus d'elle, et c'est toi qui la garderas.

Il réfléchit un instant.

— Je ne veux pas être pris, répliqua-t-il. Je veux l'épouser et lui faire l'amour avant que sa famille ait pu intervenir. Sinon, le duc serait capable de la ramener de force en Écosse et de la marier à un homme qui ignorera tout du scandale. Il faut que je l'emmène dans un endroit où ils n'auront aucune chance de nous trouver… Mais où ?

— À Naples, chez mon frère, suggéra la comtesse. Ton oncle Giovanni t'accueillera volontiers à la villa di Carlo. Les Leslie de Glenkirk n'auront aucune raison de te chercher là-bas. Quand elle t'aura donné un fils, tu la ramèneras en Angleterre, et sa famille sera bien obligée de t'accepter, Adrian.

Pour la première fois depuis des années, le jeune vicomte embrassa sa mère.

— Vous êtes diabolique, madame ! s'écria-t-il. Et vous avez toujours veillé au mieux à mes intérêts. Bravo !

Elle se dégagea de son étreinte.

— Maintenant, il te reste à convaincre la jeune fille, Adrian. Et, crois-moi, ce ne sera pas facile.

Elle but une gorgée du vin qu'il lui avait servi.

— Pourquoi ? Elle m'aime ! déclara-t-il avec fougue.

Il vida d'un trait le contenu de son gobelet.

— Elle aime aussi ses parents, répliqua sagement la comtesse. Elle sera déchirée entre eux et toi, et il faudra la convaincre de te choisir.

— Mais comment m'y prendre, mère ?

— Assure-toi que le duc et sa famille continuent à se montrer froids avec toi, malgré ton charme et tes bonnes manières. Plus tu sembleras aimable, plus ils seront désagréables, surtout en présence de lady India, plus la jeune fille se rangera de ton côté. Ne critique jamais les siens, mon chéri. Défends-les, au contraire, en disant que si tu avais une fille comme elle, tu tiendrais à la protéger, à lui éviter un mariage indigne d'elle. Rappelle-lui que la famille Leigh est honorable. Dis par exemple : « Nous ne sommes pas riches ni puissants comme vos parents, mais nous sommes nobles et respectables. » Là aussi, elle prendra ton parti, et tu passeras pour l'injuste victime du comportement de ton frère aîné et de ta mère volage.

Adrian était franchement amusé par les manigances de sa mère.

— Vous êtes redoutable ! C'est une stratégie parfaite, et je vous en remercie !

— Si elle résiste, Adrian, montre-toi plus sensuel. Je ne te demande pas de la déflorer, mais si j'ai bien compris, tu n'es pas allé plus loin que quelques baisers, pour l'instant. Caresse-la, glisse tes mains dans son décolleté, joue doucement avec ses seins. Ne va tout de même pas trop loin : elle serait effrayée et tu la perdrais.

— Cette idée me tente fort, dit-il, elle a les petits seins les plus tentants que je connaisse.

La comtesse eut un sourire entendu. Son fils lui ressemblait davantage qu'il ne voulait l'admettre...

Le roi fut couronné en l'abbaye de Westminster à la Chandeleur, le 2 février 1626. La reine observa la procession depuis sa fenêtre du palais de Whitehall. Le roi était vêtu de satin blanc, mais dans l'ensemble la cérémonie fut austère, car les caisses du royaume étaient pratiquement vides. Seule la générosité de quelques riches familles, sollicitées par le duc de Buckingham, permit que l'événement se termine par une fête.

Le duc et la duchesse de Glenkirk veillaient attentivement sur lady India, dont la conduite à l'abbaye fut irréprochable. Ensuite, à Whitehall, elle parvint à leur fausser compagnie afin d'aller retrouver Adrian Leigh.

James Leslie n'aurait pu la retenir sans causer une scène, pourtant il avait vu où elle allait, et de retour à Greenwood, le soir, il se mit à arpenter le salon d'un pas rageur.

— Elle nous a ouvertement désobéi, Jasmine, et j'en ai assez de son obstination. Nous rentrerons en Écosse en début de semaine prochaine.

— À quoi cela nous avancera-t-il ? Elle continuera à correspondre avec le jeune Leigh, et de toute façon nous reviendrons en Angleterre cet été.

— Il n'y aura plus d'échange de lettres ! India sera fiancée avant l'été, ou mieux, mariée. Puisqu'elle ne veut pas choisir un parti acceptable, nous déciderons pour elle.

— Oh, Jemmie, murmura Jasmine, je détesterais faire ça à ma fille. Je tiens à ce qu'elle aime l'homme qu'elle épousera.

— India se conduit comme une enfant. Elle s'est amourachée d'un garçon qui ne lui convient pas, et elle pense que si elle persiste dans son entêtement, elle finira par gagner la partie, comme d'habitude. Mais cette fois, il ne s'agit pas d'un jouet ou d'une nouvelle robe. Il s'agit de sa vie, et je ne veux pas qu'elle soit malheureuse le reste de ses jours parce qu'elle aura fait le mauvais choix.

— Avez-vous un autre candidat en tête ?

— Ma foi, j'aimerais que vous en parliez à votre tante Willow. Je sais qu'Angus Drummond et Ian MacCrae ont des fils célibataires. Ils ne sont pas très titrés, mais ils sont de bonne famille. Toutefois, votre tante connaît peut-être de jeunes Anglais, et India, qui est anglaise de naissance, préférera peut-être vivre en Angleterre près de ses frères.

— Vous avez sans doute raison, concéda Jasmine à contrecœur.

Son mari se montrait plutôt autoritaire, mais il n'avait pas tort, se dit-elle. India allait pester et hurler, pourtant ils n'avaient pas le choix s'ils voulaient éviter un scandale.

— Nous aurons un mariage cet été ! décréta le duc. Ensuite, nous nous occuperons de Fortune, qui va avoir seize ans en juillet.

— J'aimerais l'emmener en Irlande, répondit Jasmine. J'ai l'intention de lui donner le domaine de MacGuire's Ford, donc il vaudrait mieux qu'elle ait un époux irlandais, Jemmie.

— Parfait ! Nous nous rendrons donc en Irlande cet été. Henry sera à Cadby, Charles à Queen's Malvern, Patrick restera à Glenkirk, et les deux autres garçons pourront soit demeurer avec lui, soit se rendre en Angleterre. Nous sommes bien d'accord, mon amour ?

Jasmine acquiesça.

— Il est grand temps de marier nos filles, pourtant je répugne à me séparer d'elles. Le temps passe si vite ! Hier encore, c'étaient des gamines qui couraient pieds nus dans les prairies... Vous rappelez-vous l'année où elles se baignaient toutes nues dans le loch ? On n'arrivait plus à les faire sortir de l'eau, même quand leurs lèvres étaient bleues de froid... Que sont devenues mes petites filles, Jemmie ? ajouta-t-elle, les yeux embués de larmes.

En guise de réponse, il la serra tendrement contre lui.

Tapie dans un recoin du couloir, India avait entendu ses parents décider si cruellement de son sort.

Elle se glissait avec précaution hors de sa cachette, quand elle se heurta à sa sœur.

— Tu écoutais aux portes ! l'accusa celle-ci.

— Tais-toi ! souffla India. Papa et maman vont t'entendre. Je ne l'ai pas fait exprès. J'étais dans le hall quand ils sont entrés, et comme ils ne m'avaient pas vue, je me suis cachée. Tu ne croiras jamais ce que j'ai appris ! Cela te concerne en partie. Viens !

Elle entraîna Fortune presque de force vers leur chambre. Une fois la porte fermée, elle annonça sur un ton mélodramatique :

— On va nous marier !

— Quoi ? croassa Fortune en se laissant tomber sur son lit. Ils ont changé d'avis au sujet de ton vicomte ? Et que veux-tu dire par « nous » ?

— Ils ne veulent pas d'Adrian, ils veulent me choisir eux-mêmes un mari. Le fils d'un ami de papa, ou quelqu'un sélectionné par ce dragon de tante Willow. Papa tient à me voir mariée cet été.

— Et moi ? Tu as dit qu'ils voulaient « nous » marier. Je ne connais personne que j'aie envie d'épouser !

— Ils t'emmèneront en Irlande, car maman veut te donner MacGuire's Ford. Sans doute parce que tu y es née. Elle n'est pas retournée en Irlande depuis que notre père a été assassiné, peu avant ta naissance. Ils vont te chercher un époux irlandais, et tu seras sans doute mariée à la fin de l'été... Alors, petite sœur, que dis-tu de tout ça ?

Fortune resta étrangement silencieuse, avant de répondre, pensive :

— Il y a mille cinq cents hectares de terre, à MacGuire's Ford. C'est un beau domaine. Je me demande si les chevaux feront aussi partie de ma dot. Avec ça, je pourrai trouver un bon mari.

India fut sidérée par la réaction de sa sœur. Elle s'était attendue à la voir se rebeller.

— Ça t'est égal d'épouser un homme que tu ne connais pas ?

— Une femme de notre rang se doit d'être mariée, répliqua Fortune. Je n'ai absolument aucune expérience des jeunes gens, alors je fais confiance à nos parents. Je suis sûre qu'ils me donneront le choix entre plusieurs partis possibles. Si tu n'étais pas têtue comme une mule, tu ne te trouverais pas dans cette situation délicate. Papa et maman t'ont toujours dit qu'Adrian Leigh ne convenait pas, mais tu veux comme toujours faire tes quatre volontés. Eh bien, cette fois, ça ne marchera pas, il vaudrait mieux que tu l'acceptes.

— J'épouserai l'homme que j'aime ! tempêta India.

— Ne sois pas idiote.

— Tu ne diras pas à papa et maman que j'ai surpris leur conversation, n'est-ce pas ?

— Bien sûr que non.

Fortune demeura un moment silencieuse, avant de reprendre :

— Je me demande à quoi il ressemblera... Je serai heureuse d'avoir ma propre maison, mais ma famille me manquera. Nous serons tous dispersés...

India ne l'écoutait plus. Il fallait absolument qu'elle voie Adrian. Il saurait comment réagir.

Elle se précipita dans la salle de lecture et rédigea un message, qu'elle scella à la cire. Puis elle sortit, traversa la pelouse en direction du fleuve.

— Ohé ! cria-t-elle à un marinier qui approchait sa barque de la rive.

— Oui, madame ?

India lui tendit la lettre, ainsi qu'une pièce.

— Portez ce pli à Whitehall. Donnez-le au capitaine de la flotte royale et dites-lui de le remettre immédiatement au vicomte Twyford. Et puis vous l'attendrez. Vous avez bien compris ? Vous devez absolument le conduire ici.

L'homme soupesa la pièce et toucha poliment le bord de son chapeau.

— Oui, m'dame.

Il s'éloigna de la berge, sans envisager un instant de garder la pièce et de jeter la missive à l'eau, car il était honnête.

India le regarda partir, soulagée. Tout allait s'arranger.

Elle releva ses jupes et remonta en courant vers la maison. Elle s'apercevait tout à coup qu'elle avait froid car, dans sa hâte, elle avait oublié de prendre sa cape.

Mais ça n'avait pas d'importance. Seul comptait son avenir avec Adrian.

4

La maison était plongée dans le plus profond silence, à minuit, quand India entendit des gravillons heurter les carreaux. Elle se glissa hors de son lit et se dirigea vers la fenêtre, pieds nus sur le carrelage glacé. Elle ouvrit la croisée, vit Adrian dans le clair de lune et souffla :

— Je descends.

Elle s'empara de sa cape.

Fortune murmura dans son sommeil, et elle s'arrêta un instant afin de s'assurer que sa sœur n'était pas réveillée. Puis elle descendit doucement l'escalier et pénétra dans la bibliothèque, dont elle ouvrit la fenêtre.

— Adrian !... Par ici !

Le vicomte entra dans la pièce, avant de fermer derrière lui. Puis il prit India dans ses bras.

Elle se dégagea avec un petit rire nerveux.

— Arrêtez, Adrian ! Je ne vous ai pas fait venir pour batifoler !

Elle avait le cœur battant. Il était tellement hardi !

— Vraiment, ma chérie ? Je suis déçu ! plaisanta-t-il. Alors, pourquoi ce message ?

— Oh, Adrian, gémit-elle, je ne savais plus que faire...

Elle ne protesta pas quand il l'enlaça de nouveau en lui caressant les cheveux.

— Qu'y a-t-il, mon ange ? Dites-moi tout, et je réglerai votre problème.

Elle était si confiante, si douce... si riche. Prête pour lui.

— Nous repartons en Écosse la semaine prochaine, et papa dit que puisque je ne suis pas capable de trouver un fiancé qui lui convienne, il décidera à ma place. Mais je ne veux pas me marier avec un inconnu ! Qu'allons-nous faire, Adrian ? Ils veulent nous séparer pour toujours ! dit-elle dans un sanglot.

— Je ne le permettrai pas, promit-il, songeant que son futur beau-père venait de lui fournir l'occasion d'enlever lady India Lindley.

Lorsque sa mère le lui avait suggéré, il n'avait pas pensé que ce serait aussi facile !

— Mais Adrian...

Elle leva le visage vers lui.

— Qu'allons-nous faire ? insista-t-elle.

Il poussa un soupir.

— Votre père ne nous laisse pas le choix, ma chérie. Nous allons nous enfuir et nous marier.

Elle était déchirée. Il était si séduisant, avec son nez droit, ses brillants cheveux blonds, ses yeux bleu saphir qui la regardaient tendrement.

— Je ne sais pas, Adrian... Cela me semble inconvenant.

— Vous ne m'aimez pas, India ? demanda-t-il d'un ton douloureux.

— Bien sûr que si, Adrian, je vous aime !

Elle s'empourpra aussitôt. Elle n'avait encore jamais prononcé ces mots.

— Moi aussi, je vous aime, ma chérie.

— Cependant, j'aime également ma famille, reprit-elle en se mordillant la lèvre.

— Ce n'est pas incompatible, ma douce, mais est-il juste de vouloir nous séparer ? Je sais que ma mère et mon frère ont terni le nom des Leigh, cependant je suis d'abord le fils de mon père, India. Nous appartenons à la vieille noblesse, et je ne suis en aucun cas responsable de l'inconduite de ma mère et de Deverall. Je croyais le duc de Glenkirk plus équitable. Toutefois, je comprends qu'il ait envie de vous protéger, même s'il se trompe à mon sujet. Si nous étions mariés, nous pourrions contrôler notre destinée. Je sais que vos parents seront d'abord furieux, mais quand ils vous verront heureuse, ils nous pardonneront, j'en suis sûr.

Elle hésita.

— Où irions-nous, Adrian, pour être certains qu'ils ne nous trouveront pas ?

India se sentait bien, serrée contre lui.

— Il nous faut quitter le pays, risqua-t-il, pas très sûr de sa réaction.

— Quitter le pays ?

— Nous n'avons pas le choix, India. Vous avez une grande famille, répartie sur tout le territoire anglais. Et il est hors de question de monter vers le nord, n'est-ce pas ?

Avec un petit rire, il embrassa le bout de son nez.

— Nous ne pouvons pas non plus nous rendre en France, dit-elle, car nous y avons aussi des parents.

— Que diriez-vous de Naples ?

— Naples ? Pourquoi Naples ?

Il lui caressait le dos.

— C'est là que vit mon oncle, le comte di Carlo. Nous pourrions nous marier là-bas et rester chez lui jusqu'à la naissance de notre premier enfant.

Quand nous reviendrons avec un fils, votre père ne pourra plus annuler notre union.

— La mère de mon père vit à Naples, objecta-t-elle, ainsi que sa sœur, la marquise de San Ridolfi. Si nous les rencontrons, Adrian, mes parents sauront où nous trouver.

— Nous nous marierons dans le plus grand secret, ma chérie, et ensuite nous ne sortirons pas de la propriété de mon oncle. Vous connaissez ces deux dames, India ?

— J'ai rencontré la mère de mon père l'été dernier en France, mais je n'ai jamais vu la marquise.

Elle était soudain tenaillée par le doute. S'enfuir, se marier...

— Peut-être ne m'aimez-vous pas assez pour agir impulsivement, suggéra-t-il, la sentant troublée.

— Mais si, je vous aime ! protesta-t-elle, au bord des larmes.

— Je ne le crois pas, insista-t-il, l'air chagrin.

— Je vous le jure, Adrian !

— Alors dites que vous vous en remettrez à moi corps et âme, et que vous serez ma femme. Dites que vous serez la mère de mes enfants. Dites-le !

Avant qu'elle puisse répondre, il l'embrassa passionnément, tandis que sa main se faufilait sous sa cape pour caresser ses reins.

India en était tout étourdie de plaisir. Elle entrouvrit les lèvres, et quand il glissa la main sous sa chemise de nuit pour saisir doucement un sein, elle eut un petit hoquet de surprise. La chaleur de sa paume était grisante. Lorsqu'il prit le petit bouton rose entre ses doigts, elle crut qu'elle allait s'évanouir. Elle ne put retenir un petit gémissement en s'appuyant davantage contre lui. Si c'était cela l'amour, quelle merveille !

Il releva enfin la tête.

— Dites que vous m'épouserez, ma chérie. Ne sentez-vous pas combien je vous désire, combien je vous aime, mon précieux trésor ? Dites-le, ou je vais me jeter dans le fleuve, parce que je ne peux pas vivre sans vous !

— Oui... oh, oui !

Il retira sa main et inclina la tête pour baiser sa poitrine à travers la chemise.

— Votre vertu est le plus beau des joyaux, mon amour, dit-il, solennel. Il faut que je cesse ces petits jeux, sinon je ne pourrai plus m'arrêter. Nous avons toute la vie devant nous pour jouir de ces plaisirs... après le mariage.

— Oh, Adrian, je vous aime tant !

Elle avait adoré ses baisers, ses caresses. Son corps s'éveillait au désir, et cela la perturbait totalement.

— Savez-vous précisément quel jour vos parents ont l'intention de rentrer en Écosse ? Il faut que je trouve un navire en partance pour Naples.

— Pas avant trois ou quatre jours, répondit India. Ils n'ont pas encore donné l'ordre aux domestiques de préparer les bagages.

— J'irai au port dès demain, promit Adrian.

— Sur le quai de la compagnie O'Malley-Small, lui indiqua la jeune fille. Je veux voyager à bord de l'un de leurs bateaux. Si nous faisons confiance à des étrangers, nous risquons de finir assassinés et jetés par-dessus bord après avoir été dévalisés. Les traversées sont dangereuses, Adrian, mais les navires de O'Malley-Small appartiennent à ma famille, et nous serons en sécurité.

— Ne vous reconnaîtra-t-on pas ?

— Je me déguiserai, improvisa India. Vous serez le fils du comte di Carlo et moi votre vieille grand-tante, lady Monypenny, une veuve de fraîche date qui rentre chez elle, à Naples, après des années d'absence. Vous aurez été envoyé par votre père afin de m'escorter. Ainsi, nous pourrons retenir deux cabines sans éveiller les soupçons. Je ne quitterai pas mes quartiers de toute la traversée. N'est-ce pas astucieux ?

— Tout à fait astucieux, ma chérie, dit Adrian, sincèrement admiratif.

Peut-être même était-elle un peu trop rusée... Mais elle était riche, belle, et elle avait frémi sous ses caresses. Il la materait. On pouvait mater n'importe quelle femme, à condition de savoir s'y prendre.

— Maintenant, partez, reprit-elle. Vous reviendrez demain soir et m'appellerez comme aujourd'hui. Il faudra que tout soit au point.

Après l'avoir embrassée brièvement, il enjamba la fenêtre et disparut dans la nuit. India soupira en fermant la croisée. Il était si merveilleux, son Adrian, qui deviendrait bientôt son époux ! Et quelle sensibilité ! Non seulement il comprenait le duc, dont la conduite était pourtant déraisonnable, mais il respectait aussi sa vertu, ce qui prouvait son honorabilité. Ses parents se trompaient du tout au tout sur lui.

Elle remonta dans sa chambre et se glissa sans bruit dans le lit, où sa sœur ronflait légèrement. Elle se croyait trop énervée pour dormir, mais une minute plus tard, elle sombrait dans le plus profond des sommeils.

Au matin, elle feignit d'avoir la migraine et resta au lit. Sa mère vint lui apporter une tasse de thé bien fort.

— Nous pensions passer l'après-midi à la Cour, lui dit Jasmine. Seras-tu assez bien pour nous accompagner ?

— Je ne crois pas, maman, soupira India. Je me sens un peu mieux, mais le trajet réveillerait la douleur. Nous serons encore à Londres demain, n'est-ce pas ? J'aurai l'occasion de dire au revoir à Leurs Majestés ?

— Ton père a décidé que nous partirions mardi. Nous sommes seulement samedi, donc tu pourras présenter tes respects au roi et à la reine avant notre départ.

— Alors je vais rester à la maison aujourd'hui, et je suis sûre que je serai remise demain.

— Cela t'ennuiera-t-il si nous nous rendons quand même à Whitehall ? Henry et Charles ont déjà pris quelques contacts importants, et peut-être trouverai-je un beau jeune homme pour toi, ma chérie...

India eut un petit sourire triste.

— Je ne veux personne d'autre qu'Adrian, maman.

— Oh, ma chérie ! s'écria Jasmine. Il faut le chasser de ton esprit. Ton père ne veut pas entendre parler de lui. James s'est efforcé de t'élever comme Rowan Lindley l'aurait fait, India ! Je sais que ton défunt père aurait porté le même jugement que Jemmie sur ton vicomte. Ne pense plus à lui, chérie.

— J'essaierai, maman, murmura India.

— C'est tout ce que je demande pour l'instant, répondit Jasmine.

Une fois les Leslie partis pour la Cour avec Fortune, India se leva et entreprit de préparer son bagage. Sa sœur et elle n'avaient pas eu le droit d'amener leurs caméristes pour ce voyage, et la maison était calme, presque déserte. Il n'y avait que le personnel qui habitait ici en permanence : le majordome, la gouvernante, la cuisinière, la lavandière et le palefrenier.

India apporta une pile de linge à la buanderie.

— Nous partons mardi, dit-elle, et j'aimerais avoir des vêtements propres, Dolly. Cela vous ennuierait-il de vous occuper de cela aujourd'hui ? Ainsi, vous n'aurez pas tout à faire au dernier moment.

— Bien sûr, milady. Merci de votre gentillesse, répondit la servante.

India se rendit à la bibliothèque, et elle ouvrit le panneau de bois où ses parents cachaient leur argent lorsqu'ils résidaient à Londres. Le sac où son père rangeait ses pièces était bien rebondi. Sans doute le duc était-il passé à la banque, en prévision de leur voyage de retour. India sourit en refermant le panneau. Elle prendrait cette bourse quand elle s'enfuirait avec Adrian. Ce serait une avance sur sa dot. Elle supposait qu'après avoir payé leur traversée, Adrian n'aurait plus guère d'argent, et il la féliciterait de sa prévoyance. L'or du duc les mettrait à l'abri du besoin pendant une bonne année.

Ses parents n'étaient pas encore rentrés quand les graviers crissèrent à sa fenêtre, à minuit.

— Soyez prudent, dit-elle à Adrian après avoir ouvert. Ma famille doit revenir de Whitehall par le fleuve. Quelles nouvelles apportez-vous ? Je n'ose descendre. Je les verrai mieux arriver d'ici.

— Vous aviez raison, ma chérie, annonça-t-il. Le *Royal Charles,* le plus récent navire de la compagnie O'Malley-Small, part pour la Méditerranée avec la marée de lundi, et il fait escale à Naples. J'ai retenu deux cabines. Nous devrons monter à bord au plus tard à cinq heures du matin.

— Qui est le capitaine ?

— Thomas Southwood.

— C'est mon cousin. Mais il ne m'a pas vue depuis des années, et il ne me reconnaîtra sûrement pas sous les traits de la vieille lady Monypenny. Passez me chercher à quatre heures. J'emporterai deux malles et mes bijoux, alors ne venez pas avec une petite barque... Vous avez été merveilleux, mon chéri, ajouta-t-elle en lui envoyant un baiser du bout des doigts. Sauvez-vous, maintenant. Je vous aime, Adrian !

Elle ferma la fenêtre, la joie au cœur. Dans quelques jours, la vraie vie commençait !

Elle dormait à poings fermés quand sa famille rentra à la maison.

Le dimanche, ils assistèrent à la messe à Whitehall. Le roi préférait les services catholiques anglicans, malgré les protestations des puritains.

— Eh bien, dites vos propres messes ! répondait-il à ceux qui manifestaient leur contrariété. Vous ne vous rappelez pas que je me suis engagé à être aussi tolérant que possible ? Vous n'aimez pas l'Église d'Angleterre, vous n'aimez pas non plus la religion de la reine, alors allez donc à vos propres services austères, sans un cierge ou une note de musique !

Comme ils sortaient de la chapelle du roi, les Leslie tombèrent sur Adrian Leigh, qui sortait de celle de la reine.

— Voici une autre raison pour que tu ne puisses te marier avec ce garçon, dit le duc en retenant India, qui voulait se précipiter vers lui. Il est catholique pratiquant, or c'est dangereux, à notre époque.

— Les Leslie de Glenkirk ont été autrefois catholiques romains, et maman aussi, répliqua India. La reine Elizabeth n'a-t-elle pas dit un jour qu'il n'y avait qu'un Seigneur Jésus-Christ, et que cela seul importait ?

— Tout le monde a été membre de l'Église romaine à un moment ou à un autre, expliqua patiemment le duc, mais les temps ont changé. Même si nous sommes sûrs que le Seigneur se moque de la façon dont nous Le prions, il faut être prudent, India. Nos familles ont survécu grâce à leur prudence. Nous ne nous mêlons ni de politique ni de querelles religieuses, nous payons rubis sur l'ongle les taxes que l'on nous impose. Néanmoins, il ne serait pas raisonnable, même si le vicomte était un parti envisageable pour toi, que tu épouses un membre de l'Église catholique. Évite d'attirer l'attention sur toi, car tu t'apercevrais bien vite que les gens sont jaloux de ta richesse et de ta beauté et qu'ils essaient de te nuire.

India se dégagea d'un geste coléreux.

— C'est mon dernier jour à la Cour, dit-elle. Laissez-moi faire ce dont j'ai envie. J'ai dix-sept ans, père, je ne suis plus une petite fille à qui on donne des ordres. Si vous devez m'arracher à l'homme que j'aime et me forcer à épouser quelqu'un de votre choix, au moins Adrian et moi aurons eu cette journée.

Elle tourna les talons dans un envol de jupe bordeaux.

— Laissez-la, conseilla Jasmine à son mari. Elle est sage, elle cédera si vous ne l'irritez pas davantage.

— Pourquoi donc ai-je envie de lui flanquer une bonne fessée ? grommela le duc.

Jasmine eut un petit rire.

— Parce qu'elle a grandi, Jemmie, et qu'elle s'oppose à vous. Aucun père n'apprécie cette situation. Elle vous échappe, et elle vous préfère un autre homme. Quelle trahison !

Elle l'attira à elle, pour déposer un baiser sur sa joue.

— Mais moi je vous aimerai toujours, milord. Je ne vous quitterai que dans la mort, et à regret.

Il rit à son tour.

— Jasmine chérie, heureusement que vous êtes plus sensée que moi... Venez, il nous faut dire au revoir à nos amis, à notre famille, puis nous partirons d'ici. Il y a trop de conflits à la Cour. Buckingham considère la reine comme une ennemie, et le roi de France envoie un émissaire pour voir ce qui ne va pas entre sa sœur et notre Charles. Les puritains gagnent chaque jour en puissance et en influence. Croyez-moi, ils finiront par causer des troubles. Il n'y a rien de pire que les gens sectaires qui décident que leur façon de penser est la seule, et que tout le monde doit s'y conformer sous peine d'être excommunié. Je serai heureux de retrouver mes montagnes d'Écosse, et je n'ai aucune envie de revenir à Londres... À propos, j'ai parlé à votre tante Willow au sujet d'India. Marions-la, et laissons son époux se débrouiller avec elle. Nous avons encore une fille et cinq garçons à caser avant d'avoir terminé notre travail de parents, conclut-il gaiement.

— Pensez-vous vraiment que les marier nous dégagera de toute responsabilité envers eux ? Quel que soit leur âge, ils resteront toujours nos enfants, et nous continuerons à nous inquiéter pour eux, James Leslie !

— Mais ils ne vivront plus sous notre toit ! rétorqua le duc avec bonne humeur.

Ils passèrent la journée à saluer leurs amis et connaissances, et le duc eut le plaisir, au moment de partir, de trouver India seule au bord du fleuve. Le crépuscule tombait lorsqu'ils regagnèrent Greenwood House.

India demanda à ses frères de descendre ses malles dans le hall.

— Mais nous ne partons que mardi, chérie ! lui fit remarquer sa mère. Nous avons le temps.

— Papa répète toujours que je traîne et que je fais attendre tout le monde avec mes bagages. Cette fois, je serai la première prête ! J'ai même demandé à Dolly de s'occuper de mes affaires hier pour qu'elle ne soit pas surchargée.

Elle esquissa son plus charmant sourire.

— Ce sera peut-être la seule fois de ma vie que je serai en avance !

— Allez chercher les malles de votre sœur, ordonna le duc à ses fils. Ainsi, demain, nous pourrons les admirer pendant que nous bouclerons nos propres bagages.

Amusés, les garçons obtempérèrent. Puis India se tourna vers le duc.

— J'ai été très désagréable envers vous, papa, et je vous prie de bien vouloir m'en excuser. Mais je ne vous demande pas pardon d'aimer Adrian, même si vous ne voulez pas que je l'épouse. Je vous trouve fort injuste de lui refuser sa chance et de le rendre responsable de la mauvaise conduite de sa mère et de son frère. C'est mal, papa, et j'ai honte pour vous. Jusqu'à présent, vous vous étiez toujours montré parfaitement équitable.

Le duc serra les dents afin de contrôler sa colère.

— Je t'aime, India, tu le sais. Je souhaite te voir heureuse, et bon sang, je ferai en sorte que tu le sois, malgré toi ! Le premier amour est souvent le plus poignant, mais pas forcément le plus durable... Tu as toujours eu confiance en moi, India. Pourquoi pas cette fois ? Tu es ma fille, je ne veux pas que tu souffres.

— Si vous m'interdisez d'épouser Adrian, je serai malheureuse pour le reste de mes jours !

Jasmine vint s'interposer entre sa fille aînée et son mari.

— Puisque vous n'arrivez pas à vous mettre d'accord, dit-elle, je pense qu'il vaudrait mieux cesser de discuter. Comme tu as terminé tes bagages, India, tu nous aideras, ta sœur et moi, à faire les nôtres demain. Maintenant, va te reposer. Tu sais combien la route est fatigante, ma chérie, et nous avons devant nous de longues journées de voyage.

India embrassa ses parents et rejoignit sa chambre. Elle avait donné une dernière chance à son père, afin qu'il change d'avis et lui évite d'avoir à s'enfuir. Elle soupira. Adrian avait raison, le duc ne lui laissait pas le choix. Enfin... Le lendemain à la même heure, elle serait en train de voguer vers l'Italie, et ses parents apprendraient, grâce au mot qu'elle leur écrirait, qu'elle partait avec Adrian pour l'épouser.

— Pourquoi as-tu provoqué papa de cette façon ? demanda Fortune. Il a raison, le vicomte n'est pas quelqu'un pour toi, India. Mais il faut toujours que tu arrives à tes fins.

— Papa n'a jamais dit qu'il désapprouvait Adrian, mais seulement sa famille.

— C'est la même chose. Tu t'es dépêchée de faire tes bagages afin de pouvoir te faufiler dehors et passer un peu de temps avec lui, c'est ça ? Mais maman l'a deviné, et à présent, il va falloir que tu passes la journée à nous aider. Je suis terriblement maniaque en ce qui concerne mes affaires, tu sais, cela va nous prendre énormément de temps, la taquina-t-elle.

— Si tu ne te tais pas tout de suite, je jette tes robes par la fenêtre, menaça India.

— C'est ce qu'on va voir !

Fortune s'empara d'un oreiller qu'elle lança à la tête de son aînée.

Une bataille de polochons s'engagea entre les deux jeunes filles, qui terminèrent sur le lit en riant aux larmes.

— Tu vas me manquer, petite sœur ! dit India.

Fortune fronça les sourcils.

— Te manquer ?

— Quand papa me mariera à un inconnu, dans quelques mois, se reprit vivement India. Sapristi ! Te rends-tu compte que c'est la fin de notre enfance ? D'ici un an, nous serons toutes les deux enceintes !

Elle fourra un oreiller sous sa robe et se mit à parader autour de la pièce.

— Oh, j'espère que ce sera un garçon, pour plaire à mon seigneur de mari !...

Fortune pouffa.

— Pourquoi les hommes veulent-ils toujours un garçon ?

— Notre vrai père n'en a pas eu tout de suite. Je suis arrivée la première, puis Henry, et toi après sa mort.

— Tu te le rappelles ? demanda Fortune.

India soupira.

— Très vaguement. J'ai le souvenir d'un grand homme blond qui riait et me prenait devant lui sur sa selle pour m'emmener en promenade, c'est tout. Pas grand-chose, en somme...

— C'est toujours mieux que Henry et moi. Mon père était mort quand je suis née. Mais je me rappelle un peu le prince. Il était très beau, et il dévorait maman des yeux. Imagine qu'il ait eu le droit de l'épouser... Notre Charles serait roi à présent, à la place de son oncle.

— Maman n'était pas d'assez haute lignée, c'était impossible.

— Comme il est impossible que tu épouses Adrian, rétorqua Fortune.

— Je vais me coucher ! décréta India afin de clore la discussion.

Les deux sœurs, après une rapide toilette, enfilèrent leurs chemises de nuit et se mirent au lit. India souffla la bougie. Si elle ne se réveillait pas à temps, Adrian avait promis de lancer des cailloux sur sa fenêtre. Elle ne mettrait pas longtemps à s'habiller pour le rejoindre.

Le sommeil eut vite raison d'elle, et sa sœur se lova contre elle avec ses petits bruits de nuit habituels.

India se réveilla en sursaut alors que la pendule du hall sonnait trois heures. Elle se glissa hors du lit. Le plancher était glacé sous ses pieds nus lorsqu'elle alla remettre du charbon dans le poêle, avant d'enfiler une robe de velours noir au col de ruché blanc, et des souliers noirs. Elle avait trouvé au grenier un voile de deuil, qu'elle porterait avec une cape noire et des gants sombres. Il était quatre heures moins le quart quand elle prit son sac à bijoux qu'elle glissa dans son manchon de loutre. Enfin, elle sortit sans bruit de la chambre.

Elle traversa le hall sur la pointe des pieds pour se rendre à la bibliothèque, où elle ouvrit le panneau secret, sortit la bourse de son père, s'assura qu'elle était pleine de pièces d'or et la mit dans son manchon avec les bijoux, avant de refermer la cachette. Puis elle retraversa le hall, et repoussa avec quelque difficulté les lourds verrous qui fermaient la porte d'entrée.

Elle n'eut pas à attendre longtemps, car on gratta presque tout de suite au battant. Elle ouvrit au vicomte qui était accompagné d'un autre homme. Ce dernier s'empara d'une des malles d'India et se dirigea vers le fleuve.

— Prenez l'autre, chuchota-t-elle à Adrian. Je vais verrouiller la porte derrière vous, afin que l'on ne remarque pas trop tôt mon absence, et je sortirai par la fenêtre de la bibliothèque. À tout de suite, mon amour.

Elle se rendit dans la bibliothèque dont elle enjamba la croisée avant de la refermer tant bien que mal. Il y avait peu de chances qu'on s'aperçoive que l'espagnolette n'était pas en place.

Enfin, elle traversa la pelouse en courant, sans un regard en arrière. Au moment où Adrian l'aidait à grimper sur la barge qui les attendait, elle eut un bref pincement au cœur, vite remplacé par une intense impression de liberté.

— Soulevez votre voile, ma chérie, que je voie si

c'est bien vous qui vous cachez dessous, et non votre père, plaisanta Adrian.

Elle obéit.

— C'est bien moi, milord.

L'embarcation se rendit directement au quai de la société O'Malley-Small. Ils montèrent à bord d'un grand navire marchand. India marchait à petits pas, comme une vieille dame.

— Ah, signore di Carlo ! dit un homme à la voix distinguée. Juste à l'heure. Et voici votre tante, je suppose ? Mes condoléances, madame, pour la perte douloureuse qui vous afflige.

Une voix chevrotante s'éleva derrière le voile :

— Monypenny était âgé. Il avait fait son temps... Vous êtes l'un des fils de Lynmouth, n'est-ce pas ?

— Oui, madame. Le quatrième, répondit le capitaine Thomas Southwood. Geoff est l'héritier, John est entré dans les ordres et Charles s'est marié. Moi, je préfère la mer à une épouse. Elle est moins compliquée, et moins exigeante.

On entendit un petit rire.

— Alors, vous êtes comme votre grand-mère, qui était pirate, m'a-t-on dit.

— Racontars, madame ! répliqua le capitaine en souriant. À présent, on va vous montrer votre cabine...

— Pourquoi tout ce bavardage ? demanda Adrian, nerveux, quand ils se retrouvèrent seuls. Vous allez nous trahir avant même que nous ayons quitté le quai !

— En tant que vieille commère, il est normal que je connaisse sa famille, Adrian. Je l'ai pris au dépourvu. Jamais il n'imaginera que je ne suis pas ce que je prétends être.

Le *Royal Charles* quitta le quai à l'heure prévue et descendit majestueusement la Tamise en direction de la mer. India resta dans sa cabine, à regarder défiler le paysage par le hublot. Un jour gris se leva, et elle se demanda quand elle reverrait cette campagne anglaise.

Elle sentit le bateau rouler lorsqu'ils s'engagèrent dans la Manche, et elle sut que son destin était scellé. Il n'y avait plus de retour en arrière possible.

Pour la première fois, lady India Lindley s'interrogea sur le bien-fondé de sa décision. Frissonnante, elle serra davantage autour d'elle sa cape doublée de fourrure.

5

Le *Royal Charles*, un navire de commerce, avait quitté Londres avec une cargaison de laine et de fer-blanterie dans sa soute. À Bordeaux, il prit un chargement de vin rouge, à Lisbonne des cuirs, à Cadix des caisses d'agrumes, à Málaga des tonneaux de xérès. Là s'arrêtèrent les deux autres passagers, des marchands de vin espagnols. On remonterait ensuite vers Marseille pour y livrer le vin et embarquer des poissons fumés, avant de mettre le cap sur Naples.

India n'était pas sortie de sa cabine depuis qu'ils avaient quitté Londres, à part quelques promenades nocturnes sur le pont, bien emmitouflée dans son voile. Adrian avait expliqué au capitaine que sa tante était en grand deuil, qu'elle préférait rester seule, et que le bercement de la mer l'apaisait.

Tom Southwood éclata de rire.

— Heureusement que nous avons beau temps, signore di Carlo, sinon lady Monypenny ne trouverait pas la mer apaisante ! Je suis néanmoins désolé qu'elle ne prenne pas ses repas avec nous. Je la trouve amusante, elle me rappelle ma défunte arrière-grand-mère, lady de Marisco.

— Hélas, répondit Adrian, si l'esprit de ma tante est apaisé par la mer, je crains que son estomac ne le soit moins.

Il commençait à faire chaud. Ils devaient bientôt arriver à Marseille, expliqua Adrian à India qui, nerveuse, ne lui accordait que quelques minutes par jour dans sa cabine. Regrettait-elle son coup de tête ? Elle n'en disait rien, et il se persuadait que c'était seulement la fatigue de la longue traversée.

Un jour, le matelot chargé des passagers vint trouver Thomas Southwood.

— Je peux vous parler un moment, capitaine ?

— Entre, Knox. De quoi s'agit-il ?

— Eh bien, capitaine, c'est au sujet de la passagère, celle qui doit débarquer à Naples. C'est censé être une vieille dame, non ?

— En effet.

Où voulait-il en venir ? se demandait Tom.

— Alors voilà, capitaine. C'est pas une vieille dame, mais une jeune.

Knox semblait horriblement gêné.

— Je passais près de sa cabine, tout à l'heure, et je l'ai vue en train de se brosser les cheveux. Je me suis arrêté, parce que j'étais surpris qu'une dame de son âge ait une telle chevelure. Puis elle a tourné un peu la tête et… Elle ne m'a pas vu, monsieur, mais ce n'était pas le visage d'une vieille dame. C'est au contraire une très belle jeune femme !

— Damnation ! jura Southwood, irrité.

Qu'est-ce que c'était que cette histoire ? Il fallait qu'il élucide tout ça avant l'arrivée à Naples. Une jeune femme. Un signore di Carlo qui parlait anglais sans le moindre accent… Un couple en fuite ! Oui, c'était la seule explication. Le signore di Carlo avait enlevé une jeune fille. Mais à quelle famille appartenait-elle ? Que faire ?

— Viens avec moi, dit-il à Knox.

Ils se dirigèrent vers les quartiers des passagers. Le capitaine frappa à la porte de la cabine de la fausse lady Monypenny et entra sans attendre d'y être invité. Une jeune personne se leva d'un bond du fauteuil où elle lisait en poussant un cri.

— Seigneur !... Lady India Lindley !

— Désolée, capitaine, vous devez me confondre avec une autre, dit-elle de son ton le plus hautain.

— Vous avez grandi depuis la dernière fois que je vous ai vue, India, insista-t-il, mais vous ressemblez à votre mère, vous avez le même grain de beauté qu'elle, sur la lèvre supérieure. En outre, vous portez la chevalière aux armes des Lindley. Que signifie cette mascarade ? Pourquoi vous déguisez-vous en vieille dame ? Mais je crois connaître la réponse...

— Alors je n'ai rien à vous dire, Tom ! répliqua-t-elle avec colère.

— Vous vous enfuyez avec ce signore di Carlo, et vous avez choisi mon navire, c'est bien ça ? J'avais entendu dire que vous étiez une enfant terrible, mais je n'aurais jamais cru que vous pourriez vous lancer dans une aventure aussi scandaleuse ! Si on découvre cette histoire, plus un homme convenable ne voudra de vous !

— Mais Adrian *est* un homme convenable ! protesta India. C'est le vicomte Twyford, le fils du comte d'Oxton. Et nous allons nous marier chez son oncle, à Naples, parce que papa ne veut rien écouter. Je l'aime, et il m'aime ! J'ai choisi votre navire car je savais que nous y serions en sécurité.

— Porte les malles de lady Lindley dans mes quartiers, Knox, et veille à ce que le jeune homme ne quitte pas sa cabine pour le reste du voyage.

— Tom ! Vous ne pouvez pas être si cruel ! s'écria India, les larmes aux yeux.

Il la toisa froidement.

— Avec un peu de chance, cousine, il y aura à Marseille un navire de notre compagnie qui remontera vers le nord, et j'ai bien l'intention de vous y faire embarquer afin de vous renvoyer chez vos parents. S'il n'y en a pas, vous resterez à bord de mon bateau et vous rentrerez avec moi. Quant à votre soupirant, il a payé son voyage jusqu'à Naples. Il débarquera là-bas, mais sans vous !

— Non ! gémit-elle. Nooon !

Thomas lui saisit les poignets et la traîna littéralement jusqu'à ses propres quartiers. Comme ils passaient devant la cabine d'Adrian, ils l'entendirent marteler la porte de coups de poing furieux.

Le capitaine poussa India dans le carré attenant à sa cabine en disant :

— Je vais voir votre vicomte pour lui expliquer que la situation a changé. Vous rentrez chez vous, jeune fille !

Il sortit vivement et verrouilla la porte derrière lui, avant de retourner vers la cabine d'Adrian.

Celui-ci bondit sur ses pieds.

— Eh bien, monsieur, vous voilà démasqué, dit sévèrement Thomas Southwood. Le jeu est terminé, et on vous laissera à Naples, tandis que ma cousine India sera renvoyée chez ses parents. En attendant, vous resterez enfermé ici.

— Vous n'avez aucun droit... commença le vicomte avec dédain.

— J'ai tous les droits, monsieur. En tant que capitaine du *Royal Charles,* je suis seul maître à bord après Dieu. Vous n'avez pas l'autorisation du duc de Glenkirk d'épouser sa fille. Vous l'avez séduite afin qu'elle vous suive. Vous êtes un vil suborneur, monsieur. Maintenant, je vais vous laisser réfléchir à la gravité de vos actes. Vous ne pourrez pas vous montrer de sitôt en Angleterre, car nous sommes une vaste famille, qui protège les siens. J'espère toutefois que ceci est resté secret, et que la réputation d'India n'est pas entachée.

— Puis-je au moins lui dire adieu ?

— Vous lui avez dit tout ce que vous aviez à lui dire, sans doute davantage, hélas ! répliqua le capitaine. Et n'essayez pas de communiquer avec elle à travers les cloisons, car je l'ai installée dans mes quartiers. Au revoir, monsieur.

Thomas alla trouver son second, M. Bolton, pour lui expliquer ce qui s'était passé.

— Sale histoire, capitaine, dit le brave homme en secouant la tête. Mieux vaut rester célibataire. Prions pour que la petite ne soit pas marquée à jamais par ce scandale...

India était tellement furieuse qu'elle refusa la moindre nourriture, le soir.

— Je vais me laisser mourir de faim ! menaça-t-elle d'un ton tragique. Vous rentrerez en Angleterre avec mon cadavre dans un cercueil, et papa vous tuera !

Thomas ravala le rire qui lui montait aux lèvres. Il avait une sœur, Laura, qui, au même âge, se montrait tout aussi excessive.

— À votre guise, mais ce poisson est vraiment délicieux, et les artichauts viennent de Cadix. Vous ne voulez pas non plus une de ces juteuses oranges ?

— Allez au diable ! cria-t-elle en s'emparant d'un gobelet de métal, la rage au fond des yeux.

Il se leva avant qu'elle puisse le lui lancer à la tête et l'entraîna vers la plus petite cabine, où se trouvait son lit.

— Vous dormirez ici. Moi, je m'installerai un lit de camp dans le carré.

Il la poussa à l'intérieur et ferma derrière elle, avant d'aller se rasseoir afin de finir son repas.

— Il y a de l'eau potable dans une carafe, ma chère, dit-il en guise de réponse à ses cris hystériques.

Au matin, ce fut Knox qui vint la libérer.

— Le capitaine dit que vous pouvez disposer de ses quartiers durant la journée, madame. Voulez-vous manger quelque chose ? Des fruits ?

— Non, merci. Où est mon cousin ?

— Sur le pont depuis l'aube, comme d'habitude. Bon, si vous n'avez pas besoin de moi, je vais m'occuper du jeune homme…

— Knox ! Attendez ! Accepteriez-vous de transmettre un message au vicomte Twyford ? supplia India.

L'homme secoua la tête en se hâtant vers la porte, de crainte de recevoir quelque projectile.

— Je suis navré, madame, c'est impossible.

India entendit la clé tourner dans la serrure, et elle faillit hurler de frustration. Elle alla regarder par la grande fenêtre du carré, qui donnait directement sur la mer. La petite cabine où elle dormait n'avait pas d'accès direct au pont. Mais elle trouverait un moyen de s'échapper ! Il le fallait ! Peut-être quand ils arriveraient à Marseille. Elle se faufilerait sur le pont et libérerait Adrian, puis ils se rendraient à Naples par la terre. Il n'était pas question de renoncer maintenant !

— Voilier en vue !

India entendit crier cette annonce sur le pont. Et en effet, elle aperçut un navire, au loin.

— Hissez une voile supplémentaire ! ordonna le capitaine.

Les rouages grincèrent, mais le navire ne semblait pas prendre de la vitesse, alors que l'autre gagnait du terrain. C'était un bâtiment étroit, effilé, aux voiles rouge et or.

India se retourna quand son cousin entra dans la cabine, l'air inquiet.

— Écoutez-moi bien, dit-il. Dans quelques minutes, nous serons abordés par des corsaires turcs.

La jeune fille blêmit.

— Nous ne pouvons pas leur échapper ?

— En temps ordinaire, si. Mais le vent n'est pas avec nous, et il nous est impossible d'aller plus vite. Maintenant, écoutez-moi bien, répéta-t-il, car ce que je vais vous dire vous sauvera peut-être la vie. Ma grand-mère s'est trouvée dans ce genre de situation. Si on exige que vous vous convertissiez à l'islam, acceptez. Ne soyez pas héroïque, ne refusez pas. Nous n'avons pas besoin de martyrs dans notre famille. Si vous acceptez, cela voudra dire que l'on vous donnera – ou on vous vendra – à un homme puissant, au lieu de vous jeter dans la fosse aux esclaves où vous serez violée et obligée de vous prostituer.

— Mais ne préféreraient-ils pas nous échanger contre une rançon ? demanda-t-elle, horrifiée.

— Nous ne sommes pas assez importants, cousine. Un jour, j'espère parvenir à envoyer un message en Angleterre, et alors… Mais vous ne pourrez peut-être pas rentrer, à ce moment-là.

— Oh, Tom, je ne reverrai plus jamais papa et maman ? s'écria-t-elle, désespérée.

— Ce genre d'aventure est déjà arrivé dans notre famille, et les femmes ont fort bien survécu, India.

Observez, apprenez et, pour l'amour du Ciel, rappelez-vous qu'à partir de l'instant où vous serez capturée, vous ne serez plus la fille du duc de Glenkirk, mais seulement une belle esclave. Vous serez à la merci de votre maître, vous devrez mettre un frein à votre fougue, éviter de l'injurier, sous peine de vous retrouver avec la langue arrachée.

— Plutôt mourir que de me soumettre !

Tom Southwood prit sa jeune cousine par les bras et la secoua rudement.

— Ne dites pas de bêtises, India !

Il sortit de la pièce et, de nouveau, la clé tourna dans la serrure.

Le bateau corsaire s'approcha du *Royal Charles*, et India comprit pourquoi il allait si vite : en plus des voiles, il était propulsé par des rameurs, ce qui lui donnait un net avantage sur le gros navire marchand.

Si seulement elle pouvait être sur le pont avec son cousin ! Que faisait-il ? Allait-il se battre ?

— L'équipage est prêt à défendre le navire, capitaine, annonça M. Bolton.

Tom Southwood secoua la tête.

— Toute résistance serait dérisoire, répondit-il à son second. Ils sont armés jusqu'aux dents. De plus, je tiens à ce que le navire reste intact. Nous le leur volerons à notre tour, Francis. C'est sûrement ce que vous avez dit à l'équipage…

— Oui, monsieur, mais deux des marins sont des papistes irlandais, et il y a une demi-douzaine de puritains. L'artisan voilier est juif. Quant au cuisinier, il est athée. Ils ne se convertiront pas.

— Ma foi, je les ai prévenus, et j'espère qu'ils accepteront quand même, afin que nous puissions un jour reprendre la mer sur ce bateau, rétorqua le jeune capitaine. Tête haute, Bolton : les voilà !

C'était un immense vaisseau, avec vingt-huit bancs de quatre ou cinq rameurs, dont une partie était fermée à l'arrière – ce qui signifiait qu'il transportait des janissaires, des soldats d'élite. Le reste du pont était à ciel ouvert et un gros canon était fixé au pont inférieur, ainsi que plusieurs canons à pivot le long du bastingage.

Un homme se dressa devant eux et prit la parole dans un français parfait :

— Je suis Aruj Agha, capitaine du corps des janissaires de l'Empire ottoman, basé à El Sinut, et je vogue sous le commandement de mon bey. Présentez-vous, monsieur.

Tom répondit dans la même langue :

— Capitaine Thomas Southwood, en provenance de Londres, commandant le *Royal Charles* pour le compte de la compagnie O'Malley-Small. Nous voguons généralement sans encombre sur ces mers, Aruj Agha. Pourquoi nous arrêtez-vous ? Vous n'avez pas vu notre drapeau ?

— Il ne signifie rien pour moi, monsieur, répliqua le Turc poliment. Vous et votre navire représentez une bonne prise, et vous êtes désormais la propriété du bey d'El Sinut. Quelles marchandises transportez-vous ?

— De la laine, de la ferblanterie, des peaux, des fruits, et des fûts de xérès. J'ai également à bord deux passagers, pour lesquels il serait possible de demander une rançon. L'un est le fils du comte d'Oxton, l'autre, qui se trouve être ma cousine, la fille du duc de Glenkirk. Le frère de cette dernière est le neveu du roi Charles, et son père paiera une fortune pour la récupérer. Je l'emmenais rendre visite à sa grand-mère à Naples.

— Vous connaissez nos lois, capitaine, et la façon dont nous traitons nos prisonniers. J'espère pour elle que votre cousine est une petite fille très laide.

Tom fit la grimace, et Aruj Agha éclata de rire.

— Non ? Dans ce cas, vous feriez mieux de me la montrer.

— Je l'ai enfermée dans ma cabine, car je craignais pour sa sécurité. Suivez-moi.

— Sage réaction... Nous allons prendre votre navire en remorque : ainsi, vous, vos passagers et quelques membres de l'équipage pourrez rester à bord, jusqu'à ce que nous ayons atteint notre destination. Nous sommes à trois jours d'El Sinut.

— Et les autres ?

— Ils seront transférés à mon bord pour y être enchaînés, naturellement, et le bey décidera lui-même de leur sort quand nous serons à El Sinut.

Tout cela n'était pas une surprise pour Tom Southwood. Le bey offrirait aux hommes une chance de se convertir à l'islam. Ceux qui accepteraient seraient engagés comme marins ; ceux qui refuseraient deviendraient esclaves, soit sur les galères, soit dans les mines.

Devant la porte de sa cabine, il frappa, puis ouvrit.

— C'est moi, cousine.

Elle se tenait au milieu de la pièce, une épée à la main.

— Vous vous êtes rendu sans vous battre ! l'accusa-t-elle.

— Nous sommes un navire marchand, India, lui rappela-t-il. Le bateau corsaire a des canons... Où avez-vous trouvé cette épée ? Posez-la immédiatement.

— Impossible. Je dois défendre l'honneur de la famille, Tom, puisque vous êtes trop lâche pour le faire. J'ai trouvé l'épée sous votre lit, et je ne céderai pas sans lutter.

Aruj Agha était fasciné par la beauté de la jeune fille. Vêtue d'une jupe de velours et d'une chemise d'homme, elle portait une large ceinture de cuir noir qui soulignait la finesse de sa taille. Ses cheveux étaient défaits, et ses yeux lançaient des éclairs. Elle était magnifique !

— En garde, infidèle ! le provoqua-t-elle.

— Seigneur ! pesta Southwood.

Comment avait-il pu oublier qu'il cachait une épée sous son lit ?

Aruj Agha éclata de rire.

— Approchez, ma belle, dit-il avec un sourire engageant. Votre cousin a eu raison. J'aurais été désolé d'avoir à réduire ce beau navire en pièces et tuer tout l'équipage. Grâce à son attitude, on ne vous fera pas de mal. Je vous prévois même une belle vie en tant que favorite du harem de votre maître… Maintenant, donnez-moi cette épée.

Il tendait la main. India attaqua, mais il esquiva et la lame égratigna seulement le bout de ses doigts.

Alors la jeune fille bondit en avant. Sa patience entamée, Aruj Agha la saisit au poignet pour la jeter rudement à terre, où il la maintint de son pied botté. Tom Southwood ne bougea pas. Il savait que le Turc ne ferait pas de mal à India. Elle avait trop de valeur comme prisonnière. Toutefois, si elle ne se montrait pas plus conciliante, elle ne resterait pas longtemps en vie !

— Tom ! cria-t-elle. Vous allez le laisser me brutaliser ? Au secours !

Elle se tortillait désespérément sous le pied de son agresseur.

— Je vous avais prévenue, India. Maintenant, taisez-vous avant qu'il ne vous fasse fouetter. Et je vous jure qu'il en est capable. C'est ainsi qu'ils traitent les esclaves récalcitrants. J'espère que vous prenez à présent toute la mesure du danger que vous courez.

Il lui avait parlé en anglais, et il revint au français pour s'adresser au janissaire :

— Je lui ai dit de se calmer, Aruj Agha, mais c'est une enfant gâtée, je ne suis pas sûr qu'elle m'obéisse...

— J'en ai maté d'autres, capitaine. Cependant, je suis vexé d'avoir été surpris par une simple jeune fille. Elle est vierge, bien sûr. Ce sont les plus nerveuses, dans ce genre de situation.

Il baissa les yeux sur India.

— Vous serez sage, ma belle ?

Il l'aida à se relever.

— Allez au diable ! cracha India. Je vous tuerai à la première occasion ! Il n'est pas question que je devienne une esclave !

— Les filles qui ont le sang chaud sont les meilleures, dit-il en riant. A-t-elle toujours aussi bon caractère, capitaine ?

— Je le crains.

— Où est Adrian ? demanda India à son cousin. S'ils lui ont fait du mal, ils le paieront cher !

— Ça suffit, India ! Vous risquez d'aggraver la situation pour votre ami. Avec un peu de chance, si le bey est généreux et a besoin d'argent, on l'échangera contre une rançon. Maintenant, faites ce que l'on vous dit, cousine.

— Pourquoi n'y aurait-il pas de rançon pour moi ?

— Parce que vous êtes une jolie vierge et que vous ferez une belle concubine. Ces gens ne peuvent pas imaginer que votre père serait prêt à payer alors que votre réputation sera souillée... Maintenant, India, restez tranquille et obéissez, reprit-il en français. Avec la permission d'Aruj Agha, je viendrai vous voir un peu plus tard.

— Volontiers, répondit le janissaire. Nous voulons que la jeune fille soit heureuse. La peur gâche la beauté.

Les deux hommes fermèrent la porte derrière eux, et India entendit le remue-ménage des marins que l'on transférait sur le navire turc afin de les mettre aux fers. Elle ne comprenait pas ce qui se disait dans cette langue étrangère, et elle se demandait ce qu'était devenu Adrian. Elle avait mal à la tête, elle s'était heurté la hanche quand Aruj Agha l'avait jetée au sol... et elle avait envie de pleurer.

La porte s'ouvrit de nouveau. C'était Knox.

— Le capitaine m'a demandé de venir vous tenir au courant des événements et de vous apporter à manger, madame. Vous n'avez rien avalé hier soir, il faut que vous preniez des forces.

— Où est Adrian ? demanda-t-elle, au bord du désespoir.

— Ne vous inquiétez pas pour ce jeune homme, madame, dit-il, ému par la larme qui roulait sur sa joue. Il est enfermé dans sa cabine, comme vous, et le capitaine dit qu'il pourra sans doute être échangé contre une rançon. Le reste de l'équipage a été envoyé sur l'autre navire, hormis le capitaine, moi, M. Bolton, le lieutenant M. James, et Will, le cuisinier. Et nous avons à bord une équipe de ces marins païens.

Il posa le plateau qu'il avait apporté et déplia une serviette.

— Je n'ai absolument pas faim, soupira India.

— Si vous terminez tout ce qu'il y a dans les assiettes, madame, je porterai un message à votre ami. Le cuisinier a fait cuire les derniers poulets, ainsi que du pain tout frais. Il y a un artichaut, du raisin, et je vous ai épluché une orange. Mangez. Quand j'apporterai son déjeuner au vicomte, je lui transmettrai votre message. D'accord ?

India renifla, mais elle obtempéra, et elle s'aperçut finalement qu'elle mourait de faim ! Elle dévora le poulet.

— Y a-t-il du fromage ? demanda-t-elle ensuite.

— Sous le pain, madame, dit le brave homme en dissimulant un sourire.

La pauvre petite avait bien besoin de se nourrir, se disait-il. Qui sait ce que les païens leur donneraient à manger, lorsqu'ils seraient arrivés à destination ?

Quand India eut tout mangé jusqu'à la dernière miette, Knox reprit le plateau.

— Que dois-je dire à votre jeune homme, madame ?

— Que je l'aime et que je prie pour que nous retrouvions la liberté. Dites-lui de prier aussi pour tout l'équipage du *Royal Charles,* et de chercher un moyen d'évasion, conclut-elle.

— Bien, madame, répondit Knox, qui se promit d'oublier la dernière partie du message.

Ils n'avaient pas besoin que le petit vicomte se mette à jouer les héros, au risque de se faire tuer. De toute façon, songea Knox en s'éclipsant, il n'était sûrement pas de la race des héros, c'était plutôt un opportuniste…

India se rassit près de la fenêtre, contemplant l'immensité de la mer. Le soleil se couchait, et le ciel s'empourprait à l'ouest. Puis il s'assombrit et une première étoile se mit à briller, cristal sur fond bleu nuit. C'était si beau ! Adrian admirait-il aussi ce spectacle grandiose, et pensait-il à elle comme elle pensait à lui ?

La porte s'ouvrit une nouvelle fois et elle se retourna, s'attendant à voir entrer son cousin. Mais c'était Aruj Agha, et elle se crispa.

— N'ayez pas peur, ma belle, dit-il. Je ne vous ferai pas de mal. Mais laissez-moi allumer une lampe, il fait noir comme dans un four.

Il joignit le geste à la parole.

— Ne bougez pas, reprit-il. Nous allons bavarder un moment. Avez-vous compris ce qui s'est passé aujourd'hui ?

— Vous et vos bandits avez piraté notre navire, répondit-elle sèchement.

Il eut un rire amusé.

— Je suis tout à fait dans mon droit, petite. Ces eaux sont sous le contrôle du plus fidèle serviteur d'Allah, le sultan Murat, quatrième du nom. Il est encore jeune, mais il deviendra un grand homme d'État. Votre navire est une superbe prise.

— Êtes-vous vraiment un Turc ? demanda-t-elle, curieuse.

— Je suis de Bosnie, ma belle. C'est une partie de l'Empire ottoman, située en Europe. J'ai été enrôlé dans le corps des janissaires à l'âge de huit ans, et ce fut un grand honneur pour ma famille. Mon oncle était également janissaire. J'ai été éduqué par eux, nourri par eux, et je me suis élevé jusqu'au rang d'agha, ce que vous appelleriez capitaine.

— Que va-t-il m'arriver ? Mon cousin dit que je vais devenir esclave. Mais je ne suis pas une esclave ! Je suis la fille du duc de Glenkirk. Deux de mes frères sont ducs, et un autre marquis. Je suis une très riche héritière, et je suis apparentée au roi d'Angleterre.

Les yeux d'Aruj Agha brillaient tandis qu'il caressait sa barbe rousse.

— Très impressionnant, ma belle, mais cela ne change rien. Votre cousin vous a dit la vérité.

India se leva d'un bond et se mit à taper du pied.

— Mes parents vous paieront une fabuleuse rançon, si je rentre en Angleterre saine et sauve. Je peux même vous la payer tout de suite. Vous comprenez, Aruj Agha ? Je suis riche ! Je possède deux navires de commerce, le *Star of India* et le *Prince of Cashmere*. Ils sont actuellement sur la route des Indes, et ils rapportent chaque année en Angleterre des épices, de la soie, des joyaux. En outre, j'ai reçu un très gros héritage.

— Je vous ai écoutée, ma belle, maintenant c'est votre tour. Je n'ai pas le droit de prendre de décision à votre sujet. Ce navire et tout ce qu'il transporte, y compris les hommes, appartiennent désormais au bey d'El Sinut, qui gouverne au nom du sultan. C'est lui qui décidera de votre sort. Mon rôle est de vous conduire au port d'El Sinut, ce que je ferai, avec l'aide d'Allah. Maintenant, bonne nuit, ma belle. Ne craignez rien, vous êtes en sécurité.

— Et mon cousin ?

— Je l'autoriserai à venir vous voir demain matin.

Sur un signe de tête, il sortit, prenant soin de fermer à clé derrière lui.

India se mit à arpenter rageusement la pièce. C'était impossible ! « Rien de tout cela ne serait arrivé si tu avais écouté tes parents », lui disait une petite voix.

— Ça suffit ! pesta la jeune fille.

Mais la petite voix avait raison, elle le savait. Si elle avait obéi à sa famille, au lieu de se laisser emporter par ses sentiments, elle serait tranquillement à Glenkirk, et non prisonnière de corsaires barbares. Ses parents ne l'auraient jamais forcée à épouser quelqu'un qui ne lui plaisait pas. Ils auraient essayé, mais avec un peu de patience, elle serait arrivée à ses fins. Et, malgré tout l'amour qu'elle portait à Adrian, elle considérait qu'il avait eu tort de la pousser à s'enfuir avec lui. Voilà où cela les avait menés !

Lui, on le libérerait contre une rançon, alors que tout le monde semblait penser que ce ne serait pas son cas. Les jeunes filles dans sa situation étaient marquées à jamais. Son arrière-grand-mère, sa grand-mère et sa tante Valentina avaient connu des aventures similaires, et elles avaient pourtant fini par mener des vies respectables. Mais c'était des années plus tôt, les gens étaient plus ouverts d'esprit, à cette époque. Si on apprenait que lady India Lindley avait été capturée par des pirates, cela créerait un scandale sans précédent, et personne ne voudrait plus l'épouser. Si Adrian retournait en Angleterre avant elle, même lui ne voudrait plus d'elle !

— Bon sang ! marmonna-t-elle.

Quelle folle elle avait été !

Qu'allait-elle faire pour se sortir de là ? Pourrait-elle persuader le bey de demander une rançon pour elle ? C'était la seule solution. À part se suicider, mais India savait qu'elle n'en aurait pas le courage. Elle ne voulait pas mourir loin de son pays. Mais si le bey décidait de la garder ? Eh bien, elle se montrerait la plus insupportable des créatures, elle serait odieuse, et il la renverrait sûrement chez elle, considérant que mieux valait de l'argent qu'une femme rebelle. Elle ne serait l'esclave de personne, c'était impensable, elle ne le tolérerait pas !

Elle se roula en boule sur les coussins. Un croissant de lune se reflétait, délicat, sur l'eau sombre. Sa sœur était-elle en train de regarder la même lune ? Fortune, qui acceptait la décision de ses parents de lui trouver un mari en Irlande, Fortune qui était heureuse de s'installer à MacGuire's Ford. « Comme cela aurait été plus facile, si j'avais été aussi souple qu'elle ! » songea India. Pourtant, on ne pouvait dire que Fortune soit vraiment docile. Elle avait de la personnalité, mais elle était beaucoup plus raisonnable que sa sœur aînée.

Quand reverrait-elle sa famille ?

— Seigneur, ils me manquent, tous ! murmura-t-elle dans la cabine silencieuse. J'ai été stupide, et jamais plus je ne me conduirai de cette façon…

En soupirant, elle se tourna de nouveau vers la mer et contempla le sillon argenté que laissait derrière lui le *Royal Charles*, qui continuait inexorablement sa route vers El Sinut.

DEUXIÈME PARTIE

El Sinut, 1626-1627

6

— Aimeriez-vous monter sur le pont pour assister à l'entrée dans le port ? demanda Aruj Agha à India le matin où ils arrivèrent à El Sinut. Avez-vous une longue cape, ma belle ?

— J'en ai deux. Celle doublée de fourrure que je portais en Angleterre, et une autre de soie turquoise avec une capuche.

— Cette dernière semble mieux adaptée à notre climat, mais il faut aussi vous voiler le visage.

India fouilla dans sa malle et en sortit un grand mouchoir bordé de dentelle.

— Pourquoi ? Avez-vous peur que quelqu'un me reconnaisse et vous oblige à me laisser partir ?

— Non, dit-il en souriant. Chez nous, les femmes respectables couvrent leur visage et leurs cheveux. Cela leur permet de se promener sans risquer d'être accostées par les hommes. Celles qui se montrent à visage découvert sont des prostituées qui cherchent à vendre leurs charmes. Si vous voulez apparaître en public à El Sinut ou ailleurs sur le territoire du sultan, vous devez être voilée.

Il l'aida à enfiler la cape et lui rabattit la capuche sur la tête.

— Avez-vous des épingles ? demanda-t-il.

— Dans mon coffret à bijoux, répondit India.

Est-ce qu'on va me priver de mes joyaux, Aruj Agha ? Ils m'ont été offerts par ma famille.

— J'interviendrai auprès du bey, mais je ne vous promets rien. La décision lui appartient, ma belle.

Il fixa délicatement le mouchoir afin de cacher le visage d'India, ne laissant à découvert que ses yeux dorés et ses sourcils sombres.

— Nous voilà prêts ! conclut-il avec un grand sourire. J'aurais fait une bonne femme de chambre !

Malgré elle, India pouffa tandis que le janissaire l'accompagnait sur le pont. Il faisait chaud et sec. Devant eux, le vaisseau corsaire pénétrait dans la rade, traînant le navire prisonnier derrière lui. L'entrée du port était flanquée de deux phares.

— Ils retiennent également l'immense filet métallique qui gît en ce moment sous les eaux, mais que l'on peut relever en cas d'urgence afin de bloquer l'accès de la ville.

— Il y a le même système à Istanbul, fit remarquer Tom Southwood qui observait les navires à quai.

Il y avait au moins trois grandes galères, ainsi que des galions, des brigantins, des frégates et de petites felouques contenant trois ou cinq bancs de rameurs. C'était gigantesque, et Tom se dit qu'il ne serait pas aussi facile qu'il l'avait pensé de récupérer le *Royal Charles* et de se sauver.

India ne s'intéressait absolument pas au port. C'était El Sinut qui la fascinait. L'éblouissant soleil se reflétait sur les bâtiments blancs. Les maisons avaient plusieurs étages, en retrait les uns des autres, certainement pour abriter des terrasses. Au centre de la cité s'élevait un vaste bâtiment surmonté d'un dôme couvert de feuilles d'or.

— C'est le palais du bey ? demanda-t-elle à Aruj Agha.

— Non, il s'agit de la grande mosquée d'El Sinut.
— Qu'est-ce qu'une mosquée ?
— C'est un lieu de culte, comme vos églises. Vous voyez les quatre tours qui entourent le dôme ? Ce sont des minarets. Six fois par jour, les imams, nos prêtres, y montent afin d'appeler le peuple à la prière.
— Vous priez six fois par jour ? s'étonna India.
— Nous sommes des gens très pieux.
— Que va-t-il se passer maintenant, Aruj Agha ? demanda-t-elle tandis que l'on amarrait le navire.
— Nous allons monter au palais du bey.
Suivant la direction qu'il indiquait, India découvrit une série de maisons sur une colline, non loin de la mosquée.
— On vous apportera une litière, reprit-il, devançant la question suivante.
— Et les autres ? Mon cousin ? Le vicomte Twyford ?
— Ils marcheront derrière, ma belle… À présent, il faut que je vous laisse. Restez avec le capitaine.
Aruj Agha s'éloigna pour donner ses ordres.
— J'ai peur, avoua India en levant les yeux vers Tom.
— Ne le montrez pas. Surtout quand vous serez avec les autres femmes du harem. Rappelez-vous qu'elles se battent pour obtenir l'attention d'un seul homme, et qu'elles se détestent. Elles sont capables de tout pour anéantir une rivale.
— Je crois que je préférerais qu'on me mette sur le banc des rameurs !
— Un conseil, India, reprit Tom. En aucun cas, vous ne devez dire que vous vous enfuyiez avec le vicomte Twyford. S'ils ont le moindre soupçon sur votre virginité, ils vous vendront au marché aux

esclaves, et vous finirez dans une maison de prostitution. Mieux vaut que vous restiez dans le palais du bey.

— Et s'il me donne à quelqu'un d'autre ? s'inquiéta India.

— Vous serez de toute façon plus en sécurité dans le harem d'un homme riche, cousine, et je vous retrouverai plus facilement.

— Mais le pauvre Adrian va croire que je le trahis, et ça lui brisera le cœur… Non, je ne pourrai pas, Tom !

— Le vicomte comprendra sûrement que seule importe votre sécurité, et s'il tient à vous, il sera soulagé. Je vous en prie, India, promettez-moi de suivre mes instructions. J'arriverai sûrement à nous sortir de là, mais il faut que vous me fassiez confiance, que vous m'obéissiez à la lettre.

Aruj Agha les rejoignait.

— Dites adieu à votre cousine, capitaine. Vous n'aurez plus l'occasion de lui parler. Dépêchez-vous ! Nous sommes prêts à partir pour le palais du bey.

Tom Southwood serra India dans ses bras en lui murmurant à l'oreille :

— Promettez !

— J'essaierai, répondit-elle sur le même ton.

Le janissaire la prit par le coude pour lui faire descendre la passerelle, et elle se retrouva sur la terre ferme — ce qui ne lui était pas arrivé depuis des semaines. Elle vacilla légèrement, mais l'agha l'aida à monter dans une litière ornée de tentures.

— N'enlevez pas votre voile, ma belle, et n'essayez pas d'ouvrir les rideaux une fois qu'ils auront été fermés, dit-il avec sévérité.

— J'ai du mal à respirer, protesta-t-elle.

Où l'emmenait-il exactement ? Qu'allait-il arriver à ses compagnons ? Elle n'avait pas vu Adrian depuis plusieurs jours, elle ne savait même pas s'il se portait bien.

— Allongez-vous sur les coussins, conseilla le janissaire, un peu attendri par la détresse qu'elle s'efforçait vaillamment de dissimuler. Il y a une petite gourde, si vous avez soif. Et vous pourrez voir au travers des rideaux sans être vue. La ville est jolie, vous apprécierez sûrement le trajet jusqu'au palais.

Sur un sourire, il tira les rideaux.

Mais il avait raison : India pouvait voir au travers.

Aruj Agha était fort élégant ce matin, se dit-elle, avec son pantalon de soie rouge, sa chemise vert et or, sa cape de soie verte doublée de rouge. Il portait une épée courbe à la ceinture, des bottes rouges et un petit turban orné d'une perle. On lui amena un cheval, et il se mit en selle afin de diriger le déchargement du *Royal Charles*.

La cargaison fut hissée sur des charrettes tirées par des mules qui se rangèrent derrière l'agha, tandis que la litière d'India se plaçait en queue. Elle vit l'équipage anglais descendre à terre. Les marins étaient enchaînés aux pieds, et ils avaient au cou un collier de fer dont la chaîne les reliait entre eux. Seul le capitaine Southwood marchait librement, car il avait donné sa parole d'honneur de ne pas tenter de s'échapper. India cherchait désespérément à apercevoir Adrian. Elle fut horrifiée quand elle le vit en tête de la file, près de Knox. Il n'était pas mieux traité que les autres ! Comment osaient-ils ?

Avant qu'elle ait le temps d'exprimer son mécontentement à Aruj Agha, sa litière fut soulevée par quatre janissaires et la procession se mit en route à travers les étroites rues de la cité. Comme elle ne pouvait rien pour Adrian, India suivit le conseil d'Aruj Agha et s'appuya contre les coussins de soie. Les façades des maisons ne comportaient pas de fenêtres au rez-de-chaussée. Certaines avaient des ouvertures garnies de treillage aux étages, mais pas toutes. Les cours regorgeaient de fleurs colorées dans des bacs et des jarres de céramique. Les rues étaient étonnamment propres, la population semblait sereine. Les silhouettes voilées des femmes étaient rares. Ils traversèrent un vaste marché où l'on vendait des fleurs, de la viande, de la vaisselle, des tissus, des oiseaux en cage, des animaux vivants. India frissonna en voyant l'estrade des esclaves. Les gens se moquèrent bruyamment des marins enchaînés, mais il n'y eut aucune autre manifestation d'hostilité.

La rue qu'ils empruntèrent ensuite montait davantage. Les maisons, plus vastes, appartenaient visiblement à une classe aisée de la société. La voie s'élargissait, India apercevait le dôme de la mosquée, et elle se dit qu'ils ne tarderaient pas à arriver chez le bey. Ils pénétrèrent sur une autre place, déserte. Devant eux se dressait le palais de marbre blanc.

Ils franchirent une arche, pour se retrouver dans une cour où des soldats en arme montaient la garde, puis une autre arche flanquée de portes de bois, et une autre encore qui menait à un patio orné de plantes fleuries et d'une fontaine de mosaïque. On déposa doucement la litière à terre. Aruj Agha ouvrit les rideaux et lui offrit sa main. Il contempla un instant India avant de hocher la tête, satisfait.

— Suivez-moi, ma belle, et ne parlez pas sans y avoir été invitée. Vous devez répondre aux questions, c'est tout. Maintenant, venez.

India regarda furtivement autour d'elle, mais on avait déjà emmené les prisonniers. Où ?

Il ne fallait pas qu'elle cède à la panique. Sa survie dépendait de sa force de caractère. Elle suivit le janissaire sans piper mot.

Ils pénétrèrent dans une vaste salle à colonnes, surmontée d'un dôme opaque à travers lequel filtrait à peine le soleil. Il y avait beaucoup de monde et la pièce était surchauffée, pourtant India frissonna.

À l'autre bout de la grande salle, un homme vêtu de blanc était assis en tailleur sur une estrade couverte de coussins. Son pantalon était rebrodé d'or et de perles. Il portait une chemise de soie dont le col ouvert laissait voir une lourde chaîne d'or sur sa peau bronzée, une cape de satin blanc doublée d'or, et un turban orné d'une aigrette et d'un diamant étincelant. India constata avec surprise qu'il était nu-pieds.

— Aruj Agha, seigneur ! annonça un esclave noir d'une voix tonitruante.

— Restez ici, ordonna le janissaire à India. Vous approcherez quand je vous le dirai.

Il se dirigea vers l'estrade, où il se laissa tomber à genoux afin de baiser les pieds du bey.

— Relevez-vous, Aruj Agha. Vous êtes rentré plus tôt que je ne m'y attendais. Bonne chasse, je suppose ?

— En effet, seigneur Caynan Reis.

L'agha se releva et salua de nouveau.

— Que nous rapportez-vous ?

Le bey avait un visage ovale, et une barbe noire bien taillée formait un cercle autour de sa bouche.

— Un beau navire anglais, mon seigneur. Il a moins d'un an et il est destiné au commerce avec les Indes, mais son capitaine le rôde doucement entre Istanbul et Londres depuis quelques mois. Sa cargaison, je le crains, n'a pas grande valeur. Des peaux, de la laine, des agrumes et des fûts de xérès que nous avons jetés à la mer, car le Prophète interdit la consommation de vin. En revanche, l'équipage est formé de marins disciplinés, bien supérieurs à la racaille que nous capturons généralement sur ce genre de bateau. La plupart, dont le capitaine, se sont déclarés volontaires pour se convertir à l'islam et naviguer sous le drapeau du sultan. En outre, le navire transportait deux passagers. Un vicomte anglais, grâce auquel nous obtiendrons une bonne rançon, et la cousine du capitaine, une jeune et riche héritière. Elle allait rendre visite à sa grand-mère à Naples. Je suis certain qu'elle est vierge, seigneur bey, et c'est une capture de choix.

— Belle ? demanda le bey.

— Bien sûr, seigneur.

Le bey eut un petit rire.

— Chaque chose en son temps. Qu'on m'amène d'abord le capitaine.

Tom entra, encadré de deux janissaires. Il salua comme on le lui avait ordonné, s'agenouilla pour toucher du front les pieds du bey, puis il redressa la tête sans se relever et attendit.

— Dites-moi votre nom et celui de votre famille.

— Capitaine Thomas Southwood, commandant le *Royal Charles* en provenance de Londres, mon seigneur. Je suis le quatrième fils du comte de Lynmouth, et le vaisseau que je dirige vogue pour la compagnie de commerce O'Malley-Small, dont je possède des parts. Je me mets à présent à votre service, seigneur.

— Vous êtes disposé à vous convertir à l'islam et naviguer sous mes couleurs ?

— Oui, mon seigneur.

— Vous répondez bien vite, capitaine, et cette attitude m'inquiète... Envisageriez-vous une évasion ? Pensez-vous ainsi être plus libre et pouvoir vous échapper ? Parlez.

— Mon seigneur, vous sauriez que je mens si je prétendais que je ne songe pas à me sauver. C'est le rêve de tout prisonnier. Cependant, il y a bien longtemps, ma grand-mère a été captive des États barbaresques, et quand elle nous est enfin revenue, elle nous a enseigné qu'il était absurde de souffrir au nom d'une religion. Les chrétiens, les juifs et les musulmans adorent le même Dieu, quel que soit le nom qu'on lui donne. Je suis prêt à accepter l'islam, et je vous offre mes services comme capitaine et comme marin. Ce serait gâcher mes talents que de m'envoyer dans une mine ou de me faire ramer sur une galère. Je n'ai pas de femme vers qui retourner, aussi serai-je satisfait de rester ici pour servir le sultan, comme tant d'autres l'ont fait avant moi. Si vous voulez bien de moi, mon seigneur... Je sais que vous avez droit de vie et de mort sur ma personne, mais si cela vous convient, je suis votre serviteur.

— Vous parlez bien, fit remarquer le bey, qui s'adressa en arabe à Aruj Agha : Qu'en pensez-vous, mon vieil ami ? Le capitaine est-il fiable ?

— Je le crois, seigneur bey. Il me semble sincère. Bien sûr, vous pourriez aussi l'échanger contre une rançon...

— Rançonner ces gens serait un tracas qui n'en vaut pas la peine. Je vous donne ma nouvelle galère, la *Gazelle*, Aruj Agha. Prenez cet Anglais avec vous comme second, ainsi vous pourrez garder l'œil sur lui quand vous attaquerez d'autres navires, jusqu'à ce qu'il ait fait preuve de sa loyauté envers nous. Entre-temps, vous profiterez de ses connaissances, s'il ne s'est pas vanté.

— Je le crois honnête, mon seigneur. Il est tel qu'il se présente... Mes immenses remerciements pour la *Gazelle*. Je vais la sortir tout de suite du port, avec votre permission. Et que ferez-vous du navire marchand ?

— Je le garde. Quand votre Anglais aura prouvé qu'on peut lui faire confiance, il enseignera à mes marins comment on navigue sur un tel vaisseau... Maintenant, où est l'autre homme ?

Deux janissaires poussèrent le vicomte Twyford en avant, mais celui-ci refusa de s'agenouiller, et même de s'incliner devant le bey.

— Je suis l'héritier du comte d'Oxton, commença-t-il sans en avoir été prié, et il sera prêt à verser une jolie somme pour que je lui revienne sain et sauf. Dépêchez-vous de demander la rançon, que je puisse sortir de ce repaire de sauvages.

— À genoux, chien galeux ! tonna Aruj Agha.

— Comment ? se moqua Adrian. Saluer un infidèle ?

— À genoux, imbécile, gronda Tom Southwood. Sinon, ils vous décapiteront sans l'ombre d'une hésitation.

Aruj Agha l'attrapa par le collier de fer, tira sur la chaîne qui liait ses chevilles. Le vicomte se retrouva à plat ventre sur le sol de marbre, et son nez se mit à saigner.

Le bey assistait à la scène, impassible.

— Envoyez-le aux galères, dit-il enfin. L'arrogance de ce jeune prétentieux m'insupporte. Quand il aura ramé quelques mois, il sera peut-être moins imbu de lui-même. Emmenez-le. Qu'il aille sur la *Gazelle*.

— Que… que signifie…? bégaya Adrian qui s'essuyait avec sa manche.

— Votre stupidité vous conduit aux galères, répondit Tom Southwood.

— Je ne serai pas échangé contre une rançon? insista le vicomte, incrédule.

— Vous vous adressez au bey d'El Sinut comme s'il était un serviteur de bas étage, et vous espérez qu'il va vous relâcher? Vous êtes décidément idiot! s'exclama Tom tandis qu'ils sortaient de la salle des audiences, encadrés par des janissaires. Et depuis que nous avons été capturés, vous n'avez pas parlé une seule fois d'India. Elle ne cesse de se tracasser à votre sujet mais vous, parfait égoïste, vous ne vous souciez pas de son sort.

— Nous savons bien ce qui arrive aux femmes, dans cette situation, rétorqua froidement Adrian. Même si nous étions tous rançonnés, je ne pourrais plus épouser India. Cet agha ne la quitte pas des yeux. Elle s'est sûrement donnée à lui pour sauver sa peau. Elle a du tempérament, la petite garce.

Le poing de Tom Southwood s'abattit sur le nez d'Adrian à la vitesse de l'éclair.

— Misérable canaille! rugit-il alors que les gardes le tiraient en arrière. Vous ne visiez que son argent, hein?

— Bien sûr, c'était pour sa fortune, gémit Adrian. Sinon, pourquoi se marierait-on?…

India avait vu Adrian et Tom quitter la salle d'audience, sans toutefois savoir quel sort leur était réservé, car elle n'avait rien entendu, de l'endroit où elle se trouvait. Elle fut cependant effrayée de voir le vicomte saigner, puis elle sursauta quand Aruj Agha vint la chercher pour la mener devant le trône du bey. Il la débarrassa de sa cape et du voile.

India se tint bien droite dans sa jupe et sa chemise de soie, les yeux baissés, comme le lui avait recommandé l'agha. On n'entendait aucun bruit dans la salle à présent presque déserte – sauf, se dit-elle, les battements de son propre cœur.

Le bey se leva et descendit de l'estrade, pour venir lui relever le menton.

— Montre-moi ton regard, dit-il d'une voix profonde dans un français parfait.

Elle obéit, et fut stupéfaite de constater que les yeux du bey étaient d'un bleu saphir.

Le bey, sans la lâcher, la regardait intensément, et elle se sentit rougir.

— Elle a les yeux d'une jeune lionne, dit-il à ses compagnons comme si elle n'était pas là.

— Elle a du caractère, seigneur bey, assura Aruj Agha.

— Vraiment ?

Le bey semblait amusé à cette idée.

— Mon capitaine dit-il la vérité ? demanda-t-il directement à India. Tu es une rose anglaise hérissée d'épines ?

— Je vous en prie, mon seigneur, dites-moi ce qui est arrivé à mon cousin et au vicomte Twyford ! lança-t-elle impulsivement.

— Ton cousin a accepté de se convertir, et il voguera avec Aruj Agha. Quant à l'arrogant petit jeune homme, je l'ai condamné aux galères.

Les galères ! Cela équivalait à une sentence de mort. Adrian serait incapable de survivre à ce traitement, elle en était sûre. Quand les esclaves rameurs ne se donnaient pas assez de mal au goût du contremaître, ils recevaient des coups de fouet.

La rage au cœur, India vit que le bey portait un poignard effilé à la ceinture. Elle le saisit d'un geste vif et l'en frappa.

— Vous avez tué Adrian ! hurla-t-elle. Vous l'avez tué !

— Allah nous protège ! s'écria Aruj Agha qui bondit pour désarmer la jeune fille et la jeter à terre. Êtes-vous grièvement blessé, seigneur ?... Je ne me pardonnerai jamais de vous avoir présenté cette fille ! Mon seigneur, parlez-moi !

Le bey eut un rire bas.

— Du caractère ? Ce n'est pas ainsi que je la décrirais, grommela-t-il en frottant son épaule blessée. Ne vous inquiétez pas, mon bon agha, ce n'est guère plus qu'une égratignure. Elle vise mal, mais elle a quand même déchiré ma chemise.

Il fit signe à deux serviteurs, qui vinrent relever la jeune fille et l'entraînèrent hors de la salle pour l'attacher entre deux colonnes de marbre, ses pieds touchant à peine le sol. On déchira le dos de son corsage, et on repoussa sa longue chevelure brune. Elle vit devant elle les pieds nus du bey.

— Tu ne peux pas m'attaquer ainsi sans être punie, dit-il doucement. Je vais te fouetter moi-même, en prenant garde de ne pas trop te faire mal, et je ne t'infligerai que cinq coups. Je me montre indulgent parce que tu n'es pas habituée à nos mœurs, bien que je sois certain que la tentative de meurtre est plus sévèrement réprimée en Angleterre.

— Ça m'est égal, dit-elle, la voix brisée. Votre cruauté va tuer le vicomte.

— Pourquoi te soucies-tu tant de lui ?

— Parce que je l'aime ! sanglota-t-elle.

Le bey passa derrière elle, et elle entendit le sifflement du fouet avant de le sentir sur sa peau.

— Je vous hais ! hurla-t-elle.

Le bey grimaça un sourire et il continua à frapper, mais cette fois India parvint à ne pas crier.

Quand ce fut fini, l'agha déclara :

— Je vais l'emmener au marché pour qu'elle soit vendue, seigneur bey.

— Non. Je la garde, Aruj Agha.

— Mais... elle a essayé de vous tuer, mon seigneur ! Elle est dangereuse. Je m'en voudrais toute ma vie si elle recommençait. Laissez-moi la vendre.

— Pas question, répondit le bey dans un petit rire. Je ne déteste pas le danger. Et elle est vierge, n'est-ce pas ? Nous savons tous combien une vierge peut se montrer passionnée. Elle m'a attaqué parce qu'elle dit aimer ce jeune prétentieux et qu'elle croit que je l'ai condamné à mort. Je vais relever le défi de la faire changer d'avis, et elle deviendra peut-être un jour la fierté de mon harem... Maintenant, laissez-moi la regarder de plus près. Déshabillez-la ! ordonna-t-il à ses serviteurs.

Les esclaves la détachèrent et la traînèrent vers l'estrade, où le bey avait repris place. Ils la dépouillèrent des lambeaux de sa chemise, et elle avala sa salive avec peine, sans même tenter de se débattre. On lui ôta sa jupe et ses sous-vêtements, puis un esclave s'agenouilla afin de lui retirer ses souliers. Elle était tétanisée. Jamais de sa vie elle n'avait ressenti une telle humiliation.

Caynan Reis la contemplait en silence. Ses seins étaient un peu trop petits, mais infiniment désirables, et ils s'épanouiraient sous l'amour. Le triangle brun serait rasé, évidemment.

Il descendit jusqu'à elle.

— Regarde-moi !

Elle obéit, et il passa derrière elle pour tâter une de ses fesses, puis remonta le long de son dos.

— Ta peau est plus douce que la soie, dit-il.

Lentement, il tourna autour d'elle, admirant ses membres longs et galbés, ses pieds menus. Il l'attira brusquement à lui, le dos contre son torse, et prit un sein dans sa main.

— Dis-moi la vérité, souffla-t-il à son oreille. Tu es vierge ?

India, incapable de prononcer un mot, hocha la tête. Elle avait à la fois chaud et froid, ses jambes menaçaient de se dérober sous elle tandis que la grande main s'attardait à présent sur son ventre. La sentait-il trembler ?

— Oui, je suis vierge, parvint-elle enfin à articuler.

— Pourtant, tu m'as dit que tu aimais le jeune imbécile.

— Je l'aime, mais je ne suis pas une fille légère... Si je l'étais, vous nous laisseriez partir ?

Dieu ! Chacun de ses gestes la faisait frémir de la tête aux pieds.

— Non. Pourtant, cela me déplairait de savoir qu'un autre a déjà suivi le chemin que je réserve à mon seul plaisir. Je te ferai l'amour, poursuivit-il à voix basse. Je te caresserai, je t'embrasserai jusqu'à ce que tu me supplies de te débarrasser de ta virginité.

— Jamais !

— Et je t'apprendrai à me faire plaisir, murmura-t-il en baisant sa gorge. Dis-moi ton nom, ma rose piquante.

Elle avait du mal à respirer !

— India.

— India, répéta-t-il contre son oreille.

— Je... je suis lady India Lindley, fille du duc de Glenkirk... J'ai un frère duc, un autre marquis. Je suis riche et je peux payer n'importe quelle rançon... Lâchez-moi, mon seigneur ! Par pitié !

— Tout l'or du monde ne t'arracherait pas à moi, dit le bey en posant la main sur son mont de Vénus. Tu es à moi.

C'en était trop, elle s'évanouit dans un faible cri. Le bey la prit dans ses bras et la tendit sans un mot à un eunuque. Puis il caressa doucement sa joue en souriant. Aruj Agha s'était trompé : le navire anglais transportait une marchandise inestimable.

— Emmène-la à Baba Hassan, ordonna-t-il à l'eunuque, et dis-lui de la traiter comme une princesse. Je m'entretiendrai avec lui plus tard.

L'esclave sortit, en portant la jeune fille avec une grande délicatesse.

— Si elle vous tue, je ne serai pas tenu pour responsable, grommela Aruj Agha. Je crains qu'elle ne vous brise, plutôt que l'inverse.

— Nous nous détruirons l'un l'autre par notre excès de passion, répondit le bey. Je m'ennuyais, ces derniers temps, or cette fille m'intrigue, mon ami. Elle était terrorisée, mais elle refusait de l'avouer, ou même de le montrer. Cependant, je l'ai sentie frémir sous mes doigts.

— Quand elle a dit qu'elle aimait le vicomte, j'ai eu peur de m'être mépris sur sa virginité. Mais lorsqu'elle s'est évanouie, j'ai su qu'elle était bel et bien vierge. Je vous souhaite beaucoup de plaisir avec elle, mon seigneur... Maintenant, si vous le permettez, je vais me retirer.

— Cet Anglais, dit Caynan Reis, ne le tuez pas. Je demanderai peut-être une rançon, mais d'abord, il a besoin d'une bonne leçon.

— Vous l'échangerez, malgré les problèmes que cela pose ? s'étonna l'agha.

— La fille croit que je l'ai condamné à mort. Dans quelques mois, je lui montrerai qu'il est toujours en vie et que je suis un homme généreux. À ce moment-là, j'aurai gagné son cœur, et nous demanderons une rançon en échange de la liberté de son ami. Ça m'amuse… À présent, allez-vous-en, et qu'Allah vous protège, Aruj Agha. Rapportez-moi d'autres trésors pour enrichir notre sultan.

Le capitaine janissaire quitta la salle d'audience, et le bey renvoya les domestiques, avant de s'installer sur ses coussins.

Le vicomte Twyford…

Comme c'était drôle qu'il ait entendu ce nom de la bouche de son demi-frère ! Adrian, sous la tutelle de sa mère, était devenu tellement arrogant, tellement imbu de lui-même, qu'il n'avait même pas reconnu Deverall Leigh. Mais il y avait dix ans qu'ils ne s'étaient vus, songea le bey. Dix ans, qui paraissaient aussi longs qu'une vie entière !

Durant ce temps, le sale gamin était devenu un gredin hautain et insolent.

Vraisemblablement, Adrian avait essayé de s'enfuir avec India. La famille de la jeune fille devait désapprouver une union entre elle et le vicomte, à cause de la mauvaise réputation de sa mère, MariElena, et du scandale causé par la mort de lord Jeffers, dont Deverall avait été accusé.

Il aurait pu tout simplement enfermer son demi-frère dans le donjon, en attendant l'arrivée de la rançon. Bien qu'il sache que son père n'était pas riche, sa belle-mère MariElena remuerait ciel et terre pour retrouver son cher petit garçon, il en était sûr. Mais la petite fripouille l'avait exaspéré avec son arrogance, et il avait ordonné qu'on l'envoie aux galères. Après tout, quelques mois difficiles ne lui feraient pas de mal, au contraire ! Le bey d'El Sinut lui-même y avait passé presque deux ans, et il n'en était pas mort.

Lorsque la rançon serait payée, il révélerait à son demi-frère sa véritable identité. Et il lui dirait combien la belle India était délicieuse... Bien qu'Adrian ait à présent renoncé à la jeune fille, il enragerait de savoir qu'elle était la maîtresse de Deverall, et qu'elle le resterait jusqu'à ce qu'il se lasse d'elle.

La belle-mère du bey lui avait enseigné une chose : il ne fallait jamais faire confiance aux femmes, mais seulement se servir d'elles...

Toutefois, la vengeance serait douce et la peine pas trop dure pour Adrian. Il retournerait en Angleterre et hériterait un jour du titre qui revenait de droit à Deverall Leigh, celui-ci ne pouvant rentrer dans son pays où il était accusé de meurtre. Son nom était maudit à jamais, et il savait que son père en avait le cœur brisé, car il était son fils préféré.

C'était ce qui faisait le plus de mal au bey. Son père avait eu honte de lui, il avait été blessé, au point de laisser une femme égoïste et son fils le supplanter. Le bey aurait aimé la faire souffrir pour toutes ses trahisons, pour la mort d'un innocent, mais il ne savait comment.

Désormais, il allait y réfléchir davantage.

7

India ouvrit les yeux et vit des draperies de mousseline couleur d'or pâle. Elle était nue sur un matelas de soie écarlate. Sur la table de chevet en mosaïque, se trouvait un gobelet de cristal. Elle avait terriblement soif, mais elle parvenait à peine à bouger, et elle gémit doucement.

Aussitôt, un visage noir apparut. Avec un petit cri, elle tenta de se couvrir.

— Je suis Baba Hassan, le chef des eunuques. Vous avez soif.

C'était une affirmation, et l'homme aida la jeune fille à se redresser afin de la faire boire.

— Doucement, madame, conseilla-t-il, absolument pas troublé par sa nudité.

Le liquide frais et sucré lui fit du bien.

— Qu'est-ce que c'est ? demanda-t-elle.

— Un mélange de jus de fruits, répondit-il en la reposant contre les oreillers.

— Où suis-je ?

— Dans le harem du bey Caynan Reis – Allah le protège. On m'a dit de vous traiter avec égards, malgré l'attitude brutale que vous avez eue avec notre maître, dit l'eunuque, un reproche dans la voix.

— Je ne l'ai même pas blessé, se défendit-elle.

— Vous n'auriez jamais dû essayer, c'est tout à fait inconvenant. Vous êtes une belle jeune femme, pas une sauvage sans éducation.

— Notre jeune meurtrière est enfin réveillée ? demanda une voix cristalline.

India vit approcher une belle femme d'âge mûr, aux cheveux argent et aux magnifiques yeux turquoise. Elle était mince, élégante, et paraissait amicale.

— Je suis Azura, la maîtresse du harem, dit-elle. Comment vous sentez-vous, mon enfant ?

— Lasse...

— C'est à cause de votre long voyage, de l'angoisse d'avoir été capturée, de la peur, répondit calmement Azura. Et sans doute le choc d'avoir été fouettée par le bey. Vous n'avez probablement jamais été traitée de la sorte, n'est-ce pas ?

La femme semblait sincèrement compatissante.

— Je suis de noble famille, et parente de notre roi. Évidemment, je n'ai jamais été battue ! s'écria India avec indignation, tandis que des larmes lui piquaient les paupières.

Elle cligna des yeux afin de les refouler.

— Pleurez, mon petit, dit Azura en lui prenant la main. Ça vous soulagera.

— Si je pleure, vous me croirez faible, or je ne le suis pas ! Je ne pleure jamais devant des inconnus.

— Je comprends. Mais quand vous serez seule, un peu plus tard, débarrassez-vous de vos tourments grâce aux larmes... Avez-vous faim ?

India acquiesça.

— Baba Hassan va s'en occuper, puis nous vous emmènerons aux bains. Je reviendrai plus tard, quand vous vous serez restaurée, mon enfant. Nous bavarderons.

— Est-ce la femme du bey ? demanda India à l'eunuque, après le départ d'Azura.

— Caynan Reis n'a pas de femme. Azura était la favorite du précédent bey. Sur son lit de mort, celui-ci a prié Caynan Reis de la protéger. Elle fait régner l'ordre parmi les femmes, et ce n'est pas une tâche facile...

Il frappa dans ses mains. Une esclave apparut, chargée d'un plateau.

— Votre repas, madame.

India se redressa, et une autre esclave vint lui glisser des oreillers dans le dos. Elle examina la nourriture qu'on lui apportait. Il y avait un bol de riz jaune mêlé de ciboulette et de morceaux de poulet, un pain rond et plat, une grappe de raisin, et une tranche de quelque chose qu'elle ne reconnut pas.

— Qu'est-ce que c'est ?

— Du melon.

India se mit à manger avec ses doigts et une cuiller, car il n'y avait ni couteau ni fourchette sur le plateau.

— Excellent ! dit-elle quand elle eut terminé.

Une esclave vint lui laver les mains dans une cuvette d'argent.

— Maintenant, nous allons aux bains, annonça Baba Hassan.

— Mais je suis toute nue ! protesta India.

— Les vêtements sont inutiles pour se baigner, et vous avez grand besoin de vous laver, décréta sévèrement l'eunuque. Je doute que vous ayez pu le faire correctement à bord du bateau. Pourquoi êtes-vous si pudique, madame ? Il n'y a que des femmes, ici.

— Vous n'êtes pas une femme !

— Ni un homme, répondit-il avec humour en l'aidant à se lever. Venez, maintenant. Azura nous attend.

Après avoir longé un couloir, il ouvrit des rideaux, et India découvrit une grande pièce où des tentures formaient de petits habitacles. De ravissantes jeunes femmes étaient étendues sur des couches de soie et des coussins de satin. Une brise tiède pénétrait par les fenêtres à treillis, auxquelles étaient accrochées des cages à oiseaux. India était embarrassée de se trouver nue devant toutes ces femmes mais, se rappelant les conseils de son cousin, elle serra les dents et redressa la tête. Elle s'efforça d'ignorer les remarques acerbes qui fusaient sur son passage – en français, pour qu'elle comprenne bien.

— Quels petits seins ! Est-ce vraiment une fille ?

— Des cheveux bruns, quelle banalité !

— Et que de poils !

— Elle a plutôt de jolies fesses, quand même.

— Mais ce n'est pas ce qui intéresse le bey !

Des rires égrillards retentirent.

— Vous croyez qu'elle est vierge ?

— Sûrement. Qui aurait voulu d'elle ?

— Notre maître s'en lassera dès qu'il aura pris sa virginité.

— En supposant qu'il s'en donne la peine, avant de l'expédier chez un cheik du désert.

Les rires redoublèrent, et India avait les joues en feu. Il fallait absolument qu'elle réagisse ! Elle s'arrêta, se tourna lentement vers les femmes du harem et déclara :

— Je me demande laquelle de vous je vais tuer en premier...

Puis elle reprit son chemin derrière Baba Hassan, laissant dans son sillage un silence pétrifié.

— Vous avez de la repartie ! fit remarquer l'eunuque tandis qu'ils entraient dans la pièce réservée aux bains.

— Ah, vous voilà ! s'écria Azura.

— Je vous laisse entre les mains d'Azura, pendant que je vais rétablir l'ordre parmi le harem. Les filles doivent être terrorisées par vos menaces.

— Par le Ciel, qu'avez-vous fait ? demanda Azura à India.

— Ces créatures vulgaires ont émis des remarques déplacées alors que je traversais leur domaine, répondit la jeune fille. Je me suis seulement demandé à haute voix laquelle je tuerais la première. Mais elles n'ont pas pu me prendre au sérieux, c'était seulement pour les ennuyer !

Azura éclata de rire.

— Si, vous leur avez fait la peur de leur vie ! Vous venez d'un pays où les femmes sont indépendantes, où elles possèdent parfois de la terre, où elles se promènent librement, où elles ont même souvent le droit de choisir leur époux. Les femmes qui composent le harem du bey sont incapables de vivre seules, et leur seul but dans l'existence est de plaire à Caynan Reis. Toute nouvelle venue est pour elles une rivale, qu'il faut éliminer. Or elles ne vous ont nullement intimidée : au contraire, c'est vous qui les avez menacées. Et comme elles ont entendu parler de votre agression sur la personne du bey, elles vous croient tout à fait capable d'en faire autant contre elles. C'était terriblement méchant de votre part ! conclut Azura en riant de nouveau.

— De quel pays venez-vous ? s'enquit India.

— De France. Comme vous, j'étais la fille aînée d'une famille aristocratique. Quand j'avais douze ans, on m'a envoyée en Italie rendre visite à des parents, mais nous avons été capturées par des corsaires, mes cousines et moi. L'ancien bey, Sharif el Mohammed, était mon seul maître, et je vis dans ce palais depuis trente ans.

— Vous n'avez pas d'enfant ?

Azura secoua la tête.

— Sharif el Mohammed n'en a jamais eu. En général, ce sont les femmes que l'on blâme, dans ce genre de circonstances, mais mon maître n'était pas comme ça, et il ne m'a pas répudiée... Maintenant, assez de questions, mon petit. Il faut que je vous donne votre bain. Vous n'en avez jamais pris de semblable, j'en suis certaine.

En effet, India pénétra dans une pièce de marbre blanc aux colonnes vert pâle au milieu de laquelle, sous le dôme, trônait un bassin rond. Tout autour, il y avait des fontaines qui chantonnaient au-dessus de coquilles de marbre, et des bancs de différentes hauteurs. Il faisait chaud, humide, et l'air embaumait la rose.

Plusieurs esclaves vinrent s'incliner devant Azura.

— Voici la nouvelle jeune fille, leur dit-elle. Il faut la préparer pour notre maître. Elle est restée plusieurs semaines à bord d'un bateau, donc elle a bien besoin de vos soins. Mais on voit à la douceur de sa peau qu'elle a l'habitude de se laver régulièrement.

Les servantes se mirent au travail. On la fit se tenir sur une des coquilles de marbre où elle prit une douche. Ensuite on la rinça, puis on la savonna. On la rinça une deuxième fois, et une femme s'agenouilla devant elle pour examiner son corps avec une attention qui fit rougir la jeune fille.

— Que fait-elle ? s'inquiéta-t-elle quand on lui passa une crème épaisse sur les jambes et le mont de Vénus.

— Nos hommes aiment les femmes épilées, expliqua Azura tandis qu'on faisait de même avec ses aisselles. C'est une pâte à base d'amande. Ce ne sera pas long.

En attendant que la crème fasse son effet, on lava les cheveux d'India qu'on sécha à l'aide de serviettes moelleuses. Azura admira ses longues boucles soyeuses.

— Superbe! dit-elle. Au royaume du sultan, on préfère les blondes ou les rousses, mais votre chevelure est remarquable!

Après que l'on eut enlevé la crème dépilatoire, India se sentit gênée par sa nudité qui lui semblait plus évidente encore.

Azura la conduisit vers le bassin, dont l'eau tiède la détendit merveilleusement. Et elle s'y baigna avec elle. La Française avait un corps étonnamment ferme pour son âge.

— Quand vous serez reposée, les esclaves nous masseront, expliqua Azura.

— Vous faites cela tous les jours?

— Oui. C'est une coutume, chez nous. Les pauvres vont aux bains publics, à des heures différentes pour les hommes et pour les femmes. On s'y lave, on bavarde, on échange les derniers potins...

— Le bey vous écoute-t-il, madame? demanda India. Sans doute, s'il vous confie la responsabilité de son harem... Dites-lui, je vous prie, que je suis très riche, que je peux acheter ma liberté. Il faut que je retourne auprès des miens. Comme Adrian et moi nous sommes enfuis au moment où ma famille partait en Écosse, il est possible que le scandale n'ait pas encore éclaté. Si je pouvais les rejoindre, tout rentrerait dans l'ordre.

Azura resta silencieuse un moment.

— Je ne veux pas vous mentir, mon enfant, dit-elle enfin. Caynan Reis n'a aucun besoin de votre fortune, car la sienne est immense. Il est très rare qu'une belle jeune fille soit échangée contre une rançon, ici. Autrefois, j'ai eu la même réaction que vous, car j'avais le cœur brisé. C'est seulement lorsque j'ai accepté mon sort que je me suis sentie heureuse. Vous ne ressemblez pas aux sottes qui peuplent ce harem. Vous êtes intelligente : vous pourrez séduire le bey, si vous vous en donnez la peine. Je ne pense pas qu'il ait été une seule fois amoureux, c'est pourquoi il n'a aucun mal à se débarrasser des filles lorsqu'il s'est lassé d'elles, ce qui est fréquent. À mon avis, il a été une fois trahi par une femme, et depuis il se méfie de toutes, même de moi. Si vous vous opposez à lui, il vous offrira à quelqu'un qu'il souhaite honorer, et si vous le contrariez vraiment, il vous livrera à ses soldats. Cela s'est déjà produit.

— Il n'a donc pas de cœur ?

— Oh, si ! Mais il est enfoui sous les glaces de son âme. Quelqu'un fera fondre cette glace, un jour, et je pense que ce pourrait être vous, India.

— J'ignore tout de l'art de la séduction, murmura la jeune fille. Et comment pourrais-je permettre à un homme que je ne connais pas de me toucher ?

— Bien sûr, vous êtes ignorante, dit Azura avec tendresse, puisque vous êtes vierge. Lorsque vous serez débarrassée de votre virginité, je vous enseignerai l'art de l'amour. Je ne l'ai jamais fait pour les autres filles, mais je suis persuadée que vous pourriez devenir la favorite de notre bey... Venez, à présent. Vous vous sentirez beaucoup mieux après un bon massage.

Elles furent séchées à l'aide de serviettes d'une douceur extrême, puis elles s'allongèrent sur des bancs couverts de matelas, et les masseuses commencèrent à enduire leurs corps d'une huile odorante.

India se détendit enfin tout à fait.

Après le massage, Azura lui choisit un vêtement de soie corail qu'elle appelait caftan. Ses larges manches et son décolleté étaient brodés d'or. On lui brossa les cheveux, et on noua un bandeau doré sur son front. Azura lui fixa des boucles d'oreilles en forme d'étoiles, des bracelets aux poignets, et la maîtresse des bains lui coupa les ongles des pieds et des mains.

— Voilà, elle est prête, conclut-elle.

Azura, en caftan violet et argent, contempla la jeune fille.

— Parfait ! Compliments, Fatima. Venez, mon enfant.

Elles regagnèrent la salle principale du harem, où les autres filles dormaient dans leurs alcôves.

Azura installa India dans la sienne.

— Je passerai vous chercher, le moment venu.

— Le moment de quoi ? demanda India, qui sentait resurgir toute sa nervosité.

— Vous vous doutez bien, mon petit, que le bey souhaite vous voir... Mais tout ira bien, faites-moi confiance, ajouta-t-elle avant de sortir.

India était horrifiée. Elle devrait partager le lit de cet inconnu ? Mais dans quel univers se trouvait-elle ? Une fois de plus, elle regretta amèrement d'avoir désobéi à ses parents...

Elle se rappela soudain qu'elle avait interrogé lady Stewart-Hepburn sur la vie dans un harem. Était-ce merveilleux ou horrible ? Les deux, avait-elle répondu. Mais elle n'était plus vierge lorsqu'elle avait dû subir la passion d'un Turc. Pour India, c'était différent… et paniquant. Une fois qu'elle aurait partagé le lit du bey, elle ne pourrait plus rentrer chez elle. Elle ne verrait plus jamais ses parents, ni ses frères ni Fortune.

Des larmes brûlantes lui montèrent aux yeux.

Mais peut-être y avait-il encore une lueur d'espoir. Peut-être Azura prendrait-elle pitié, peut-être parlerait-elle au bey… À quelques exceptions près, les riches voulaient toujours davantage d'argent, India le savait, et cet homme n'était sans doute pas différent des autres…

Épuisée, elle se laissa aller contre les oreillers et s'endormit d'un sommeil léger, espérant que le bey changerait d'avis et la renverrait en Angleterre contre une rançon.

Azura s'était rendue directement dans les appartements du bey, qui lui fit signe de s'asseoir, tandis qu'une esclave lui offrait un verre de jus de fruits.

— Elle est terrifiée, même si elle refuse de l'avouer, mon seigneur. Il faut la traiter avec douceur.

— Je ne suis jamais brutal, vous le savez.

— C'est Allah qui vous envoie cette jeune fille, reprit Azura. Elle est de votre pays, de votre rang, et si vous arrivez à la séduire, elle sera une merveilleuse épouse. Elle est très belle.

— Je n'ai guère eu le temps de m'en apercevoir, rétorqua-t-il, amusé. J'étais trop occupé à défendre ma vie contre ce petit chat sauvage.

— Elle n'est pas très douée, dit Azura en riant. Elle ne vous a même pas égratigné la peau, m'ont raconté les médecins.

— Vous l'aimez bien, n'est-ce pas ? Je ne vous ai jamais entendue parler ainsi d'une de mes femmes.

Azura haussa les épaules.

— Je vieillis, sans doute. Cette petite pourrait être la fille que je n'ai jamais eue, mon seigneur... C'est vrai, je l'aime bien, même si je la connais à peine. Quelque chose en elle me touche. Peut-être son courage, car si elle est effrayée, elle le cache bien. Tout à l'heure, les chipies de votre harem l'ont insultée, et elle s'est demandé à haute et intelligible voix laquelle elle tuerait en premier... C'était fort bien joué. Elles y réfléchiront à deux fois, avant de l'attaquer de nouveau. Cependant, elle réagit bien à la gentillesse et au raisonnement. Je n'ai eu aucune difficulté avec elle.

Le bey demeura un instant pensif.

— Ainsi, vous pensez que j'ai besoin d'une femme, chère Azura... Pourquoi ?

— Vous voulez sûrement avoir des fils, mon seigneur. Un jour, vous pourrez peut-être rentrer en Angleterre. Vous les présenterez à votre père.

Le bey se rembrunit.

— Jamais je ne retournerai chez moi, Azura. Comment serait-ce possible, avec l'accusation qui pèse sur moi ? Je n'ai pas besoin de fils pour Oxton, je n'ai pas non plus besoin d'une épouse anglaise. Ce que je veux, c'est me venger... et j'ai désormais le moyen de le faire. Le jeune homme que j'ai condamné aux galères ce matin est mon demi-frère – l'héritier de mon père, à présent. Il ne m'a pas reconnu, car nous ne nous sommes pas vus depuis dix ans, et je ne l'aurais sans doute pas reconnu non plus s'il ne s'était vanté de son titre. Adrian s'usera les mains sur les rames pendant de longs mois, avant que j'informe sa chère mère qu'il est prisonnier ici. C'est seulement quand MariElena paiera la rançon que je révélerai mon identité.

— Et India ?

— Sa capture va ruiner sa réputation en Angleterre, répondit le bey.

— Elle m'a dit que sa famille retournait en Écosse, quand elle s'est enfuie avec votre demi-frère, mon seigneur. Elle pense que sa réputation serait sauvée si elle était échangée contre une rançon. Vengez-vous de votre frère en la renvoyant chez ses parents. Vous n'avez pas besoin d'elle dans votre lit, si vous ne voulez pas de fils.

Azura n'avait pas prémédité de plaider la cause de la jeune fille, mais elle était agacée que le bey ne soit intéressé que par sa vengeance.

— Non, décréta fermement Caynan Reis. Ce sera un plaisir supplémentaire de vanter à Adrian les talents de sa petite fiancée – même s'il ne veut plus d'elle. Il croit qu'elle s'est donnée à Aruj Agha, simplement parce qu'il se montrait gentil quand elle était sous sa protection. La gentillesse est une qualité dont mon demi-frère ignore la signification... Mais il n'a jamais aimé partager ce qui lui appartenait, et s'il apprend que j'ai possédé la jeune fille qu'il n'a pas pu avoir, cela le mettra dans une rage folle.

« La famille d'India était contre cette relation, et il a persuadé cette sotte de s'enfuir avec lui pour qu'ils se marient. Quand les parents apprendront qu'on l'a libéré alors qu'elle reste captive, je ne donnerai pas cher de sa vie. Et ce n'est pas ma belle-mère qui pourra le protéger contre le père et les frères d'India...

Il eut un rire grinçant.

— Et votre père ? demanda calmement Azura. Si

les parents d'India tuent votre demi-frère, qui prendra la suite de votre père ?

— Je l'ignore. Mon père a été bien prompt à me croire capable du pire. Sous l'influence de cette garce qu'il a épousée après la mort de ma mère, il m'a déshérité, m'a-t-on dit. Il mérite de voir disparaître sa lignée. Comment a-t-il pu imaginer un instant que j'avais tué un homme, pour les beaux yeux d'une femme à la légèreté notoire ?

— Je n'avais pas compris jusqu'à présent combien votre peine était profonde, mon seigneur... dit Azura d'une voix douce.

Caynan Reis changea brusquement de sujet.

— Cette fille, India, vous pensez qu'elle est réellement vierge ? Si Adrian a su la persuader de quitter sa famille, il l'a peut-être persuadée de se débarrasser de sa vertu.

— Je ne saurais l'affirmer sans l'avis d'un médecin, répondit Azura, pourtant j'en suis intimement convaincue. Elle est pudique, innocente... Promettez-moi de la traiter avec bonté, mon seigneur, ajouta-t-elle en lui prenant la main, suppliante.

Il se dégagea d'un geste sec.

— Vous me prenez pour une brute ?

— Vous êtes en colère, mon seigneur, mais la petite est anglaise. Rappelez-vous : vous pensez qu'elle a été trompée par votre demi-frère, conseillé par sa mère. C'est une victime, comme vous l'avez été autrefois. Soyez doux avec elle, mon seigneur.

Il esquissa un sourire.

— Je comprends pourquoi Sharif el Mohammed vous aimait. Vous avez le cœur trop tendre, Azura, pourtant je vous promets de ne pas lui faire de mal. À condition qu'elle n'essaie pas de m'en faire, conclut-il avec un clin d'œil. Je m'assurerai qu'elle ne porte pas d'armes, quand je la verrai.

— Dois-je vous l'amener maintenant, mon seigneur ?

— Il faut d'abord que je me baigne. Faites-la venir dans une heure, et ensuite vous pourrez aller vous coucher. Dites à Baba Hassan qu'il vienne la chercher à l'aube, pour la ramener dans le harem.

Azura salua le bey, avant d'aller trouver le chef des eunuques. Baba Hassan, confortablement installé dans ses élégants quartiers, fumait un narguilé dont il essuya le tuyau avant de le lui tendre. Elle aspira le tabac rafraîchi par l'eau parfumée. C'était fort apaisant.

— Je viens de chez le bey. Il garde la fille jusqu'à l'aube, et vous la ramènerez ensuite au harem.

— Vous avez mis votre petit plan en action, mon amie ? dit-il gentiment.

— Je ne vous révélerai pas ce qu'il m'a confié ce soir, mais il a désespérément besoin d'aimer et d'être aimé, j'en suis certaine. Or je pense que cette petite saurait trouver le chemin de son cœur.

— Ce n'est pas le moment de le distraire de son travail de gouverneur, Azura, objecta Baba Hassan. Je ne serais pas surpris qu'il ait des ennuis.

Elle fronça les sourcils.

— Quel genre d'ennuis ?

— Les janissaires, encore une fois, soupira l'eunuque. Ils fomentent une nouvelle révolte contre la Sublime Porte, le gouvernement ottoman. Ils parcourent le pays afin de trouver des alliés. Ils leur promettent l'autonomie et la suppression de l'impôt dû à Istanbul, en échange de leur aide.

Azura ne prit pas la peine de lui demander si l'information était fiable, car il ne parlait jamais à tort et à travers.

— Le bey est-il au courant ?

Le chef des eunuques secoua la tête.

— Aucun émissaire d'Istanbul n'est encore venu à El Sinut.

— Et Aruj Agha ? Croyez-vous qu'il sera fidèle au sultan, ou bien à ses amis janissaires ?

— Aruj Agha est ici depuis aussi longtemps que Caynan Reis, répliqua l'eunuque. Il devrait être loyal envers le sultan, mais l'esprit de camaraderie est fort, et sa famille a toujours servi dans le corps des janissaires.

— Et par qui remplaceraient-ils le sultan Murat, à votre avis ?

— Il a deux frères cadets, Ibrahim et Bayazid.

— Mais on prétend que c'est sa mère, Kiusem, qui détient le pouvoir, puisque le sultan Murat n'a que treize ans, objecta Azura. Quelle différence que ce soit l'un ou l'autre de ses fils, si c'est elle qui gouverne ?

— Ils ont l'intention de les tuer, elle et Murat, expliqua Baba Hassan. Ils s'empareront des postes clés et régneront à la place du prochain sultan. Ces gens sont sans pitié. Vous vous rappelez la mort brutale d'Osman, il y a quelques années, mon amie ? Leur puissance a considérablement augmenté au cours du dernier siècle, et leur influence en même temps. Ils sont avides de richesse, de domination. S'ils pouvaient gouverner sans sultan, ils le feraient.

— Alors peut-être est-ce au contraire le bon moment pour que le bey tombe amoureux, Baba Hassan. Actuellement, son cœur est froid, et ses pensées amères. Il risque d'agir inconsidérément, car il n'a rien à perdre. Mais s'il aime la jeune fille, si elle porte son enfant, il se conduira avec plus de sagesse : il ne voudra pas les mettre en danger.

— Vous avez toujours eu beaucoup d'intuition, Azura, dit l'eunuque, songeur. Peut-être avez-vous une fois de plus raison. Peut-être aussi que les rumeurs sont fausses, et que les janissaires vont se contenter de leur sort.

— Les janissaires ne se contentent jamais de rien, mais El Sinut est loin d'Istanbul. Avec un peu de chance, nous échapperons aux troubles.

— Je prie Allah pour que vous ayez raison, Azura !

Elle sourit.

— Moi aussi. Maintenant, notre but principal est de faire en sorte qu'India et Caynan Reis trouvent l'amour dans les bras l'un de l'autre...

— Ils ne sont pas commodes, ces deux jeunes gens ! déclara l'eunuque avec un petit rire. Je me demande s'il n'est pas plus facile d'avoir affaire aux janissaires !

8

India somnolait, détendue, quand elle fut réveillée par la voix d'Azura à son oreille :

— Debout, mon enfant. Il est l'heure.

La jeune fille ouvrit lentement les yeux.

— L'heure de quoi, madame ?

— D'aller voir le bey.

Elle se redressa d'un bond.

— Déjà ? Il me veut, malgré ce que j'ai fait ? demanda-t-elle, le cœur battant.

Azura l'aida à se lever.

— N'ayez pas peur, mon petit.

— Je n'ai pas peur ! mentit la jeune fille.

Tom Southwood lui avait recommandé de ne pas montrer son angoisse, et elle était décidée à suivre son conseil.

Azura brossa ses boucles brunes, lui fit rincer sa bouche avec une eau mentholée, puis elle la conduisit, par un long couloir faiblement éclairé, jusqu'à une double porte en bois, aux gonds de cuivre. Elle l'ouvrit et poussa légèrement India à l'intérieur.

— Il vous attend, dit-elle avant de refermer et de s'éclipser.

Une lampe à huile parfumée pendait au plafond, et une fontaine gazouillait, sans doute dans les jardins qu'on apercevait au-delà des voilages qui dansaient doucement sous la brise nocturne. Le sol était carrelé, l'ameublement simple et élégant consistait en quelques coffres, une table et un seul fauteuil de cuir.

— Approche ! ordonna une voix sans douceur.

India sursauta et se tourna vers une estrade de bois sculpté, sur laquelle trônait un matelas de soie or et corail. Le bey, vêtu seulement d'un pantalon blanc, y était nonchalamment allongé. India n'avait jamais vu un homme si peu habillé, et elle en fut troublée. La poitrine du bey était dorée, le pantalon dégageait son nombril.

— Approche, répéta-t-il.

Elle secoua imperceptiblement la tête.

Caynan Reis contemplait la jeune fille, fasciné. C'était la plus magnifique créature qu'il ait jamais vue. Il avait déjà eu le loisir d'admirer la finesse de sa peau, mais à présent, après le bain et les soins des esclaves, elle rayonnait littéralement. Il mourait d'envie de baiser cette bouche sensuelle, de glisser les doigts dans ses longues boucles soyeuses. Ses yeux trahissaient la peur, mais elle gardait une attitude de défi.

Il descendit de l'estrade, curieux de voir jusqu'où elle résisterait à son autorité.

Quand elle le vit marcher vers elle, India se retourna afin d'ouvrir la porte. Elle se mordit la lèvre pour s'empêcher de crier en le sentant derrière elle, tout contre elle… et elle sursauta, terrorisée, lorsqu'une main vint se poser sur le battant, à côté de sa tête.

Il eut un petit rire.

— Tu as peur, dit-il en repoussant ses cheveux pour embrasser sa nuque.

— Non ! parvint-elle à articuler, le nez contre la porte.

— Je ne te ferai pas de mal, promit-il en jouant avec le lobe de son oreille. Mmmm... Tu es délicieuse, je m'en doutais.

Elle demeura muette, le corps étrangement traversé de frissons.

— Tu es une petite esclave fort désobéissante ! reprit-il, moqueur.

— Je ne suis pas une esclave ! s'indigna-t-elle. Je suis lady India Lindley, fille du duc de Glenkirk, sœur du marquis de Westleigh et du duc de Lundy. Vous n'avez pas le droit de me garder ici ! Je suis une Anglaise, une femme libre, pas une esclave !

— Impressionnant... Mais tu parles de ce que tu *étais,* pas de ce que tu es devenue. Tu es une prise de guerre que m'a apportée l'un de mes capitaines : donc, tu es une esclave.

Il se serrait davantage contre elle.

— Il est temps que tu apprennes où est ta place dans cet univers. Tu es mon esclave, ton seul but doit être de me plaire.

— Jamais !

Les clous de cuivre sur la porte blessaient sa peau délicate.

Il rit en lui mordillant la nuque.

— Crois-tu que tu aies le choix ?

— Plutôt mourir !

— Petite folle... Tu penses que je te le permettrais ? Je te donnerais d'abord à mes janissaires, et ils ne tiendraient certainement pas compte de tes protestations. Ils te déshabilleraient de force et te maintiendraient pendant qu'ils prendraient leur plaisir à tour de rôle. On t'infligerait toutes les perversions possibles, mon innocente petite vierge, et quand ils auraient détruit ton âme et ta beauté, tu deviendrais une vulgaire femme de peine. Il te faudrait sans doute plusieurs années pour mourir de maladie et d'épuisement, India. C'est ce que tu souhaites ?

— Non, souffla-t-elle, horrifiée.

— Alors tu dois me céder.

Elle secoua de nouveau la tête.

— Vous pourrez me violer, seigneur, mais jamais je ne me donnerai à vous de mon plein gré. Jamais !

— Te violer ? répéta-t-il, outragé. Te violer ? Je veux te faire l'amour, petite sotte ! Caresser ta peau, ajouta-t-il en glissant une main dans la large manche du caftan. Je veux honorer chaque centimètre de ton corps, baiser tes lèvres indéfiniment. Je veux t'entendre crier de plaisir, quand nos corps s'uniront et que nous ne ferons plus qu'un. Mais je ne veux pas te violer.

— C'est pourtant tout ce que vous obtiendrez, mon seigneur.

Il la lâcha, exaspéré.

— Idiote ! Ne vois-tu pas que j'aurais déjà pu le faire, si je l'avais voulu ? Et tu aurais regretté que ce soit fini, car je t'aurais emmenée au paradis... Mais je ne veux pas enseigner le plaisir à une jeune fille rebelle, tu ne me pousseras pas à m'avilir à ce point.

Il l'arracha à la porte qu'il ouvrit, et l'entraîna vers les appartements privés d'Azura. Là, il la jeta à terre où il la maintint fermement du pied.

— Cette esclave est insupportable, déclara-t-il à une Azura stupéfaite. Gardez-la avec vous cette nuit. Demain, Baba Hassan la préparera à être mon esclave du corps. Je devrais la livrer aux janissaires, mais j'ai le cœur trop tendre. Néanmoins elle me servira, d'une façon ou d'une autre. Si mon lit ne lui plaît pas, je lui trouverai d'autres moyens de se rendre utile.

Il la poussa vers la maîtresse du harem, puis sortit à grandes enjambées.

India resta accroupie par terre, tremblante.

— Que s'est-il passé ? demanda Azura, en essayant de mettre un frein à sa colère.

Cette petite sotte allait-elle gâcher ses projets par son stupide entêtement ? Pas question ! Elle remit rudement India sur ses pieds.

— Je me suis refusée à lui, répondit la jeune fille, très pâle. Je lui ai dit qu'il pouvait me violer, mais que jamais je ne me donnerais de mon plein gré. Et c'est la vérité !

Azura secoua la tête, découragée.

— Vous savez ce qui aurait pu vous arriver ? Avez-vous la moindre idée de ce à quoi vous avez échappé ? C'est un homme juste, mais dur. Il aurait pu vous tuer, il en a le droit car désormais vous êtes son esclave, India... Oh, par Allah, je ne sais pas ce qui va se passer maintenant ! Il faut le convaincre de pardonner votre attitude et de vous prendre dans son lit.

— Je ne veux pas me prostituer !

La voix d'India se brisa, elle éclata en sanglots. Le bey l'avait terrorisée en évoquant les janissaires et, quand il l'avait traînée dans le couloir, elle avait cru qu'il mettait sa menace à exécution.

— Je veux rentrer chez moi...

— Vous êtes chez vous ! rétorqua fermement Azura. Sauf, évidemment, si vous continuez à vous comporter comme une bécasse. Qui sait alors ce que vous deviendrez ? Peut-être finirez-vous sous la tente d'un cheik, dans le désert.

Soudain attendrie, elle prit la jeune fille aux épaules.

— N'y a-t-il aucune chance pour que le bey m'échange contre une rançon ?

— Non, mon enfant, aucune. Il faut accepter votre sort. Est-ce si terrible, après tout, d'être la bien-aimée de Caynan Reis ? Il est jeune, il est beau, et si vous lui donnez un enfant, votre situation sera assurée, surtout s'il s'agit d'un fils. Votre sort aurait-il été différent en Angleterre, India ? Le mariage, des enfants...

— Vous voulez que j'épouse le bey ? s'étonna India.

— Il vous épousera peut-être, si vous lui donnez un enfant.

— Mais je suis chrétienne, et c'est un infidèle.

— Il suit les règles de l'islam.

— Le père de maman, son vrai père, était musulman, dit India, pensive.

— Nous adorons tous le même Dieu, répliqua Azura, raisonnable. La seule différence est notre façon de L'honorer.

— Que va-t-il m'arriver maintenant, madame ? Que voulait dire le bey en parlant d'être son esclave du corps ? Je ne comprends pas.

— Vous serez à la disposition de votre maître jour et nuit, mon enfant, et vous le servirez de toutes les manières possibles, sauf au lit. Vous n'aurez pas votre place dans le harem.

— Mais où dormirai-je ? s'écria India.

— Où le bey vous le dira. Ne craignez rien. C'est une douce punition en regard de l'affront qu'il a subi... Peut-être cela vaut-il mieux, finalement. Ainsi, vous apprendrez à le connaître. Vous pouvez dormir avec moi sur le divan, cette nuit. Demain,

Baba Hassan vous expliquera en quoi consistera votre travail.

Elle tapota gentiment la main de la jeune fille.

— Allongez-vous, mon petit. Vous êtes épuisée, et vous semblez sur le point de vous évanouir...

Le jour se levait à peine quand Baba Hassan vint réveiller la jeune fille, l'air désapprobateur.

— Debout, petite ! Il faut faire la toilette de votre maître.

India jeta un regard suppliant à Azura, mais celle-ci l'ignora.

— Allez ! insista l'eunuque.

Elle le suivit vivement.

— Après avoir réveillé le bey, expliqua-t-il en chemin, vous l'accompagnerez aux bains pour le laver et l'habiller, puis vous lui apporterez son petit déjeuner. Je vous aiderai ce matin, mais à partir de demain, vous devrez vous acquitter seule de vos tâches.

Il poussa la porte du bey et s'exprima d'une voix douce :

— Réveillez-vous, mon seigneur. Vous avez une journée chargée.

Il tira par le bras la fille nue qui dormait près de lui.

— Retourne au harem, Leila, ordonna-t-il avant de se tourner vers India. Réveillez-le doucement, maintenant.

India effleura son épaule du bout des doigts.

— Réveillez-vous, mon seigneur, murmura-t-elle.

Caynan Reis ouvrit les yeux.

— Elle n'est pas convenablement vêtue, dit-il à Baba Hassan.

— Elle doit vous baigner, mon seigneur. Elle se changera après avoir accompli ses premiers devoirs de la journée.

Le bey se leva.

— Allons-y.

India écarquilla les yeux, choquée. Le bey était nu comme un ver ! Elle ne savait plus où regarder, consciente de son sourire ironique… D'abord, cette pulpeuse créature dans son lit : serait-elle censée la réveiller aussi tous les matins ? Et puis cette nudité, alors qu'il savait qu'elle n'avait jamais vu un homme dans le plus simple appareil… Elle en était cramoisie.

— Le bey a sa salle de bains privée, l'informa Baba Hassan en ouvrant une autre porte. Ôtez votre caftan, petite. Vous ne pouvez pas laver votre maître en restant habillée.

Ils étaient dans une sorte de vestibule, et Baba Hassan fit passer le caftan par-dessus sa tête avant qu'elle ait le temps de protester.

India n'osait regarder Caynan Reis, car elle savait qu'il la narguerait et qu'elle aurait envie de gifler son beau visage. Or elle serait aussitôt punie.

Baba Hassan entreprit de lui montrer ce qu'elle devait faire.

— Passe-moi le racloir toi-même, ordonna le bey à l'eunuque. Je ne tiens pas à ce qu'elle ait un objet pointu à la main.

India rinça ensuite le bey à l'aide d'une cuvette d'argent.

— Parfait, approuva l'eunuque. Maintenant, continuez comme je vous l'ai dit, et quand le maître sera immergé dans l'eau chaude, profitez-en pour vous laver, car c'est le seul moment de la journée où vous en aurez l'occasion. Lorsque vous aurez conduit le seigneur à la masseuse, je vous donnerai de nouveaux vêtements, conclut-il avant de s'en aller.

Caynan Reis s'assit sur un banc de marbre, et India lui lava les cheveux, les rinça, les sécha. Puis elle s'occupa de ses pieds, de ses jambes. Ensuite il se leva, et elle savonna ses cuisses, son torse, son dos, avant de le rincer soigneusement. Il avait un corps superbe, se dit-elle, tout en se demandant si c'était une pensée convenable.

— J'ai fini, mon seigneur.

— Je ne crois pas. Tu n'as pas lavé mon sexe, India. Tu es mon esclave du corps : tu dois t'occuper de mon corps entièrement.

— Vous ne pouvez pas le faire vous-même ? risqua-t-elle.

Dieu, il n'allait tout de même pas lui demander de le toucher *là* !

— Prends le linge de toilette, agenouille-toi et fais ton devoir, India ! ordonna-t-il fermement.

La jeune fille serra les dents, et s'accroupit devant lui. Elle était juste à hauteur du sexe du bey, qu'elle trouva énorme. Elle mit du savon sur le linge de toilette.

— Sois douce, conseilla-t-il, un sourire aux lèvres. C'est fragile, et j'y tiens beaucoup. Tu ne voudrais pas abîmer un si bel instrument, n'est-ce pas ?

— Il y en a certainement de plus beaux dans le monde, lança-t-elle avec impertinence.

Heureusement, au lieu de s'offusquer, il éclata de rire.

— Sans doute ! Mais crois-moi, ma petite vierge, aucune de mes femmes ne s'en est encore plainte.

India le lava et le rinça à l'eau tiède.

— Vos femmes n'oseraient jamais se plaindre, mon seigneur, car on risquerait de les bannir de la douce oisiveté du harem... Maintenant, je pense que vous êtes prêt pour le bassin.

Elle le laissa se diriger vers la piscine et se lava rapidement, pendant qu'il se détendait dans l'eau parfumée. Quand elle eut terminé, il lui fit signe de venir le rejoindre.

Elle descendit dans l'eau en soupirant de bien-être, et s'assit en face de lui.

— Tu as une bouche magnifiquement sensuelle, dit-il. On t'a déjà embrassée ?

Elle acquiesça. Il avait des yeux d'un bleu extraordinaire !

— Ton amant anglais ?

— Ce n'est pas mon amant, et nous devions nous marier.

— Qui d'autre t'a embrassée de cette manière ?

— Personne, mon seigneur. Je ne suis pas une fille de petite vertu.

Il traversa le bassin pour venir poser un léger baiser sur ses lèvres.

— Et ton jeune homme, il t'a caressée ?

— Une fois, souffla-t-elle.

C'était infiniment troublant de se trouver ainsi, nue contre lui.

— Il a touché mes seins une fois, avoua-t-elle en rougissant.

— Comme ça ?

Il avait pris l'un de ses seins dans sa main et caressait doucement le petit bouton rose.

Elle ferma brièvement les yeux.

— Oui...

— Et ça t'a plu.

— Je vous en prie, mon seigneur.

Elle le repoussa et se glissa hors du bassin.

— La masseuse vous attend. Sortez, s'il vous plaît, que je vous sèche.

— Tu finiras par céder, India, promit-il. Et j'attendrai, parce que je suis sûr que tu en vaux la peine...

Sur ce, il sortit de l'eau et elle le suivit, affreusement troublée.

Baba Hassan l'attendait.

— J'ai votre tenue d'esclave du corps.

Il lui tendit un pantalon de soie blanche brodé d'or aux chevilles et à la taille. Le vêtement, bas sur les hanches, dévoilait son nombril. L'eunuque prit un pinceau, une fiole de couleur, et il peignit en rouge vif le bout de ses seins.

— Voilà, vous êtes prête, petite. Maintenant, allez aider votre maître à s'habiller.

— Mais... il doit y avoir...

— C'est la tenue pour une esclave du corps, coupa l'eunuque, avant de froncer les sourcils. Mais où ai-je la tête ?

Il extirpa de sa poche un magnifique collier d'or incrusté de toutes sortes de pierreries, diamants, rubis, émeraudes, saphirs, qu'il lui attacha au cou.

— Ce n'est pas trop serré ?

Elle secoua la tête en silence.

— Alors allez-y, petite. Quand le maître sera habillé et que vous l'aurez raccompagné à scs appartements, je vous montrerai où sont les cuisines...

Caynan Reis était allongé sur le ventre, la tête tournée sur le côté, tandis qu'une robuste femme d'âge indéterminé lui massait énergiquement les reins.

— Mets-toi à un endroit où je puisse te voir si j'en ai envie, dit-il à India avant de fermer les yeux.

Elle en avait la tête qui tournait. Elle ne pouvait croire à ce qui lui arrivait ! Elle, une aristocrate anglaise, se retrouvait soudain esclave. Certes, elle n'était pas la première de la famille à connaître cette situation. Et si les autres s'étaient échappées, elle s'échapperait aussi ! Il y avait cependant une différence entre elle et ses parentes : elles étaient toutes mariées ou veuves quand elles avaient été capturées, alors qu'elle était vierge.

Ses yeux dorés s'attardaient sur la splendide silhouette du bey, ses longues jambes musclées, ses chevilles nerveuses. La masseuse s'occupait à présent du pied de Caynan Reis, en palpait la plante, tirait sur chaque orteil. Fascinée, India la regardait faire, sans se douter que le bey l'observait entre ses cils.

Une fois sa tâche accomplie, la masseuse s'inclina et se retira.

— Aide-moi à me lever, dit le bey à India. Mes vêtements sont dans le coffre de cèdre. À partir d'aujourd'hui, c'est toi qui veilleras à ce que j'aie ici des vêtements propres chaque matin et chaque soir. Baba Hassan t'indiquera mon emploi du temps, il te dira s'il s'agit d'une journée normale ou d'une occasion particulière. Tu ne pourras pas t'attarder au lit comme ce matin, India. Il te faudra être levée bien avant l'aube afin de tout préparer. Tu as compris ?

— Je ne suis pas stupide, mon seigneur, j'ai parfaitement compris, répliqua-t-elle d'un ton sec.

Il lui saisit le poignet.

— S'il y avait quelqu'un d'autre dans la pièce quand tu me parles sur ce ton, India, je serais obligé de te faire fouetter. Tu dois t'adresser à moi d'une voix douce et amène, comme il convient à une esclave. Tu m'as gravement offensé hier soir, mais je sais que tu avais peur. Je t'offre une seconde chance en te permettant d'être mon esclave du corps, cependant je ne tolérerai ni désobéissance ni insolence. Si tu me contraries, je te livrerai à mes gardes, et ils sauront te mater.

India ouvrit la bouche pour protester, mais elle se rappela les conseils de son cousin.

— Oui, mon seigneur. Je vous demande pardon.

— Si tu me sers bien, tu t'apercevras que je ne suis pas méchant. Mais je suis le maître d'El Sinut, et cette tâche n'est pas facile. Si je montrais la moindre faiblesse, même dans ma propre maisonnée, on en profiterait, et je ne servirais pas convenablement mon maître le sultan si je permettais que le désordre s'installe dans cet État vassal. Tu comprends, India ? Je suis le bey, pas un de ces irresponsables courtisans anglais.

Curieusement, elle trouvait ses paroles sensées.

— Je comprends, mon seigneur, dit-elle avant d'aller chercher les vêtements de la journée.

Elle lui enfila la chemise de soie rebrodée de pierreries au col et aux manches, puis lui apporta le pantalon.

— Je ne vois pas de sous-vêtement, dit-elle, nerveuse.

— Jc n'cn portc pas.

Elle rougit, embarrassée.

— Maintenant, aide-moi à l'enfiler.

India ravala le commentaire désagréable qui lui montait aux lèvres, et s'agenouilla pour accomplir sa tâche. Le sexe du bey – qui semblait encore plus grand – fut enfin caché à sa vue.

— Il y a deux ceintures, mon seigneur. Laquelle voulez-vous ?

— L'argentée. Je vais te montrer comment la draper.

Il la mit, puis l'enleva et la lui tendit.

— À toi, India.

Elle s'exécuta, et il la félicita :

— Bravo ! Tu as bien regardé.

— Mettrez-vous le gilet doublé d'argent, mon seigneur ?

C'était une pièce magnifique, avec le plastron brodé d'aigues-marines et de tourmalines.

— Oui.

— C'est superbe. Y a-t-il une occasion spéciale aujourd'hui, mon seigneur ?

— Non, India, mais c'est le jour de la semaine où ma salle d'audience est ouverte à tous. Les citoyens d'El Sinut viennent me demander de régler leurs litiges. Comme je représente le sultan, il est normal que je sois bien vêtu pour les recevoir.

Dans le coffre, se trouvaient aussi des babouches de soie brodée et un petit turban d'argent orné d'une aigue-marine.

— Et ceci, mon seigneur ?

— Emporte-les. Je les mettrai quand je me serai restauré.

Elle le suivit jusqu'à ses appartements, où les attendait Baba Hassan. Celui-ci observa son maître d'un œil critique.

— Elle s'est bien débrouillée, mon seigneur, dit-il enfin.

— En effet, répondit le bey avec un mince sourire.

— Nous allons chercher votre repas, mon seigneur. Voudrez-vous le prendre à l'intérieur, ou sur la terrasse ?

— Sur la terrasse. Il est tôt, et elle est orientée à l'ouest. Je ne risque pas d'avoir trop chaud.

L'eunuque fit signe à India de le suivre, et elle se précipita derrière lui.

Il marchait tellement vite qu'elle dut le rappeler.

— Je vous en prie, Baba Hassan, ne courez pas, sinon je ne retrouverai jamais mon chemin.

L'eunuque ralentit l'allure et, une fois dans la cuisine, il présenta India à Abû, qui régnait sur ce domaine.

— C'est donc elle ! s'exclama l'homme en la toisant de haut en bas. Quelle folle !

— Je suis venue chercher le petit-déjeuner du bey, dit India sans se soucier de sa remarque. Voulez-vous me le donner, ou préférez-vous que je retourne le voir pour lui dire que vous refusez de m'aider ? ajouta-t-elle d'une voix mielleuse.

— Le maître a été trop indulgent avec vous, petite, répliqua sèchement Abû.

— Je ne me permettrais pas de juger le bey, à votre place, murmura India. Vous avez de l'aplomb de parler ainsi. À présent, dites-moi ce qu'il aime manger le matin. Je ne suis pas habituée à la nourriture de ce pays.

En grommelant, Abû lui montra comment préparer le plateau qu'elle apporterait à Caynan Reis.

— Il aime le melon juteux, du yaourt, du pain, du miel...

Il plaçait à mesure les mets sur des plats de porcelaine blanc et bleu.

— Voilà ce qu'il prend à cette heure-ci, avec du café. Les jours où il n'y aura pas de melon, je vous donnerai un autre fruit.

— Merci, répliqua India avant de se tourner vers l'eunuque.

— Nous allons voir si vous avez été attentive, dit

celui-ci. Ramenez-moi aux appartements de notre maître.

Il fut content de constater qu'elle y parvenait sans peine.

— J'y retournerai quand même avec vous la prochaine fois, pour être sûr que vous avez bien tout retenu. Parce que demain, vous devrez le faire seule.

Ils se rendirent sur la terrasse carrelée qui donnait sur le jardin, et India déposa le plateau devant le bey.

Un petit homme arriva, muni d'un brasero, d'un pot, d'une tasse et d'une soucoupe. Il s'accroupit près du bey, vida des grains bruns dans un moulin. Puis il fit chauffer de l'eau qu'il versa sur la poudre. C'était du café, indiqua le bey en buvant le breuvage qu'on avait abondamment sucré.

— Débarrassez la table, petite, ordonna Baba Hassan quand le maître eut terminé son repas.

— Tu peux finir ce que j'ai laissé, dit Caynan Reis en continuant à siroter son café.

— Mangez, lui conseilla Baba Hassan, car sauf si le maître en décide autrement, vous n'aurez rien d'autre.

India s'efforça de ravaler la colère qui montait en elle. Il ne fallait pas que son orgueil lui fasse perdre tout bon sens... Elle grignota quelques quartiers d'orange, avant de demander à l'eunuque ce qu'il y avait dans le bol.

— Du yaourt. Du lait caillé et suri.

Elle fit une petite grimace, mais y goûta et trouva cela assez plaisant, puis elle termina le pain. Le bey avait fini de boire son café. Baba Hassan lui tendit une serviette humide afin qu'il s'essuie les mains et la bouche. Ensuite, il la passa à India, qui en fit autant.

— Posez-la sur le plateau, dit l'eunuque. Une servante viendra le chercher. Maintenant, vous allez suivre le bey dans ses activités, mais auparavant, mettez-lui les babouches et le turban.

India s'agenouilla pour lui enfiler les mules de brocart, puis elle plaça le turban sur ses cheveux bruns.

— À présent, reculez et saluez. Cela signifie que votre tâche est terminée et que le maître est prêt pour la journée.

La jeune fille obéit, tout en songeant que le bey pouvait se rendre compte tout seul qu'elle avait fini de le préparer. Toutefois, elle s'abstint de ce commentaire et emboîta le pas aux deux hommes. Elle était péniblement consciente de sa quasi-nudité, mais si elle protestait, elle se trouverait dans une situation bien plus critique encore.

Ils pénétrèrent dans la salle d'audience par une petite porte latérale. Aruj Agha approcha aussitôt, ainsi que Tom Southwood, vêtu à l'orientale. Ce dernier sursauta en voyant sa cousine, et détourna les yeux. Comme elle aurait aimé lui parler ! Mais elle n'en avait sûrement pas le droit. Baba Hassan la conduisit vers l'estrade où il lui remit un grand éventail, fait de plumes de paon.

— Vous vous tiendrez ici, et vous éventerez doucement le bey pendant la séance. Vous pouvez vous reposer de temps en temps, mais veillez à ce que le maître n'ait pas trop chaud, sinon je vous fouetterai. Compris ?

India acquiesça. On ne cessait de lui demander si elle comprenait, comme si elle était simple d'esprit !

Elle tendit l'oreille afin d'entendre ce que disait Aruj Agha :

— Nous prenons la mer demain, mon seigneur.

— Et le jeune vicomte ?

— Complètement choqué de se trouver enchaîné à une rame, mon seigneur, mais il n'a pas de mal.

— Parfait, répliqua Caynan Reis. Si son attitude s'améliore, j'envisagerai peut-être de le rendre à sa famille. Ce serait dommage de perdre la rançon.

Il se tourna vers Tom.

— Vous êtes charmant dans ces habits, dit-il avec humour. Êtes-vous certain de pouvoir accomplir vos tâches ?

— Certain, mon seigneur. J'ai pris le nom d'Osman, en hommage à un très cher ami de ma grand-mère, qui vivait à Alger il y a bien des années. Un astrologue.

Aruj Agha en resta bouche bée.

— Osman l'astrologue ? Le vrai ? Il était très célèbre et grandement respecté, expliqua-t-il au bey, avant de revenir à Tom. Votre grand-mère l'a vraiment connu ? Mais... comment ?

— C'est une histoire compliquée, je vous la raconterai sur le bateau.

Tom Southwood s'adressa ensuite au bey :

— Puis-je solliciter une faveur avant de partir, mon seigneur ?

— De quoi s'agit-il, marin Osman ?

— Ma cousine...

— N'a pas perdu sa virginité, compléta le bey. J'ai décidé de me montrer patient avec elle, et elle me sert en tant qu'esclave du corps. On ne lui a pas fait de mal, et on ne lui en fera pas si elle se conduit correctement.

— Merci, mon seigneur.

Tom salua le bey et jeta un furtif regard à sa cousine, qui inclina imperceptiblement la tête. Puis l'agha et lui quittèrent la salle d'audience.

Après leur départ, le bey s'installa sur son trône et ordonna que l'on ouvre les portes. Le secrétaire de Caynan Reis, un petit homme agité, vint lui apporter un rouleau de parchemin couvert d'une écriture étrange. Et soudain la salle s'emplit d'une foule de gens. Dieu merci, ils ne semblaient absolument pas se soucier des seins maquillés d'India...

Caynan Reis rendit le parchemin à son secrétaire.

— Commençons, dit-il.

— La femme divorcée, Fatima, et le marchand Ali Akbar ! annonça le secrétaire.

Quand ils furent tous les deux devant le bey, il poursuivit :

— D'abord la femme, puis Ali Akbar.

Pauvrement mais proprement vêtue, la femme s'inclina.

— Je suis venue vous demander justice, mon seigneur, dit-elle. Il y a une trentaine d'années, quand j'avais quatorze ans, je suis devenue la première épouse d'Ali Akbar. Je lui ai donné trois fils et une fille. Au fil des ans, Ali Akbar a pris trois autres épouses – ce qui, vous le savez, mon seigneur, est tout ce que la loi du Prophète autorise à un homme. Afin d'en prendre une autre, il fallait qu'Ali Akbar répudie l'une d'entre nous, et c'est moi qu'il a choisie, pour pouvoir épouser une jeune vierge de treize ans qui, espère-t-il, restaurera sa virilité défaillante. Je ne suis pas mécontente d'être débarrassée de cet homme, car l'amour qui a pu exister entre nous est mort depuis longtemps. Cependant, Ali Akbar refuse de me rendre ma dot, qui m'appartient de droit. Sans elle, je n'ai plus qu'à mendier aux portes de la ville. Je n'ai pas de toit, et je dois tendre la main pour obtenir un peu de pain... Je vous en supplie, aidez-moi, mon seigneur. Je m'en remets à votre bonté.

Caynan Reis se tourna vers Ali Akbar.

— Ceci est-il vrai ?

L'homme se tortilla, gêné.

— Les affaires ne marchent pas fort en ce moment, mon seigneur, et j'ai d'importantes responsabilités. Fatima peut aller vivre chez sa fille, mais elle préfère me faire honte en errant dans les rues et en racontant ses malheurs à qui veut bien l'entendre.

— Lui avez-vous rendu sa dot ? demanda le bey.

L'homme s'agita nerveusement.

— Non, mon seigneur.

— Alors, que ce soit fait aujourd'hui même... Fatima, savez-vous exactement combien il vous doit ?

— Oui, mon seigneur.

— Vous l'indiquerez à mon secrétaire. Quant à vous, Ali Akbar, vous ne discuterez pas. Cette femme me semble honnête, et en punition de votre rapacité, vous lui achèterez une maison avec un jardin et deux esclaves pour la servir. Elle aura le droit de les choisir elle-même. En retour, Fatima, vous cesserez de dire du mal de votre mari en public.

— Vous me ruinez, mon seigneur ! s'écria le marchand en brandissant un poing vengeur en direction de la femme.

— En outre, continua le bey imperturbable, vous paierez dix pièces d'or au sultan pour avoir voulu transgresser les lois du Prophète. Il est permis de répudier une épouse à condition d'assurer sa subsistance, or vous avez violé les vœux de votre mariage. Maintenant, encore un mot et j'aggrave la punition.

Le marchand, enfin maté, salua et sortit en trombe de la salle d'audience.

Fatima tomba à genoux et baisa les babouches du bey, pleurant à chaudes larmes.

— Merci, mon seigneur ! Merci !

— N'imitez pas votre mari en choisissant une maison trop fastueuse, la prévint le bey, car l'épée de la justice frappe des deux côtés.

— Bien, mon seigneur, dit-elle avant de se retirer.

India était fascinée. Elle faillit même en oublier d'éventer le bey. Elle avait cru que les femmes ne comptaient guère, dans l'Empire ottoman, alors qu'en réalité, elles étaient protégées par les lois de l'islam. Caynan Reis s'était montré ferme, rapide et juste dans cette affaire.

Les autres cas qui se présentèrent ce jour-là étaient beaucoup moins intéressants, pourtant il les régla avec la plus grande équité.

Au milieu de l'après-midi, il suspendit la séance. Il avait traité presque tous les litiges inscrits sur la liste de son secrétaire, et s'occuperait de ceux qui restaient à la prochaine audience. Il se leva et tendit son turban à India, qui lança son éventail à un esclave afin de se précipiter à sa suite.

— J'ai faim, dit-il. Va me chercher une collation.

Elle posa le turban sur un guéridon.

— Bien, mon seigneur. Souhaitez-vous quelque chose en particulier ?

— À manger.

— J'y vais tout de suite, dit India qui s'éloigna vivement.

Cette fois, Abû se montra coopératif.

— Il prend son repas principal à cette heure-ci, ensuite il fait la sieste. Des esclaves vous porteront les plateaux.

— Que lui donnerez-vous ? demanda la jeune fille, curieuse.

— Ce n'est pas un gros mangeur. Il y aura du poulet, un bol de riz safrané aux raisins, des olives, du concombre, du pain et des fruits.

Il préparait la nourriture, et il tendit une carafe à India, ainsi qu'un gobelet d'argent.

— De la citronnade glacée.

— Le bey ne boit pas de vin ? s'étonna-t-elle.

— Le vin est interdit par le Prophète.

India remercia le cuisinier et précéda les servantes jusqu'aux appartements du bey. Comme il faisait chaud, il prit son repas à l'intérieur. Lorsqu'il eut terminé, il permit à India de manger les restes après l'avoir déshabillé et aidé à s'allonger sur son divan. Elle trouvait ce décorum parfaitement ridicule, pourtant elle s'exécuta sans mot dire.

Quand elle eut l'impression qu'il somnolait, elle s'installa à son tour devant la table et fut vite rassasiée. Elle rapporta ensuite les plateaux un par un à la cuisine.

En revenant chez le bey, elle trouva Baba Hassan qui l'attendait.

— Le maître va dormir jusqu'au coucher du soleil. Vous pouvez vous reposer aussi, en attendant.

— Où puis-je m'allonger ?

L'eunuque sortit d'un placard un étroit matelas, qu'il déroula.

— Voilà votre lit. Vous le mettrez devant la porte de la chambre du bey, et c'est là que vous dormirez jusqu'à ce qu'il vous appelle. Quand il se réveillera, vous lui passerez le caftan de soie qui se trouve dans le coffre de cèdre. Il n'a pas d'invités, ce soir.

Elle allait dormir devant la chambre de Caynan Reis ? C'était de plus en plus absurde ! Mais au moins, elle serait bien, se consola-t-elle. Mieux qu'enchaînée à une rame sur la galère d'Aruj Agha…

India étala le matelas sur le sol, et des larmes silencieuses roulèrent sur ses joues. Si Adrian mourait, elle se sentirait éternellement responsable.

9

Il faisait chaud, India avait mal à la tête. Elle roula son matelas, avant de le ranger dans le placard. Avisant une carafe sur une table, elle se servit un verre d'eau. Celle-ci était tiède, mais sa migraine se dissipa quelque peu.

Le bey dormait toujours, allongé sur le côté, et elle laissa la porte ouverte afin de créer un courant d'air. Elle descendit dans le jardin.

C'était un endroit clos, au centre duquel murmurait une fontaine dont l'eau jaillissait d'une fleur de bronze. Elle s'assit sur le vaste rebord. La fontaine était carrelée de bleu. La surface de l'eau était couverte de nénuphars jaune pâle et, comme elle y trempait la main, elle effraya un gros poisson rouge. Elle se mit à rire.

L'atmosphère embaumait les fleurs. Des roses trémières de toutes les couleurs surplombaient les plates-bandes de campanules. À l'ombre poussaient des lys martagons, leurs corolles orangées tournées vers le ciel ; au soleil s'épanouissaient les lys du Caucase, gracieux et parfumés. Il y avait aussi, dans des jarres de céramique, deux arbrisseaux qui portaient de délicates fleurs roses, rouges et jaunes, avec des pistils proéminents. Celles-ci ne sentaient pas, mais elles étaient d'une beauté incomparable. Quant aux autres plantes, India ne les reconnaissait pas, hormis deux cèdres magnifiques.

Elle ne voyait pas les oiseaux qu'elle entendait pépier. En revanche, papillons et abeilles voletaient parmi les fleurs. Un instant, la jeune fille imagina qu'elle était ailleurs. N'importe où, sauf à El Sinut...

Elle sursauta quand une main se posa sur son épaule.

— Mon jardin te plaît, India ?

Elle bondit sur ses pieds.

— J'ai le droit d'y venir, mon seigneur ? J'aurais peut-être dû demander la permission...

— Tu es mon esclave du corps, et tu peux profiter du jardin, du moment que tu t'es acquittée de tes tâches. N'aie pas peur... Tu aimes cet endroit ?

— Oh, oui ! C'est si beau, si paisible ! J'en ai presque oublié où je me trouvais, ajouta-t-elle, candide.

Il eut un demi-sourire.

— Joues-tu aux échecs ?

— Oui.

— Alors, va me chercher un caftan propre, et nous ferons une partie dans le jardin. Est-ce que tu joues bien ?

— Très bien, répondit India avant d'ajouter, les joues en feu : Vous vous promenez toujours tout nu, mon seigneur ?

— Par cette chaleur, c'est plus agréable, mais pour ménager ta pudeur, j'ai demandé un vêtement, India. Si tu étais l'une des femmes de mon harem, je ne m'en soucierais pas, et cela leur est indifférent. Les Livres saints ne disent-ils pas que Dieu a créé l'homme à son image ?

— Je ne sais pourquoi, je n'imagine pas Dieu vous ressemblant, dit-elle nerveusement.

Il éclata de rire tandis qu'elle s'éloignait.

La petite avait de l'esprit, se dit-il, et elle était infiniment plus intéressante que toutes les femmes qu'il avait croisées depuis des années. Le bey savait qu'Azura et Baba Hassan rêvaient de le voir rencontrer une femme qu'il aimerait suffisamment pour l'épouser et lui faire des enfants. Celles du harem étaient rendues stériles par des décoctions. Caynan Reis avait déclaré dès son entrée en fonction qu'il ne voulait pas d'héritier, car on risquerait de l'utiliser un jour contre lui dans la lutte pour le pouvoir à El Sinut. Il dirigeait un monde où les complots abondaient, d'autant plus que le gouvernement central d'Istanbul n'était pas aussi fort que par le passé. Il prendrait peut-être femme un jour, mais il ne voulait pas d'enfant.

India était certes un peu trop fière, mais il saurait la ramener à plus de modestie. Cet orgueil venait principalement de sa jeunesse, de son inexpérience, et de sa peur. Elle était fragile : il en voulait pour preuve la facilité avec laquelle Adrian l'avait persuadée de quitter les siens pour le suivre. Jamais elle ne l'avouerait, mais Caynan Reis la soupçonnait d'avoir rapidement regretté son coup de tête, et de s'être félicitée en secret lorsque son cousin, le capitaine, avait découvert la vérité. Cela lui évitait de reconnaître qu'elle s'était trompée sur son beau fiancé...

India revenait avec un confortable caftan de coton bleu et écru, ouvert jusqu'au nombril. Sans un mot, elle le lui passa par-dessus la tête, si rapidement qu'il eut à peine le temps de glisser les bras dans les emmanchures.

— Ma nudité te trouble donc tant, India, pour que tu aies envie de la cacher le plus vite possible ?

— Je n'y suis pas habituée, répliqua-t-elle. Où est l'échiquier ? Je vais aller le chercher.

— Dans le coffre de mon salon.

Oui, elle était intéressante... Déjà, elle avait appris à le traiter avec respect en public, alors qu'elle était plus libre en privé. Elle était belle, étonnamment belle avec sa peau fine, ses boucles brunes et ses fascinants yeux dorés. Il n'en avait jamais vu de pareils... Il mettrait du temps à la séduire, mais elle finirait par venir à lui de son plein gré. Cependant, elle n'était pas encore prête, loin de là...

Elle apporta l'échiquier aux pièces de marbre blanc et rouge, et ils le posèrent sur une table basse tandis qu'ils s'installaient sur des coussins rebondis.

Pour le plus grand plaisir du bey, India jouait extrêmement bien, si bien qu'elle faillit le battre. Lorsqu'il annonça « Échec et mat », elle fronça les sourcils.

— Quelle erreur ai-je commise ? se demanda-t-elle à haute voix.

Il se rendit compte alors qu'elle avait vraiment essayé de gagner, ce qui l'étonna et le ravit en même temps. Les femmes de son harem – en supposant qu'elles aient su jouer – l'auraient laissé gagner.

Il lui expliqua où elle avait fait un faux pas.

— Je ne recommencerai plus ! promit-elle.

Elle gagna la seconde partie, le bey la troisième. Le soleil était couché, les insectes de la nuit avaient commencé leurs rondes. Il y avait des années que le bey n'avait passé un aussi bon moment.

Il se leva et aida India à en faire autant.

— Viens. As-tu faim ? Habituellement, je ne mange que des fruits et du pain, le soir.

— Je vais vous les chercher, dit-elle avant de sortir vivement.

Lorsqu'elle revint avec le plateau, il lui proposa de partager son repas dans la fraîcheur du jardin. Ils terminaient le raisin, le melon et le pain chaud, quand Baba Hassan vint les rejoindre.

— Il faut que je montre à la petite comment on prépare vos affaires du jour suivant, expliqua-t-il.

— Emmène-la.

— Demain, dit l'eunuque tandis qu'India le suivait, le bey rencontre l'architecte de la cité pour parler du grand aqueduc qui nous apporte l'eau des montagnes. Il s'habillera simplement.

Baba Hassan introduisit la jeune fille dans une vaste pièce, où des centaines de vêtements étaient accrochés à des barres d'argent.

— De ce côté, ce sont les tenues de cérémonie, et là celles de tous les jours…

Il ouvrit un coffre de bois.

— Ici, vous trouverez les pantalons, les ceintures, les chemises. Les babouches sont sur ces étagères, et il garde ses bijoux dans la chambre à coucher. Il a des goûts simples, vous verrez.

— Comment entretient-on tous ces vêtements ? Avec la moiteur de ce climat, le bey tient sûrement à se changer tous les jours. Dois-je m'occuper de les nettoyer ? Je vous préviens, je n'ai aucune expérience en la matière.

— Non, petite ! s'esclaffa l'eunuque. Nous avons quantité de lavandières.

Il désigna un panier d'osier :

— Mettez les vêtements sales ici, le soir, quand vous venez choisir la tenue du lendemain, et une servante les portera à la buanderie… Maintenant, allons-y. Que choisiriez-vous pour demain ?

Le choix de la jeune fille satisfit Baba Hassan.

— Le bey ne portera pas de turban, dit-elle ensuite, mais où les range-t-on ?

Il le lui montra, avant de demander :

— Vous êtes contente de servir le maître de cette façon, plutôt que comme les femmes du harem ?

— Je ne suis pas contente de me trouver ici, répondit-elle franchement, mais puisque j'y suis, je préfère en effet être son esclave du corps plutôt que sa catin. Je regrette cependant d'être obligée de me promener à moitié nue.

— Les vêtements sont la marque d'une position, petite, or vous avez celle que notre seigneur veut bien vous accorder…

Elle réfléchit un instant.

— Je suis assez douée pour les langues, comme toutes les femmes de ma famille, et j'aimerais apprendre la vôtre. Vous voudrez bien m'aider, Baba Hassan ?

Il fut surpris de sa requête.

— Si le bey le permet, Azura vous enseignera l'arabe. Je le lui demanderai dès demain. Pour l'instant, il faut retourner à ses appartements et que je vous apprenne comment préparer les linges d'amour. Notre maître est très viril, il veut chaque soir une femme dans son lit.

— Je sais le faire, déclara-t-elle, le surprenant plus encore.

— Mais… vous êtes vierge !

— Ma mère a été élevée en Inde, et quand elle est venue habiter en Angleterre, elle a amené ses servantes avec elle. Lorsque j'ai commencé à devenir une femme, Rohana, l'une des caméristes de maman, m'a appris à préparer les linges d'amour. Maman disait toujours que le souvenir d'étreintes passées gâche le plaisir d'un homme.

— Votre mère avait raison, petite.

Ils avaient atteint la porte du bey, et Baba Hassan la laissa :

— Puisque vous savez le faire, faites-le.

India pénétra dans les appartements de Caynan Reis. Elle trouva dans un placard une cuvette d'argent, qu'elle remplit d'eau parfumée à l'essence de rose. À côté se trouvaient des linges bien pliés, et elle en prit une douzaine avant de déposer le tout près du lit.

Comme elle retournait dans le jardin, elle vit Caynan Reis qui observait le ciel.

— Je pense avoir terminé mes tâches de la journée, mon seigneur. Désirez-vous autre chose avant que j'aille me coucher ?

— Va au harem et ramène Nila, ordonna-t-il. C'est la plus blonde de toutes, et la plus voluptueuse. C'est elle que je veux ce soir.

Il la fixait de son regard imperturbable.

— Je suis censée aller chercher vos catins ? s'indigna la jeune fille.

— Tu as le choix : soit tu vas les chercher, soit tu prends leur place, dit-il froidement. Et ne les traite pas de catins, India. Ce sont des femmes tout à fait honorables, qui doivent être respectées dans ma maison. Ne juge pas ce que tu ne peux comprendre. Nous sommes à El Sinut, pas en Angleterre... Quand tu m'auras amené Nila, tu pourras t'allonger devant ma porte, au cas où j'aurais besoin de toi cette nuit.

Au comble de l'humiliation, India sortit de la chambre en courant.

D'abord, elle était forcée de s'exhiber à demi nue, les seins peints en rouge vif, ensuite elle était aux ordres de cet arrogant bey, qu'elle avait dû laver, habiller, déshabiller ! Et maintenant, il fallait qu'elle lui amène une fille pour la nuit ? C'était tout simplement intolérable ! Cependant, si elle n'obéissait pas, Dieu seul savait ce qui lui arriverait ! Cet homme était tellement complexe. Bon et équitable quand il réglait les litiges de son peuple, méchant et cruel quand il avait envoyé le malheureux Adrian aux galères...

Elle pénétra dans le harem, où les femmes ne lui accordèrent aucune attention, puisque son statut d'esclave du corps la mettait bien en dessous d'elles. Elles étaient sept, dont trois blondes. Azura vint la rejoindre et lui murmura à l'oreille :

— Laquelle veut-il ?

— Nila.

— C'est celle qui a les gros seins ronds, lui indiqua Azura. Celle qui a les plus longs cheveux est Mirmah. Leila porte toujours ses cheveux tressés, et la dernière blonde est Deva. La rousse s'appelle Sarai, la grande brune Samara, et la petite Léa... Votre journée s'est bien passée ?

India eut un petit rire.

— C'était très instructif, en tout cas !

— Passez me rendre visite, quand vous aurez une minute. Maintenant, allez chercher l'élue de ce soir.

India traversa le harem pour s'arrêter devant Nila.

— Le bey souhaite vous avoir près de lui. Suivez-moi, dit-elle d'un ton neutre avant de se détourner.

La courtisane se leva. Elle adressa un sourire triomphant à ses camarades, avant de se hâter derrière India.

— Ne marche pas si vite ! se plaignit-elle. Je n'ai pas des jambes aussi musclées que les tiennes. Je suis fine et délicate, moi !

India, sans répondre, allongea le pas. Fine et délicate ? Cette fille était une grossière paysanne !

— Je me plaindrai de toi au bey ! gémit Nila.

India s'arrêta net.

— Et moi, je lui dirai que je t'ai entendue te moquer de sa virilité.

— Quoi ? Tu n'oserais pas ! s'écria Nila, les yeux pleins de terreur.

— Alors, tu n'as pas intérêt à me contrarier !... À partir de là, ajouta India comme elles arrivaient à la porte des appartements de Caynan Reis, tu connais le chemin, je suppose.

Nila passa vivement devant elle, et la jeune fille l'entendit roucouler :

— Je suis venue aussi vite que j'ai pu, mon seigneur !

Elle entendit aussi le bey qui criait :

— India ! Apporte-moi un pichet de limonade ! Comment se fait-il qu'il n'y en ait pas ici ? Dépêche-toi !

Elle claqua la porte puis courut à la cuisine, qui était déserte. Sur une table se trouvait un plateau avec une carafe et deux gobelets. Elle le prit et retourna dans la chambre du bey. Lui et sa compagne étaient nus. La jeune femme, assise entre les jambes de son maître, lui suçait les doigts d'une main pendant que de l'autre il caressait sa lourde poitrine, les yeux clos.

India s'immobilisa, ne sachant où poser le plateau. Nila porta ensuite la main de son maître à son mont de Vénus, et il se mit à la caresser tandis qu'elle ondulait en gémissant.

Le bey ouvrit les yeux, croisa le regard d'India. Celle-ci était incapable de se détourner, rouge de honte.

— Pose le plateau sur le lit et va te coucher, dit-il enfin, pris de compassion devant son désarroi.

Elle trébucha dans sa hâte d'obéir, d'échapper à cette scène à la fois troublante et choquante. Les jambes en coton, le cœur battant, elle sortit son matelas du placard et s'installa devant la porte. Mais lorsqu'elle ferma les yeux, elle vit de nouveau Caynan Reis avec sa maîtresse... Pourquoi était-elle à ce point bouleversée ? Le bey ne faisait pas de mal à Nila, au contraire...

India allait enfin sombrer dans le sommeil quand un gémissement de femme la tira de sa somnolence. Elle se rapprocha du battant, y colla son oreille.

— Oh... oh... psalmodiait Nila. N'arrêtez pas, mon seigneur ! C'est le paradis ! Oh... encore... oui !

Le bey eut une sorte de feulement de plaisir.

— Je n'arrête pas, insatiable petite. Je n'arrêterai que quand tu seras comblée.

— Oh oui, oui, oui ! sanglotait Nila.

India se roula en boule, les mains sur les oreilles. L'image du bey et de la jeune femme ne cessait de la hanter. Que lui arrivait-il ? Elle tenta de s'imaginer avec Adrian dans la même situation, mais à son grand désarroi, ce fut la vision du bey qui s'imposa : elle se retrouvait à la place de Nila... Quelle horreur ! Elle ne connaissait pas cet homme. Comment pouvait-elle envisager une telle intimité avec lui ?

C'était honteux !

Les jours suivants s'écoulèrent selon le même rituel que le premier, pourtant ils étaient tous différents. India aimait surtout les matins où il tenait audience publique, ou quand des officiels et des étrangers venaient lui rendre visite. Les Européens et les Juifs éprouvaient quelque difficulté à ne pas regarder ses seins maquillés. Curieusement, elle commençait à trouver un certain humour à la situation.

Les après-midi étaient chauds, longs, ennuyeux. Cependant, le bey avait accordé à Azura la permission d'apprendre l'arabe à India, qui relevait le défi avec grand plaisir.

Un jour, plusieurs mois après son arrivée à El Sinut, comme elles terminaient la leçon, Azura commanda de la citronnade et des gâteaux au miel, puis elle félicita son élève.

— Bravo ! Il a fallu beaucoup plus de temps à Caynan Reis pour obtenir cette maîtrise de notre langue. Vous êtes très douée, mon enfant.

— Qui est-il, Azura ? Caynan Reis, je veux dire... Comment un étranger a-t-il pu s'élever si haut au service du sultan ?

— C'était un prisonnier, comme votre cousin qui navigue à présent avec Aruj Agha. Il a passé presque deux ans aux galères. Un jour, alors que son navire était ancré au port, mon maître, Sharif el Mohammed, s'est rendu à bord pour parler au capitaine. L'entretien terminé, Sharif a quitté le bateau mais, au moment où il montait dans sa barge, il est tombé à l'eau. Il ne savait pas nager et était en outre empêtré dans ses vêtements. Caynan a plongé et a sauvé le bey.

« Afin de le remercier, mon cher seigneur Sharif l'a émancipé et lui a proposé de le prendre à son service. Ils sont rapidement devenus amis. Tandis que Sharif déclinait lentement, Caynan a assumé de plus en plus de responsabilités. Mon seigneur a écrit au sultan pour l'informer de son piètre état de santé, et le prier de laisser Caynan Reis lui succéder. Le sultan a accepté et peu après, Sharif el Mohammed est mort, rassuré de savoir El Sinut en de bonnes mains.

Il y avait des larmes dans les yeux d'Azura. India lui prit la main.

— Ne pleurez pas, madame...

Azura eut un petit rire tremblant.

— Il y avait longtemps que je n'avais pas pleuré en évoquant Sharif el Mohammed. Il a demandé à Caynan Reis de me permettre de continuer à vivre ici. Caynan est comme un fils, pour moi. Il s'est montré très bon... Dites-moi, mon enfant, commencez-vous à l'apprécier ?

— Oui, mais pas tout le temps. Parfois il est cruel, madame, même si je soupçonne que ce n'est qu'une façade.

— C'est fort bien observé. Il faudra une femme exceptionnelle pour faire fondre la glace qui enserre son cœur... et cette femme, c'est peut-être vous. Vous ne passerez pas votre vie à être esclave du corps, vous pourriez avoir tout ce que vous voulez, mon petit.

— Je crois que je ne suis pas encore prête, madame, avoua India.

— Vous n'espérez tout de même pas retourner en Angleterre, India ? Cela ne se produira pas. Votre vie est ici, dorénavant...

Le soir, sur son matelas, afin de ne plus écouter les cris de la compagne du bey, India s'efforça de repenser aux paroles d'Azura. Pourquoi criaientelles, ces femmes, et pourquoi Caynan faisait-il du bruit, lui aussi ? C'était un mystère qui ne serait résolu que le jour où elle lui céderait enfin... Mais le pourrait-elle ? Azura avait-elle raison quand elle disait qu'elle ne retournerait jamais dans son pays ? Et désirait-elle vivre ici pour toujours ?

Elle connaissait bien le corps du bey, à présent, et sa vue ne l'effrayait plus. Elle connaissait bien son propre corps également, tout en ignorant ce qu'ils étaient censés faire ensemble – après les premières caresses et les baisers auxquels elle avait assisté.

Elle avait un jour demandé à sa mère ce qui se produisait entre un homme et une femme. Jasmine était restée un moment songeuse, puis avait répondu qu'on le lui expliquerait avant qu'elle se marie, car il n'était pas indispensable qu'elle soit au courant tout de suite. Cela risquerait de lui donner envie d'essayer, or il n'était pas convenable que les jeunes filles expérimentent la passion avant le mariage. En outre, avait ajouté Jasmine en riant, mieux valait qu'un homme se croie le maître en matière d'amour – en tout cas la première fois.

Azura répondrait-elle à ses questions ? Oui, sans doute. Elle l'interrogerait dès le lendemain. Azura serait certainement ravie de la voir manifester de l'intérêt pour ce sujet.

— Ah, mon seigneur, c'est trop bon ! criait la fille de l'autre côté de la porte.

— Tais-toi, sotte ! marmonna India, qui se promit de ne jamais se comporter comme ces créatures écervelées.

Elle se disait que les filles criaient ainsi pour flatter le bey, sans en être tout à fait sûre. Aurait-elle enfin le courage de vérifier par elle-même ? Mais peut-être Caynan Reis avait-il perdu tout intérêt pour elle… Non. Elle avait surpris son regard pénétrant, son sourire entendu. À moins qu'elle ne se trompe totalement ? Dieu, que c'était embarrassant !…

Elle finit par s'endormir, pour se réveiller juste avant l'aube, comme d'habitude. Elle roula son matelas avant de le ranger dans le placard, puis elle pénétra silencieusement dans la chambre du bey et secoua la fille qui dormait à son côté.

— C'est l'heure, Samara. Lève-toi et rentre au harem.

La fille se retourna, langoureuse, en entrouvrant les yeux.

— Si je reste, il aura peut-être encore envie de moi, murmura-t-elle.

India la tira par le bras.

— Lève-toi ! Tu connais la règle. Si tu n'obéis pas tout de suite, je vais chercher Baba Hassan.

Samara se leva en ronchonnant.

— Tu es jalouse parce que le bey ne te désire pas. Tu n'es qu'une esclave du corps, après tout, dit-elle avec mépris.

India lui jeta son caftan.

— Tu te trompes. C'est moi qui ne le désire pas. Et je pense qu'il se passera du temps avant que tu reviennes dans son lit, Samara.

Elle eut un sourire mielleux, puis ajouta :

— Vois-tu, j'ai toute sa confiance, maintenant, et c'est moi qui choisis sa compagne pour la nuit. Je ne crois pas que je te choisirai de si tôt.

Samara en resta bouche bée.

— Menteuse ! Tu n'es qu'une menteuse ! cracha-t-elle.

India éclata de rire.

— Eh bien, retourne au harem, et attends la prochaine invitation de ton maître. Tu verras bien !

Elle poussa la fille dehors et ferma la porte.

— Sale chipie ! marmonna-t-elle. J'aimerais mieux dormir avec lui plutôt que de te laisser revenir dans son lit…

— C'est vrai, India ?

Le bey se tenait sur le seuil de la chambre.

— Qu'est-ce qui est vrai, mon seigneur ? demanda-t-elle, innocente.

— Tu as la langue bien pendue, India, dit-il en riant. Et tu ne te gênes pas pour bousculer mes femmes… Serais-tu jalouse d'elles ?

— Je suis votre esclave, mon seigneur, mais je suis aussi fille de duc. Vos femmes sont de basse extraction. Si je ne gardais pas mes distances, ce serait intolérable, répondit-elle en évitant volontairement sa question. Venez, mon seigneur, c'est l'heure de votre bain.

— Bien, madame, dit-il, ironique, en la suivant.

Elle lui racla la peau avec une telle énergie qu'il finit par protester.

— Ne faites pas l'enfant, le gronda-t-elle. Allez vous tremper dans le bassin.

Il se plongea dans l'eau parfumée tout en l'observant, les yeux mi-clos, pendant qu'elle procédait à ses propres ablutions. Il n'avait rien tenté depuis le premier jour, et il se demandait s'il n'était pas temps de recommencer… Il la vit se rincer abondamment à l'aide d'un broc, puis elle vint le rejoindre dans le bassin où elle s'assit en face de lui, comme tous les jours.

— Vous n'avez pas de visiteur aujourd'hui, mon seigneur.

— Je dois étudier les projets de l'ingénieur pour l'aqueduc. Je me demande s'il ne vaudrait pas mieux en construire un nouveau, car celui-ci date de l'époque romaine.

— Pourquoi ne pas effectuer juste les réparations indispensables, le temps d'en réaliser un nouveau ? Ainsi, El Sinut serait sans cesse approvisionnée en eau. Si l'ancien est tellement vieux, il risque de lâcher d'un moment à l'autre, ce qui serait une catastrophe pour tous.

— On pourrait répondre que s'il a déjà tenu tout ce temps, il tiendra bien encore. Alors à quoi bon dépenser de l'argent ?

— C'est une question de survie pour les habitants, mon seigneur, objecta-t-elle. Votre gouvernement n'est-il pas riche ? À quoi bon les taxes et les impôts, s'ils ne servent pas à assurer le confort des gens ? D'après ce que vous m'avez dit et ce que j'ai entendu au cours des derniers mois, la mère du sultan ne tient pas à ce que des querelles troublent le règne de son jeune fils. Si El Sinut perd ses réserves d'eau, le peuple se retournera contre le gouvernement, et que pourra faire Istanbul, de loin ? Leur seule solution sera d'envoyer la troupe afin d'écraser la sédition. Puis ils s'en iront, en laissant derrière eux le problème entier. Mieux vaut s'occuper tout de suite de cet aqueduc, mon seigneur, et éviter ainsi toute discorde éventuelle.

— Voilà un conseil avisé, dit-il.

Son intelligence était bien supérieure à celle des autres femmes qu'il avait rencontrées. Visiblement, elle avait réfléchi au problème et envisagé toutes les questions.

Elle eut un vrai sourire.

— Venez, mon seigneur, dit-elle en sortant de l'eau. Vous ne pouvez rester là toute la journée.

Elle l'enveloppa dans une grande serviette et commença à le sécher.

Caynan esquissa un sourire. Il avait décidé de la séduire, et elle l'avait tellement intéressé avec cette histoire d'aqueduc qu'il avait complètement oublié ! « Laisse-la venir à toi », lui répétait une petite voix.

Il se fit masser, India l'habilla et lui apporta son petit déjeuner, puis il s'enferma dans sa bibliothèque, l'autorisant à disposer de son temps jusqu'au repas principal.

Comme il étudiait les plans de l'aqueduc, il comprit qu'elle avait raison. Il envoya chercher l'architecte et évoqua la possibilité de construire un nouvel aqueduc afin de remplacer l'ancien.

— Ce serait une meilleure stratégie, mon seigneur, approuva l'ingénieur. Nous pourrions effectuer quelques petites réparations sur le vieux en attendant le nouveau, qui ne sera pas prêt avant trois ans. Ce serait une solution de sécurité pour les siècles à venir.

— Et le prix ?

— Pas tellement plus élevé que de sérieuses réparations sur l'ancien, mon seigneur.

— Alors, construisons un nouvel aqueduc ! décida le bey en lui rendant les plans. Commencez tout de suite.

En retournant au salon, il vit que le repas principal était déjà servi. Il avait mal à la tête, la chaleur lui paraissait excessive, pourtant son appétit n'en était pas affecté. Quand il eut terminé, il se leva.

— Il va pleuvoir, je le crains, dit-il.

— Je vous installe pour la sieste, mon seigneur ?

Il acquiesça. Dieu, comme il avait envie d'elle !

— Vous vous sentez bien, mon seigneur ? demanda-t-elle, le trouvant nerveux.

— J'ai la migraine, India.

— Asseyez-vous, je vais vous masser les tempes.

— Non.

Si elle le touchait, il ne pourrait plus se dominer.

— Je vais me reposer, et tout ira mieux ensuite. Va prendre ta leçon avec Azura.

— Azura dit que j'ai progressé plus vite que n'importe quelle élève. Je préfère rester ici, mon seigneur. Ainsi, je serai là si vous avez besoin de moi.

— Viens t'allonger à mon côté, suggéra-t-il doucement.

Elle secoua la tête.

— Juste t'allonger, India, insista-t-il. Je te promets qu'il ne se passera rien. Ta présence m'apaisera.

— Je n'ai pas déjeuné, et il faut que je rapporte le plateau à la cuisine, sinon notre bon vieil Abû s'inquiétera.

— Quand tu auras terminé, viens me rejoindre.

— C'est un ordre, mon seigneur ?

— Non, répondit-il en fermant les yeux.

India sortit de la chambre, déjeuna, puis elle se rendit aux cuisines, avant de revenir dans l'appartement du bey. Elle hésita un moment, puis alla s'allonger sur le divan près de lui. Comme il ne bougeait pas, elle aurait été incapable de dire s'il dormait ou non. De grosses gouttes de pluie martelaient le carrelage de la terrasse, à présent. Elle ne tarda pas à glisser dans le sommeil.

Caynan Reis passa un bras sur la jeune fille endormie. Elle soupira doucement et se serra contre lui. Elle était venue à lui toute seule…

Elle était merveilleusement belle, et elle lui appartenait presque… Il mourait d'envie de baiser ces lèvres pleines, de goûter à sa tendre innocence. Il serra les dents. S'il allait plus loin, il risquait de l'effrayer. D'autres hommes auraient trouvé son attitude ridicule, il le savait. Quand une femme appartenait à un homme et qu'il la désirait, elle lui offrait son corps... ou il le prenait. Pourtant, depuis le tout début, il avait été incapable de la bousculer, et il se rendit compte qu'il voulait qu'India le désire pour lui-même, et non parce qu'il était le bey d'El Sinut.

Les femmes du harem étaient jolies et aimables, mais India avait raison lorsqu'elle disait qu'elles avaient peur de lui. Il avait pouvoir de vie et de mort sur elles, et elles cherchaient à lui plaire parce que tout ce qu'elles avaient, tout ce qu'elles étaient, dépendait de lui. Si Caynan Reis avait rendu India un peu plus docile, il n'avait pas brisé son esprit. Elle lui parlait avec franchise, elle ne disait pas de banalités. Or il en fallait plus au bey que des maîtresses voluptueuses. Il lui fallait une compagne, quelqu'un qu'il considère comme son égale... Il lui fallait India, c'était aussi simple que ça.

Ces derniers temps, il l'avait surprise en train de le regarder avec une sorte d'interrogation dans ses magnifiques yeux dorés. À quoi pensait-elle ? Pourrait-elle l'aimer sincèrement un jour, après la façon dont ils s'étaient connus ? S'ils s'étaient trouvés en Angleterre, aurait-elle pu envisager de l'épouser ? Elle avait dix-huit ans, et sa famille ne lui avait pas encore choisi de mari. Il se demanda pourquoi, et se promit de lui poser la question...

Les tempes encore douloureuses, il tomba enfin dans un profond sommeil, mais se réveilla l'esprit parfaitement clair. Il ne pleuvait plus, et India n'était plus près de lui... Avait-il rêvé ?

— India !

— Oui, mon seigneur ?

Elle se tenait sur le seuil de la chambre.

— Je n'ai plus mal à la tête, dit-il, se sentant ridicule.

Un instant, tel un enfant, il avait eu peur qu'elle l'ait quitté.

— J'en suis heureuse, mon seigneur.

Il se leva, enfila son caftan.

— Qui vais-je choisir ce soir pour dormir avec moi, India ?

Elle demeura longtemps silencieuse à le fixer d'un regard insondable. Enfin, elle répondit à voix basse :

— Il ne me semble pas convenable de choisir à votre place, mon seigneur. Je sais que vous m'avez entendue m'en vanter auprès de Samara ce matin, mais c'était seulement pour rabattre le caquet à cette stupide péronnelle.

— Qui vais-je choisir, India ? répéta-t-il en posant les mains sur ses épaules.

« Je deviens folle, se dit-elle, le cœur battant. Non… »

— India ?

— Moi, mon seigneur. Choisissez-moi.

10

Il n'était pas tout à fait sûr d'avoir bien entendu. Il prit le visage de la jeune fille entre ses mains et plongea dans le merveilleux regard doré.

— India... ?

— Choisissez-moi, mon seigneur, répéta-t-elle.

— Tu es sûre ?

Il en avait la tête qui tournait. Et brusquement, il eut une révélation : ce n'était pas du simple désir... c'était de l'amour !

— J'en suis sûre. Mais je vous en prie, mon seigneur, soyez doux avec moi. Vous savez que je ne suis pas idiote, mais je ne connais presque rien à la passion, dit-elle en rougissant.

Caynan Reis se pencha sur elle pour un baiser délicat, plein de promesses.

Quand il se redressa, la jeune fille porta instinctivement la main à ses lèvres. Elle ne s'était pas attendue à cette tendresse. En la voyant si troublée, le bey fut certain de son innocence.

— Je t'apprendrai, India, promit-il en la serrant entre ses bras puissants.

Elle sentait les battements de son cœur à son oreille. Elle tremblait. Consternée par cette réaction, elle se dégagea.

Il caressa ses cheveux afin de l'apaiser.

— La passion est toujours déconcertante, au début.

— Je me sens stupide, avoua-t-elle.

— Il ne faut pas, ma piquante petite vierge, se moqua-t-il gentiment. Je n'ai jamais eu de vraie jeune fille dans mon lit, et cela me plaît infiniment.

— Que dois-je faire ?

— Plus tard, je t'enseignerai les manières de me plaire, et Azura te donnera quelques leçons aussi, mon précieux trésor. Mais cette nuit, je vais seulement t'initier aux délices de l'amour...

Elle se raidit, et il la relâcha.

— Va chercher notre repas du soir, India. Ma migraine a disparu et j'ai faim, tout à coup.

Elle s'enfuit vivement, soulagée. Non qu'elle ait envie de revenir sur sa parole, mais elle était heureuse qu'il n'ait pas l'intention de la brusquer. Qu'allait-il se passer? Se mettrait-elle à crier, comme ces sottes du harem ? Le baiser du bey avait été merveilleux, bien plus agréable que ceux d'Adrian...

Elle eut un bref pincement au cœur en pensant à lui. Mais il s'était conduit bêtement. Le bey n'était pas méchant, il voulait seulement être respecté, et c'était son droit le plus strict. Si Adrian avait adopté un comportement plus modeste, il aurait déjà été échangé contre une rançon, et la famille d'India, sachant où elle se trouvait, aurait tenté de la faire revenir. Par la faute d'Adrian et de son attitude déraisonnable, elle resterait prisonnière à vie.

Était-ce pour cette raison qu'elle cédait enfin au désir de Caynan Reis ? Pour obtenir une place différente dans ce nouvel univers ? Ou parce que cet homme, tour à tour doux et cruel, l'intriguait ?

À la cuisine, elle trouva le plateau et retourna chez le bey.

— J'ai sorti l'échiquier, dit-il tandis qu'elle posait le repas sur la table, avant de préparer les linges d'amour.

Ils s'assirent et se mirent à jouer. Elle avait beaucoup appris, au cours dcs mois, et était devenue une redoutable adversaire. Toutefois, ce soir-là, elle était distraite, et après trois victoires successives, Caynan Reis décida de mettre un terme à la partie.

Il prit la main d'India pour la porter à ses lèvres. Instinctivement, elle appuya les doigts sur la bouche du bey, mais quand il en suça le bout, elle les dégagea, choquée.

Il posa à son tour la main contre sa bouche.

— Fais ce que je viens de faire, India.

Elle obéit timidement, puis s'enhardit, et elle sentit soudain ses joues la brûler. C'était si sensuel, si... primitif ! Elle avait à la fois envie d'arrêter et de continuer. Elle recula enfin et leva vers lui un regard étonné.

Il lui effleura la joue.

— As-tu faim ?

Elle acquiesça, même si ce n'était pas vrai. Elle avait désespérément besoin de se changer les idées, de chasser les pensées érotiques qui lui venaient à l'esprit. Ils se dirigèrent vers la table dressée, et India servit à Caynan un gobelet de citronnade glacée.

Ils mangèrent en silence. India, fascinée, le regarda cueillir les grains de raisin un par un de ses dents très blanches.

Quand il eut terminé, il prit une tranche de grenade dont il ôta les pépins, avant de la couper en morceaux et de les offrir à la jeune fille. Elle accepta, léchant le jus sur les doigts du bey, surprise elle-même de sa hardiesse. Au demi-sourire qui dansait sur ses lèvres, elle se douta qu'il lisait dans ses pensées, et elle rougit davantage.

Caynan Reis prit une des serviettes humides pour essuyer la bouche d'India. Ensuite, il s'appuya au dossier de son fauteuil.

— Déshabille-toi, India.

Elle ne protesta pas. La nudité ne la gênait plus, et elle dénoua la ceinture de son sarouel qui tomba à terre.

— Viens là, maintenant.

Quand elle se tint debout devant lui, il prit la serviette pour effacer le carmin sur ses seins.

— Je te préfère comme Dieu t'a faite, dit-il.

Il se débarrassa de son caftan, puis il attira doucement la jeune fille entre ses bras.

— Tu ne peux pas savoir, mon trésor, à quel point je te désire, mais je ne veux pas que tu redoutes ce qui va se passer entre nous cette nuit. Tu comprends ?

Elle était tellement intimidée qu'elle ne pouvait croiser son regard. C'était stupide !

— Je ne te ferai pas mal, promit-il. Si tu as peur, dis-le-moi. Il est normal qu'une vierge ait des appréhensions, mais l'amour est une fête, et j'aimerais que nous la partagions ensemble.

Elle osa enfin lever la tête vers lui. Son baiser fut infiniment doux, rassurant, et elle s'aperçut qu'elle y répondait. « Je désire cet homme… sans savoir vraiment ce que je désire », songea-t-elle.

Il déposa ensuite une pluie de baisers sur son visage, qu'il tenait entre ses mains.

— Tu es si belle ! murmura-t-il contre ses lèvres avant de l'embrasser de nouveau, jouant avec ses lèvres pour qu'elle les ouvre.

Leurs langues se touchèrent, et elle sursauta. Mais

il ne la lâcha pas. Au contraire, il insista, et elle finit par céder tandis qu'une étrange chaleur l'envahissait tout entière. Elle passa les bras autour de son cou pour se presser davantage contre lui.

Elle ne pouvait deviner la tempête qu'elle déchaînait chez Caynan Reis. Si elle avait été une autre, il l'aurait renversée et prise à même le tapis. Mais il se contint et, la saisissant à la taille, la retourna afin de prendre ses seins dans ses mains en coupe. Il sourit quand les bouts roses se dressèrent sous la caresse de ses pouces.

India, les yeux clos, se laissa aller contre son épaule. Elle se sentait aimée, précieuse. Elle était plus détendue qu'elle ne l'avait jamais été avec Adrian. Comment était-ce possible, alors qu'elle aimait Adrian ? Elle se rendit compte que son père avait raison : sa relation avec Adrian n'avait été qu'un caprice, même si, dans son entêtement, elle avait voulu croire qu'il s'agissait du grand amour... Mais alors, qu'éprouvait-elle pour Caynan Reis ? N'était-ce qu'une manifestation de l'éveil de sa sensualité ? Si elle ne ressentait rien pour lui, comment pouvait-elle lui autoriser de telles familiarités ? Car il ne l'avait pas forcée, elle ne pouvait se dissimuler derrière cette excuse !

— Qu'y a-t-il, India ? murmura-t-il dans son cou. Tu es perturbée, je le sens.

— Je me demande quelle sorte de créature je suis pour prendre plaisir à vos caresses, répondit-elle, candide. On m'a enseigné que ce genre d'intimité n'était convenable qu'entre mari et femme, pourtant je vous autorise à me toucher... et je ne me sens pas coupable. Je n'ai certainement aucun sens moral.

Il la tourna de nouveau vers lui.

— Regarde-moi ! ordonna-t-il.

Elle obéit, et il poursuivit :

— Nous ne sommes pas en Angleterre, India. Tes parents t'ont bien élevée, et tu as des principes moraux, mais même en Angleterre, ces principes ne sont pas toujours respectés, quoi que prétendent le roi et l'Église. Ici, nous ne considérons pas l'amour comme un péché… As-tu songé, India, que tu es peut-être en train de te prendre d'affection pour moi, et que c'est la raison pour laquelle tu n'as pas honte de ton comportement ?

Les yeux bleus l'interrogeaient.

La jeune fille frémit.

— Je… je… Oh, je déteste cette impression de confusion ! s'écria-t-elle.

— Je t'ai dit qu'il ne se passerait rien entre nous, tant que tu ne le désirerais pas autant que moi, lui rappela-t-il en espérant qu'elle n'allait pas se dérober maintenant.

— Mais je le désire… vraiment ! dit-elle en cachant son visage contre la poitrine du bey.

Elle agissait comme la dernière des sottes ! Que lui arrivait-il ?

« Par Allah ! pensait-il de son côté. Les vierges sont-elles toutes aussi compliquées ? » Tant pis pour les scrupules de cette petite sorcière ! Elle avait donné son consentement, il n'attendrait pas davantage !

Il la souleva de terre pour la porter sur le lit.

Elle ouvrit de grands yeux effarouchés. Elle avait dépassé le point de non-retour, elle le savait. Comme il se relevait à demi, elle vit sur son visage l'expression de la passion à l'état pur, et elle songea à sa mère. Jasmine ne s'était-elle pas donnée de son plein gré au prince Henry Stuart ? De leur liaison était né son demi-frère, Charles Frederick Stuart. Et pourtant, cela se passait en Angleterre !

— À quoi penses-tu ? demanda le bey.

— Votre regard me brûle, mon seigneur, biaisa-t-elle.

Il rit.

— Si tu lisais dans mes pensées, petite vierge, tu serais déjà en flammes ! Je ne me rappelle pas avoir désiré une femme autant que je te désire, précieuse India.

— Je ne suis pas encore une femme, murmura-t-elle.

— Nous allons y remédier.

Ses baisers se firent passionnés, et il descendit le long de son cou jusqu'à ses seins. Sa bouche éveillait des frissons partout où elle passait, et India avait une conscience aiguë de son corps. Ses seins gonflaient presque douloureusement, et un petit cri lui échappa quand il prit un bouton rose entre ses lèvres.

La main de Caynan Reis dessinait des arabesques sur son ventre, et elle retint son souffle, en attente de... elle ne savait quoi. Lorsqu'il glissa un doigt dans les plis tendres de sa féminité, elle cessa de respirer. La caresse se faisait plus précise, et elle enfonça les ongles dans ses épaules.

— C'est là le centre du plaisir, dit-il sans cesser de jouer avec sa chair. Tu le sens, mon trésor, n'est-ce pas ? Tu sens la joie qui commence à monter en toi ?

— Oui...

C'était le paradis ! Elle se dit qu'elle allait exploser... et elle explosa. Le plaisir envahit son corps comme un vin capiteux, se répandit dans ses veines... puis cessa comme il était venu.

— Non ! protesta-t-elle.
— Attends, ce n'est que le début, promit-il.
Très doucement, il vérifia qu'elle était vierge – ce dont il n'avait jamais douté, cependant il fut heureux de sentir l'hymen sous son doigt. Elle était étroite, mais déjà prête pour lui. Il s'allongea sur elle et l'embrassa passionnément.
Elle était parfaitement consciente de sa virilité, tout à l'heure pressée contre son ventre, qui cherchait maintenant à la posséder. Il lui ouvrit les jambes sans la quitter des yeux, et elle lut la tendresse dans son regard.
— Mon seigneur ? demanda-t-elle, déconcertée.
— Petite folle, murmura-t-il. Tu n'as pas compris que je t'aime ?
Puis, sans un mot de plus, il plongea en elle.
Elle fut aussi frappée par cette déclaration que par la brève douleur qui la déchira. Puis il se mit à bouger, et India ne put retenir un cri de plaisir.
— Mets tes jambes autour de moi, souffla-t-il à son oreille.
Elle obéit et cria encore quand il entra plus profondément en elle. C'était merveilleux, magique… indescriptible ! La tension montait, montait. Elle gémissait, incapable de se retenir. Puis elle eut l'impression qu'on projetait son corps vers les étoiles. Elle fut secouée de violents spasmes, une intense chaleur l'envahit, et elle se retrouva à bout de souffle, épuisée, ravie.
Quand il la sentit se contracter, il fut stupéfait. Elle était vierge, pourtant elle éclatait de passion, et il se laissa aller lui aussi, emplissant son jardin secret de sa sève. « Je veux qu'elle me donne des fils » fut sa dernière pensée consciente. Il roula sur le côté, l'entraînant avec lui…

Il sortit de sa torpeur au son de légers sanglots.

— Qu'y a-t-il ?... Pardonne-moi si je t'ai fait mal. Dis-moi, ma précieuse.

— Je suis si heureuse, répliqua-t-elle à travers ses larmes. Est-ce que ce sera toujours comme ça ? Continuerez-vous à me désirer, ou ai-je perdu tout attrait en perdant ma virginité ?

Sa vulnérabilité était infiniment touchante.

— Je t'aime, répéta-t-il. Crois-tu que je te l'aie dit tout à l'heure uniquement pour apaiser tes scrupules ? Jamais je n'aurais pensé pouvoir aimer une femme, mais je t'aime. Et je te désirerai toujours, petite folle. Toujours ! Je vais t'épouser le plus vite possible. Tu seras la première épouse du bey.

Elle se redressa.

— *Première* épouse ?

— J'ai droit à quatre, la taquina-t-il.

— Et vous en prendrez quatre ? demanda-t-elle, de la colère dans la voix.

— Je pense que tu me suffiras, ma précieuse, dit-il gaiement. Par Allah, voilà que le désir revient déjà !

— Et votre harem, mon seigneur ? insista-t-elle.

— Le bey d'El Sinut passerait pour une poule mouillée s'il ne continuait pas à entretenir un harem. Mais assez parlé. Embrasse-moi.

— Ferez-vous encore l'amour aux femmes de votre harem ?

Il l'attira sous lui et l'embrassa fougueusement.

— N'en aurai-je pas le droit au moins lorsque tu porteras mes enfants, ou lorsque tu seras indisposée ?

— Vous ne pouvez pas vous en passer ?

— Non, répondit-il en souriant. Maintenant, va chercher les linges d'amour, car j'ai de plus en plus envie de toi.

Elle s'exécuta, boudeuse, et commença par essuyer le sang qui maculait ses cuisses, avant d'apporter la cuvette au bey.

— Tu dois me laver, lui rappela-t-il.

Elle observa le sexe de Caynan Reis, qui lui parut infiniment plus grand que lorsqu'elle faisait sa toilette quotidienne. Elle le lava, un peu maladroitement.

— Caresse-moi là, dit-il ensuite. Prends-moi dans tes mains.

Elle s'assit face à lui, curieuse, et l'effleura du bout des doigts. Le membre réagit et elle sursauta, effrayée, avant de refermer la main sur lui.

— Je le sens palpiter, dit-elle.

Elle le caressa doucement et eut la surprise de le voir grandir encore.

— Tu vois le pouvoir que tu as sur moi ? Si je pense à toi, je suis excité. Si tu me touches, je suis prêt pour l'amour.

Il lui caressait les seins en parlant.

— Je peux éveiller vos sens comme vous éveillez les miens, murmura-t-elle, comprenant ce qu'il voulait lui expliquer.

Il l'attira à lui pour l'embrasser.

— C'est exactement ça, India.

— Faites-moi l'amour, mon seigneur, dit-elle doucement. Et apprenez-moi à vous faire plaisir.

— Une autre fois. Cette nuit est pour toi...

Il prit ses lèvres et, une fois de plus, ce fut le paradis.

De son côté, Azura avait remarqué que le bey n'avait demandé aucune compagne pour la nuit. Vers minuit, elle se rendit chez le chef des eunuques.

— Il n'a envoyé chercher aucune femme, Baba Hassan. C'est la première fois depuis qu'il est bey !

— Cela signifie certainement que notre petite vierge a enfin succombé. Avez-vous remarqué la façon dont il la regarde ? Sa patience est stupéfiante !

Baba Hassan se leva de son divan.

— Venez. Allons voir ce qui se passe entre eux...

— Impossible ! protesta Azura. Ce serait une intrusion dans la vie privée de Caynan Reis !

Baba Hassan rit, les yeux plissés.

— Il n'en saura rien, Azura. Suivez-moi.

Il s'empara d'une petite lampe à huile et, traversant la chambre, il appuya sur un carreau de céramique au-dessus de sa tête. Aussitôt, une porte dérobée s'ouvrit sur un étroit couloir dans lequel il s'engagea, suivi d'Azura.

Le passage était sinueux, l'atmosphère à peine respirable. Comment se faisait-il qu'Azura n'ait jamais eu connaissance de ce passage secret ? Il y avait de nombreux croisements, parmi lesquels l'eunuque se dirigeait sans hésitation. Azura commençait à se sentir oppressée.

— C'est encore loin ? demanda-t-elle.

Baba Hassan s'arrêta brusquement. Il leva la lampe et actionna une petite poignée dans le mur, révélant une mince ouverture.

— Regardez, Azura, et dites-moi ce que vous voyez.

La maîtresse du harem obéit, et esquissa un sourire. Caynan Reis faisait l'amour à India, qui lui répondait avec fougue... Elle se détourna.

— C'est bien ce que vous pensiez, dit-elle à Baba Hassan.

L'eunuque jeta un rapide coup d'œil par le trou, puis il referma la trappe et ramena sa compagne vers ses appartements.

Comme deux conspirateurs, ils s'installèrent devant un café pour discuter.

— Maintenant, il ne reste plus qu'à espérer qu'il ne se lassera pas trop vite d'elle. Il faut qu'il lui fasse un enfant. Vous ne lui avez pas donné d'herbes contraceptives ?

— C'était inutile, répondit Azura, puisqu'elle ne voulait pas lui céder. Et je ne lui en donnerai que si le bey l'exige. Il semblait si gentil avec elle, Baba Hassan… ajouta-t-elle, attendrie.

— Il est amoureux, décréta l'eunuque.

— Ce n'est pas seulement du désir ?

— Non. C'est de l'amour. Il se comportait avec elle comme notre défunt bey avec vous, Azura. Elle a de la chance.

— Pourvu que nous ayons assez de temps avant que les janissaires se manifestent, s'inquiéta Azura. Il faut que son cœur soit pleinement pris par India, afin qu'il se conduise avec prudence et sagesse. Oh, pourquoi les hommes se font-ils toujours la guerre, Baba Hassan ?

— C'est dans leur nature…

L'eunuque eut un petit rire.

— Une guerre va aussi se déclencher dans le harem, quand les femmes apprendront qu'India est devenue la favorite de notre maître ! ajouta-t-il.

Azura fronça les sourcils. Il avait raison.

— Leurs complots n'auront rien à envier à ceux des janissaires, marmonna-t-elle en se levant. Il vaut mieux que j'aille me coucher, car India aura besoin de moi, tout à l'heure. Il faudra que je la protège des autres. Elles se sont rendu compte qu'il n'avait appelé personne cette nuit, et elles ne cessaient d'en parler quand je les ai envoyées au lit. Au matin, elles auront sûrement compris ce qui s'est passé.

— Vous saurez les tenir en respect.

— Certes, mais j'ai horreur des querelles dans notre petit univers. Je n'hésiterai pas à me débarrasser de celles qui causeront trop d'ennuis...

Après le départ d'Azura, le chef des eunuques se rembrunit. Ses amis à Istanbul l'avaient récemment averti qu'un agent des janissaires avait été envoyé dans les États de la région. Un seul, afin d'éviter les soupçons. Par où commencerait-il sa mission ? Irait-il d'abord à Alger, ou directement à El Sinut ? Et sous quel déguisement ? Baba Hassan ne savait comment en parler au bey. Aruj Agha était en mer... Il soupira. Il détestait l'idée d'une révolte.

El Sinut était en paix depuis quelque temps, mais c'était le plus petit des États barbaresques, et il se trouvait toujours en danger d'être absorbé par ses puissants voisins. C'était seulement l'intelligence des beys précédents qui avait sauvegardé son indépendance, ainsi que l'importance de sa flotte qui rapportait beaucoup dans les coffres de l'Empire ottoman. Il n'y avait jamais eu de révolte sérieuse contre le sultan.

Qu'Allah, dans sa grande bonté, les préserve de l'anarchie ! se dit le chef des eunuques.

11

— Bonjour, mon seigneur. C'est l'heure de vous réveiller... Je vous ai apporté votre repas du matin, dit Baba Hassan, le visage impassible.

Caynan Reis ouvrit paresseusement les yeux.

— Merci, Baba Hassan. Faut-il vraiment se lever ? dit-il en embrassant India afin de la réveiller.

— C'est jour d'audience, mon seigneur, répondit l'eunuque. Je pourrais dire que vous êtes malade, mais tout le monde serait consterné. Voulez-vous que je vous accompagne aux bains ?

— C'est ma tâche, Baba Hassan, intervint India qui s'assit sur le lit, sans se soucier de sa nudité.

— Tes tâches ont changé, ma précieuse, dit le bey en souriant.

— Mais j'aime m'occuper de votre toilette, mon seigneur.

— Alors, allons-y.

Ils se levèrent et, main dans la main, se dirigèrent vers la salle de bains.

Le chef des eunuques les regarda s'éloigner avec un large sourire. Ces deux-là étaient pris dans les chaînes de l'amour... Puis il s'assombrit. India les aiderait-elle à éviter toute trahison ? Elle était intelligente, elle comprendrait sans doute la sagesse de leur plan, si on le lui expliquait clairement...

Baba Hassan se hâta d'aller retrouver Azura au harem.

Mais celle-ci avait du pain sur la planche ! Quand il pénétra dans la cour, il fut entouré par les femmes du bey qui parlaient toutes en même temps.

— Silence ! hurla-t-il.

Elles reculèrent, apeurées.

— Vous voyez à quoi je suis confrontée depuis l'aube ! se plaignit Azura.

— Qu'est-il arrivé au bey ? demanda hardiment Samara.

— Oh, Baba Hassan, dites-nous si notre maître va bien ! supplia la blonde Mirmah, ses grands yeux pleins de larmes.

— Le bey est en parfaite santé et d'excellente humeur, ce matin, les rassura le chef des eunuques.

— Mais il n'a convoqué aucune d'entre nous hier soir ! s'écria Sarai. Il veut toujours une femme pour réchauffer son lit !

— Il n'était pas seul, répliqua Baba Hassan.

— L'Anglaise ? murmura Samara, méprisante.

— Non, pas elle... gémit Deva.

— Je lui arracherai les yeux ! cria Samara.

— Essaie un peu, et tu te retrouveras aussitôt sur le marché aux esclaves, rétorqua sévèrement Azura. Vous êtes trop gâtées, toutes. Votre devoir est de plaire à votre maître, et si India lui donne du plaisir, vous devriez vous en réjouir. Je ne supporte pas la jalousie, et Caynan Reis non plus. Faites-vous une raison. À moins que vous ne préfériez qu'on vous livre aux janissaires ?... Venez, Baba Hassan, nous avons à parler, conclut-elle en le conduisant vers ses quartiers. Avez-vous faim ? Asseyez-vous. Où est le bey ?

— Je l'ai réveillé en lui apportant son petit déjeuner, mais India a insisté pour le baigner. Cette nuit, je vous ai dit qu'il l'aimait, et ce matin, je peux affirmer qu'elle l'aime aussi. C'est ce que nous espérions, ma chère Azura. Maintenant, il faut nous assurer qu'India adhère à nos projets.

— Je vais aller voir le bey afin de lui demander ce qu'il entend faire d'elle. Je suis certaine qu'il ne la gardera pas comme esclave du corps. Si elle devient favorite, il faudra qu'elle ait ses propres appartements, et tout ce qui va avec un tel honneur. Nous sommes amies depuis qu'elle est arrivée ici, et je vais maintenant tirer parti de cette amitié. Elle est intelligente, elle comprendra. Si elle aime sincèrement Caynan Reis, elle voudra aider à le protéger... Une tranche de melon ?

Elle tendit une assiette à l'eunuque, et ils partagèrent le repas du matin.

Ensuite, Azura se rendit à la garde-robe du harem et choisit un ravissant caftan de soie bleu turquoise, brodé de papillons d'or et de perles, ainsi que des voiles de mousseline afin de masquer le visage d'India si elle devait sortir du palais.

Elle se rendit ensuite dans les appartements du bey.

— J'ai pensé, mon seigneur, que vous aimeriez voir India habillée différemment, aujourd'hui... Ceci vous plaît-il ?

— Qu'en penses-tu, ma précieuse ? demanda Caynan Reis à India.

— C'est ravissant, mon seigneur. Si vous aimez, je le porterai, mais je vous en prie, laissez-moi vous accompagner à l'audience. J'adore vous écouter régler les litiges, et je serai heureuse de vous rafraîchir, comme d'habitude.

— Non. Tu t'assiéras près de mon trône, et quelqu'un d'autre nous éventera. Maintenant, va vite t'habiller pendant que je m'entretiens avec Azura.

India retourna dans la chambre à coucher.

— Je veux que vous veniez à l'audience, Azura, reprit le bey, ainsi que Baba Hassan et les filles du harem. Installez-les derrière un paravent, afin qu'elles puissent assister à la séance sans être vues.

— Serait-ce une occasion particulière ?

Caynan Reis éclata de rire, et elle en fut surprise. Jamais elle n'avait entendu le rire du bey, pendant toutes ces années.

— Je vais me marier. Et ne me dites pas que cela vous étonne, chère Azura. Baba Hassan et vous me vantez les mérites d'India depuis son arrivée. Vous vouliez que cela se produise... Finalement, vous me connaissez mieux que je ne me connais moi-même.

— Il est normal qu'un homme ait envie d'aimer et d'être aimé, déclara Azura.

— Ah ! Vous avez tout comploté ! dit-il, joyeux.

India sortait de la chambre, et les yeux de Caynan s'agrandirent.

— Par Allah ! Tu es ravissante, mon amour.

La jeune femme sourit, heureuse.

— Ça vous plaît ? Merci, madame, d'avoir si bien choisi.

Azura eut un petit signe de tête, avant de se tourner vers son maître :

— Vous voudrez, naturellement, qu'India ait ses propres appartements, mon seigneur ?

— Oui. Faites-lui préparer les pièces vides contiguës aux miennes.

— Mais ces pièces ne font pas partie du harem, objecta Azura.

— Le harem est le royaume de mes concubines. Je veux ma femme près de moi. India dirigera ma maison, portera mes enfants, et vous, chère Azura, vous continuerez à régner sur le harem.

— Bien, mon seigneur.

Il était vraiment amoureux ! Azura salua et se retira, afin d'aller porter les dernières nouvelles à Baba Hassan et préparer les filles pour leur sortie. Elle s'abstint toutefois de leur parler du mariage. Ce serait la surprise... Certes, elles allaient être bouleversées, mais Azura leur assurerait que leur situation dans la maison du bey n'était pas en péril. Il ne rechercherait pas leur présence comme avant, mais elles se feraient une raison. Et celles qui créeraient des difficultés seraient aussitôt vendues.

Azura était satisfaite que Caynan Reis ait envie de prendre femme et d'avoir des enfants, néanmoins il ne devrait pas pour autant oublier ses maîtresses. Il aurait sans doute une concubine favorite, mais India serait la seule à pouvoir lui donner des enfants.

— Vous allez enfiler vos plus belles tenues, dit-elle en rentrant au harem, et vous aurez le droit d'assister à l'audience publique.

Les filles se précipitèrent sur leurs garde-robes, leurs coffrets à bijoux, demandèrent à leurs esclaves de les maquiller. Samara choisit un rouge flamme, Léa un rose profond, Sarai la rousse du vert et or, et les blondes mirent leur teint délicat en valeur avec des couleurs pastel.

Quand les sept femmes furent prêtes, des voiles couvrant leurs jolis visages, Azura les escorta jusqu'à la salle d'audience. Le chef des eunuques marchait devant, écartant la foule qui admirait les femmes du bey. Il les mena dans un coin de la salle d'où elles pourraient, derrière un paravent ajouré, assister à la séance.

Samara compta en silence le nombre de sièges et fut rassurée.

— Visiblement, l'Anglaise n'a pas les mêmes privilèges que nous, annonça-t-elle à ses compagnes. Elle n'a pas dû lui plaire.

— Rappelle-toi qu'elle est seulement esclave du corps, fit remarquer Deva.

— Exactement ! Sa position est bien inférieure à la nôtre...

— Moi, je crois qu'elle lui a plu, intervint la blonde Leila. Regardez !

Azura se mordit les lèvres pour ne pas éclater de rire, quand elle vit les sept têtes se tourner vers l'estrade où se tenait Caynan Reis, avec à son côté une India rayonnante sous ses voiles, la tête penchée avec modestie mais sans servilité.

Le silence se fit lorsque le bey prit la parole :

— Je vous apporte aujourd'hui une bonne nouvelle. Je suis le plus heureux des hommes, car j'ai décidé de prendre une épouse. Je demanderai au chef imam de nous marier avant le coucher du soleil.

Il saisit la main d'India.

— La voici, celle qui m'a donné la plus grande joie de ma vie.

Azura, stupéfaite, vit India se prosterner devant le bey pour baiser le bas de son caftan. La foule manifesta bruyamment sa joie, tandis que Caynan Reis relevait la jeune femme en gardant un bras protecteur autour de ses épaules. Ensuite, il approcha un petit tabouret de satin sur lequel il l'assit, avant de prendre sa place.

Baba Hassan se tourna vers le paravent, et Azura sut que son regard lui était destiné : il disait qu'India, femme de caractère, avait magnifiquement joué son rôle en lui témoignant publiquement le respect qui lui était dû en tant que gouverneur du sultan.

— Ma foi, murmura Sarai dépitée, je n'aurais jamais cru que la résistance serait le meilleur moyen d'atteindre le cœur de notre maître !

— Ne te désespère pas, dit Nila. Nous aurons notre chance, lorsque le maître se lassera du mauvais caractère de l'Anglaise.

— Sa petite représentation, à l'instant, ne faisait preuve d'aucun mauvais caractère, répliqua Samara. Elle est bien plus futée que je ne l'aurais cru, la garce !

— Accordons-lui une chance, dit Mirmah, approuvée par Léa. Nous ne la connaissons pas vraiment. Maintenant, elle va venir vivre avec nous dans le harem, et nous deviendrons peut-être amies. Après tout, elle sera la première épouse du bey, or une première épouse a toujours beaucoup d'influence.

— Pas toujours, rectifia Samara.

Azura leur ordonna de se taire, car la séance commençait. Les filles apprendraient bien assez tôt qu'India n'allait pas vivre avec elles – ce qui aviverait les jalousies. Samara n'était pas facile, et il faudrait aussi surveiller Nila et Sarai. En revanche, Mirmah avait des qualités certaines ; elle pourrait faire une seconde épouse acceptable, le cas échéant.

Le bey mena la séance tambour battant, sans toutefois négliger quiconque. Certains, cependant, quand leur cas n'était pas urgent, demandèrent au secrétaire de reporter l'entretien, afin que le bey puisse vaquer à ses occupations. La salle se vida rapidement, car les gens n'avaient qu'une hâte : partir annoncer la grande nouvelle en ville.

La séance terminée, Baba Hassan vint s'incliner devant son maître.

— Dois-je emmener lady India à la mosquée des femmes, afin qu'on la prépare pour le mariage ?

Caynan acquiesça, avant de s'adresser à India :

— Tu vas être soumise à un bain de purification, ma précieuse. Puis l'imam te posera un certain nombre de questions. Baba Hassan te traduira ce que tu ne comprendras pas, et il t'indiquera comment répondre.

— Vous voulez que je me convertisse à l'islam, dit-elle.

— C'est obligatoire pour que tu deviennes ma femme.

Elle prononcerait les mots, songea-t-elle, et ce qu'elle pensait ne serait connu que de Dieu... Son arrière-grand-mère, dans les mêmes conditions, avait aussi adopté la religion islamique. Son propre grand-père, qu'elle n'avait pas connu mais dont sa mère lui avait souvent parlé, le grand Akbar, estimait que toutes les religions avaient leur valeur. India n'aurait pas à renier le Christ.

Elle regarda le bey dans les yeux en souriant.

— Je le ferai, mon seigneur, mais je vous demande une faveur en échange.

— Viens, mon amour, dit-il en ordonnant du regard à l'eunuque de ne pas les suivre. Que désires-tu, India ? demanda-t-il quand ils furent hors de portée de voix.

— Je vous ai dit que ma mère était fille du Grand Moghol Akbar. À treize ans, elle a été mariée à son premier époux, un jeune prince.

Celui-ci était musulman, mais ma mère était, comme moi, de religion chrétienne. À sa demande, elle a également été mariée, en secret, dans sa foi. Son prince l'aimait, et il a accédé à sa requête. Feriez-vous de même pour moi, mon seigneur ? Y a-t-il à El Sinut un prêtre catholique qui nous marierait, sans en parler à personne afin de ne pas vous nuire ?

Le bey réfléchit un moment.

— Je ne sais pas à qui je pourrais faire confiance parmi la communauté chrétienne, qui est fort réduite, mais je te promets qu'avant la naissance de notre premier enfant, nous serons mariés selon ta religion. Je t'en donne ma parole.

— Je vous crois, car j'ai appris que vous êtes un homme d'honneur.

— Vraiment ?

Il était touché par ce compliment, et il s'enhardit :

— M'aimes-tu un peu, India ? Ou bien m'épouses-tu parce que c'est le mieux pour ton avenir ?

— Je crois que je commence à vous aimer, mon seigneur. En tout cas, je suis sûre que je ne vous déteste pas. Je comprends que tout ce que l'on m'a dit à mon arrivée à El Sinut était vrai. Je ne retournerai jamais en Angleterre, et même si cela se produisait, ce serait une situation difficile. Donc ne vaut-il pas mieux que j'accepte mon sort, et que j'essaie d'être heureuse ? conclut-elle avec un timide sourire.

— En effet.

Il se contenterait, pour l'instant, de cette réponse...

Ils revinrent vers Baba Hassan.

— Occupe-toi d'elle. Je vais voir l'imam.

— Nous devons quitter le palais pour aller à la mosquée des femmes, dit l'eunuque à India avant de donner ses instructions aux esclaves.

Elle se retrouva bientôt dans une litière, et sortit du palais pour la première fois depuis qu'elle était arrivée à El Sinut, cinq mois auparavant.

La mosquée des femmes était un superbe bâtiment de marbre parfaitement blanc, avec des colonnes qui soutenaient des arches en fer à cheval. Baba Hassan remit India entre les mains d'une vieille femme, qui l'emmena au bain. Cela ressemblait aux bains du harem, mais elle fut traitée avec le plus grand respect. « Comme si j'épousais un roi », se dit-elle, avant de se rendre compte qu'en tant que femme du bey, elle devenait presque une reine…

Quand elle fut baignée, massée et parfumée, on lui apporta un caftan crème rebrodé d'or, de petites perles et de diamants. On orna également ses cheveux de perles, avant de lui poser sur la tête un voile arachnéen. On lui enfila des mules dorées.

— Vous êtes prête, madame, lui dit la maîtresse des bains, qui la ramena à Baba Hassan.

— Venez, dit-il. L'imam nous attend.

On la présenta à un petit homme frêle, au regard perçant. India le salua, puis elle attendit, les yeux baissés.

— Le bey a choisi une bien belle épouse, Baba Hassan, déclara l'imam. Comprend-elle pourquoi elle est ici ?

— Oui, seigneur imam, répondit India à la place de l'eunuque. Je suis venue me convertir à l'islam, afin que mon seigneur Caynan puisse m'épouser.

Baba Hassan sourit en l'entendant s'exprimer dans leur langue.

— Aviez-vous déjà entendu parler de l'islam avant d'arriver à El Sinut, ma fille ? demanda l'imam. Notre foi est ancienne, presque autant que le christianisme, mais moins que le judaïsme.

— Je connaissais l'islam, seigneur imam. Ne vénérons-nous pas tous le même dieu ?

— Certainement, ma fille... Asseyons-nous, et je vous parlerai des cinq piliers qui font la force de notre religion.

Ils s'installèrent sur un divan. L'imam poursuivit :

— Pour être un bon membre de notre communauté religieuse, vous devez respecter notre foi qui est de croire en Dieu, ses anges, ses livres, ses prophètes et au Jugement dernier. Notre prière est simple. « Il n'y a d'autre dieu qu'Allah, et Mahomet est son Prophète. » Voulez-vous le dire ?

— Il n'y a d'autre dieu qu'Allah, et Mahomet est son Prophète, répéta India à haute et intelligible voix.

— Nos prophètes sont vos prophètes. Notre Livre saint s'appelle le Coran, et nous reconnaissons les Écritures d'Abraham, la Torah de Moïse, les Psaumes de David, les Évangiles de Jésus-Christ. Le second pilier de notre sagesse est la prière. Nous prions cinq fois par jour : à l'aube, en début d'après-midi, en fin d'après-midi, au coucher du soleil et avant d'aller dormir. Le troisième pilier nous oblige à jeûner le mois de la neuvième lune : c'est ce que nous appelons le ramadan. Nous nous abstenons de boire, manger, fumer et avoir des rapports sexuels, entre le lever et le coucher du soleil. Le quatrième pilier consiste en un pèlerinage à la Ville sainte de La Mecque une fois dans notre vie, si nous en avons la possibilité. Le cinquième, et dernier, est la charité. Comme les chrétiens et les juifs, nous croyons à la nécessité d'aider les plus défavorisés... Voilà sur quels préceptes est basée notre foi. Les acceptez-vous, madame ?

— Je les accepte, répondit India sans hésiter.

— Alors, ma fille, vous pouvez épouser le bey. Sachez cependant que, bien que le devoir d'un homme soit de prendre femme et de procréer, le mariage n'est pas pour nous une cérémonie religieuse, mais un contrat entre deux individus. Le bey vous attribuera une somme d'argent qui appartiendra à vous seule. En retour, vous devrez lui obéir, et à lui seul. S'il veut divorcer, il lui suffira de dire « Je te répudie » par trois fois. Alors vous partirez avec votre dot. Nous désapprouvons toutefois cette pratique.

— Et si c'est la femme qui souhaite divorcer, seigneur imam ? demanda India, curieuse.

— C'est interdit.

Le prêtre se leva.

— Emmenez cette jeune femme, Baba Hassan. Le chef imam d'El Sinut attend, afin de procéder à cet heureux événement.

India suivit Baba Hassan vers la mosquée principale, qui était voisine de celle des femmes. Ils traversèrent une petite cour ensoleillée pour arriver dans une pièce qui donnait sur le jardin. Azura s'y trouvait, avec le bey et le chef imam.

— Commençons, déclara l'imam, un homme majestueux à l'air grave. Vous avez prévu la dot de la jeune femme, mon seigneur ? Parfait ! Êtes-vous disposée à épouser cet homme, madame ?

— Je le suis, répondit doucement India.

— Bon ! Vous pouvez échanger vos vœux. Commencez, mon seigneur.

Caynan Reis prit la main d'India dans la sienne.

— Azura te soufflera les paroles quand ce sera ton tour, la rassura-t-il. Moi, Caynan, je te prends, India, comme légitime épouse devant Dieu et ces témoins, selon les enseignements du Coran. Je promets de tout faire pour que ce mariage soit un acte de soumission à Dieu, pour qu'il soit un acte d'amour, de paix, de fidélité et de bonne entente. Que Dieu m'en soit témoin, car Il est le meilleur des témoins. Amen.

India sentit des larmes lui piquer les paupières. Elle ne regrettait aucunement sa décision, seulement sa famille lui manquait... Caynan lui pressa la main, et elle se concentra sur son beau visage tandis qu'elle prononçait les vœux à son tour :

— Moi, India, je vous prends pour légitime époux devant Dieu et ces témoins selon les enseignements du Coran. Je promets de tout faire pour que ce mariage soit un acte de soumission à Dieu, pour qu'il soit un acte d'amour, de paix, de fidélité et de bonne entente. Que Dieu m'en soit témoin, car Il est le meilleur des témoins. Amen.

— Eh bien, voilà qui est fait ! déclara l'imam avec un sourire bienveillant. Toutes mes félicitations, mon seigneur. Nous sommes heureux de vous voir enfin prendre femme, et nous souhaitons que de votre union naissent de robustes garçons.

— J'y veillerai, répondit le bey, la joie au cœur.

Azura prit India par le bras.

— Venez. Nous allons rentrer au palais. Les servantes ont passé la journée à préparer vos appartements, je pense qu'ils vous plairont.

Elles montèrent dans la litière, tandis que Baba Hassan marchait près d'elles.

— Ensuite, nous irons rendre visite au harem, ajouta Azura.

— Pourquoi, si je ne dois pas y vivre ? Ces femmes me détestaient avant que j'épouse le bey, alors maintenant...

— Le bey n'abandonnera pas son harem, India. Il a un gros appétit sexuel et il le satisfait chaque jour. Vous serez parfois impure, ou enceinte, et vous ne pourrez lui demander de brider ses désirs à ces moments-là. Vous êtes désormais supérieure à ces femmes, et vous devez faire la paix avec elles, dans l'intérêt de votre époux qui tient à ce que le calme règne dans sa maison. Samara est la plus dangereuse. Soyez ferme, mais juste avec elle. Elle ne vous aimera pas pour autant, cependant cela l'empêchera sans doute de commettre de mauvaises actions. Si ce n'est pas le cas, je la vendrai. Nila est intelligente, et elle sait où se trouve son intérêt, mais ne lui faites pas trop confiance. En revanche, Mirmah est une créature douce et docile. Quant aux autres, elles sont inoffensives, même si elles ont la langue bien pendue. J'ai préparé de petits cadeaux que vous leur offrirez ce soir, tous différents mais de valeur équivalente.

India soupira.

— Très bien, madame, je suivrai vos conseils...

Azura rit gentiment.

— Vous êtes trop jeune pour vivre isolée, India. Ces femmes deviendront comme des sœurs, pour vous. Il y en a que vous aimerez bien, d'autres que vous détesterez, mais vous arriverez à cohabiter en bonne entente.

— Vous semblez tellement sûre de vous !

— Je vis dans un harem depuis trente ans, répliqua Azura. Vous avez de la chance. Mon seigneur Sharif n'a jamais pris d'épouse. J'étais sa favorite, pourtant je devais partager ses attentions avec les autres femmes du harem. Ça n'a pas toujours été facile, mais il était heureux que je maintienne la paix dans son palais. Je ne me suis jamais plainte, ce qui me conférait un statut à part. Les autres, ces sottes, ne cessaient de gémir dès qu'elles le voyaient, alors que mon seul but était d'assurer sa tranquillité. Je ne demandais rien : donc je recevais tout... Bien que vous soyez la femme du bey, India, vous devriez suivre mon exemple.

— Baba Hassan était-il déjà le chef des eunuques, quand Sharif était bey ?

— Non. C'était le vieux Baba Mamoud, qui est mort peu après mon cher seigneur. Baba Hassan était mon serviteur personnel, et c'est sur mon conseil que le bey actuel l'a promu à ce grade. Baba Hassan et moi aimons Caynan Reis comme un fils, et nous nous efforçons de veiller à sa sécurité et son bonheur.

— Qui est-il ? se demanda India à haute voix. Je ne connais rien de lui, hormis qu'il a été, lui aussi, capturé par les pirates... Je ne sais pas quelle est sa nationalité, ni ce qu'il faisait avant. J'ignore même son âge.

— Il a vingt-huit ans. Quant au reste, quelle importance ? Vous l'aimez, cela seul compte. Votre vie est ici, dorénavant.

— Vous avez raison, madame. Le passé n'existe plus. Il faut vivre au présent... Mais j'aimerais que ma famille soit au courant de mon bonheur. Je pense souvent à la peine qu'a dû leur causer ma fuite précipitée.

— S'ils savaient où vous vous trouvez, objecta Azura, ils essaieraient certainement de vous enlever à nous. Dans quelques années, quand vous aurez des enfants, peut-être serez-vous autorisée à envoyer un message à votre mère.

— Ma grand-mère est celle qui me comprendrait le mieux, dit India. Elle s'est trouvée dans une situation similaire lorsqu'elle était jeune, et elle est devenue l'épouse du Grand Moghol Akbar.

— Elle a quand même pu rentrer en Angleterre ? s'étonna Azura.

— Quand sa famille l'a retrouvée et a demandé qu'elle rentre chez elle, ma mère était née. Ses parents l'ignoraient, naturellement. Jamais mon grand-père n'a accepté qu'elle emmène le bébé avec elle, c'est pourquoi ma mère a été élevée à la cour impériale d'Akbar. J'ai une famille hors du commun, voyez-vous !

— En effet ! approuva Azura en riant. Ah, nous voici arrivées, ajouta-t-elle comme on posait la litière à terre. Venez, India, je vais vous montrer vos nouveaux appartements, puis nous nous rendrons au harem.

Elle rit encore, en voyant la jeune mariée froncer son joli petit nez...

Les quartiers d'India, situés juste à côté de ceux de son mari, donnaient sur le même jardin. Il y avait deux pièces principales et une chambre de domestique. Les murs étaient blancs, le sol dallé de rouge, et une petite fontaine gazouillait dans le salon. Les sofas étaient recouverts de satin bleu rayé de jaune, les tables basses en ébène étaient décorées de mosaïques. Sur la grande table rectangulaire, on avait placé un pichet de citronnade et un saladier de fruits frais. Des lampes de verre coloré et de cuivre pendaient au plafond, tandis que de légers rideaux de soie dansaient dans la brise sous les arches menant aux jardins.

La chambre était simplement meublée d'un lit situé sur une estrade, de coffres de cèdre et d'une coiffeuse. Sur la table de chevet, une lampe dégageait son doux parfum. Les arcades étaient fermées par des paravents d'ivoire sculptés, doublés de rideaux.

— Cela vous plaît ? demanda Azura.

— C'est ravissant ! Remerciez pour moi les servantes... Que contiennent les coffres ?

— Une partie de votre dot, je suppose. Vêtements, joyaux, parfums... Vous aurez tout le temps d'en admirer le contenu plus tard.

— Le harem, soupira India. Bien. Où sont les cadeaux ?

— Baba Hassan les apportera quand nous serons prêtes. Plus tôt nous irons, plus vite vous pourrez rejoindre votre époux. N'avez-vous pas envie de ses baisers et de ses caresses ?

India rougit.

— Allons-y.

Dès qu'elles pénétrèrent dans la salle de jour du harem, les conversations cessèrent. Toutes les têtes se tournèrent vers India.

— Saluez l'épouse de notre maître, qui désormais dirigera cette maisonnée, ordonna Azura.

Les sept femmes obtempérèrent, y compris Samara.

— Merci de votre accueil, dit India. Je vous ai apporté quelques babioles, pour célébrer mon mariage...

Elle se tourna vers le chef des eunuques :

— Voulez-vous me les remettre un par un, puisque vous savez à qui ils reviennent ?... Je ne vous connais pas assez bien pour les avoir choisis moi-même, poursuivit-elle à l'adresse des femmes, mais je tiens à vous les offrir personnellement.

— Le harem continuera-t-il à exister ? demanda hardiment Samara.

— Le harem est l'affaire du bey. Je suis heureuse de vous avoir ici, à condition qu'il n'y ait pas de querelles.

Cette réponse sembla satisfaire les femmes, qui s'avancèrent l'une après l'autre pour recevoir leur cadeau. La douce Mirmah donna l'exemple en posant les mains d'India sur son front, en signe de soumission et de respect, et les autres l'imitèrent. India leur tendit les paquets enveloppés de soie et de rubans. Les filles s'extasièrent sur la beauté des bijoux.

— Accepteriez-vous de partager un rafraîchissement avec nous, madame ? proposa Mirmah.

— Avec joie !

Azura avait disparu, et les femmes menèrent India vers un divan, tandis que des esclaves apportaient du jus de raisin, des gâteaux au miel, des cornes de gazelle, des dattes et des figues.

— Vous savez que je suis anglaise, reprit India, et j'ai envie d'en apprendre plus sur vous. Je sais que Mirmah est circassienne, mais les autres ?

— Je suis française, répondit Nila. J'ai dix-sept ans et je vis au harem depuis l'âge de quinze ans. J'étais un cadeau du bey d'Alger, mon premier maître.

— Nous sommes grecques, dit Leila avec un geste en direction de Deva. Nous venons du même village et nous avons été vendues à l'âge de dix ans. Baba Hassan nous a achetées au marché d'El Sinut il y a trois ans.

— Je suis vénitienne, se présenta à son tour Sarai, issue d'une famille de riches marchands. J'allais me marier à Naples, lorsque mon navire a été capturé. Le capitaine des pirates a pris son plaisir avec moi, puis il m'a offerte au bey qui l'a fait décapiter pour le punir de m'avoir violée. Les prisonnières ne sont pas censées être maltraitées.

— Je suis maure, dit Léa. Ma famille était très pauvre, et elle m'a vendue afin de survivre. J'ai eu deux maîtres avant d'arriver dans le harem du bey, l'année dernière.

— Je suis née en Syrie, déclara brièvement Samara.

India n'insista pas.

— Au début, dit-elle, j'ai trouvé cet univers étrange, mais à présent je m'y sens bien. Avez-vous eu cette impression aussi ?

Les filles acquiescèrent.

— Pour la plupart, nous sommes nées libres, expliqua Sarai. Devenir esclave, même esclave privilégiée, est difficile, les premiers temps. Vous avez bien réussi votre coup en gagnant le cœur de Caynan Reis, alors qu'aucune d'entre nous n'y était parvenue. Il a toujours été bon, mais il se contentait de jouir de nos corps. Or vous avez obtenu davantage, lady India, et nous vous envions toutes !

India ne sut que répondre.

— Cependant, nous sommes en sécurité, nous vivons bien, déclara Mirmah. Je suis née dans une ferme d'esclaves, et j'ai été élevée pour devenir femme de harem. Mon premier maître était Aruj Agha, qui m'a achetée au grand marché d'Istanbul. Un soir, le bey est venu dîner chez lui. Il m'a admirée, et le lendemain matin, Aruj Agha me conduisait au palais. Je me plais, ici. Aruj Agha n'avait pas d'autres femmes, par manque de moyens. C'était pénible d'attendre toute seule, qu'il rentre de ses lointains voyages. Ici, nous sommes ensemble et je suis contente que notre seigneur Caynan ait trouvé une épouse.

India, touchée par sa gentillesse, lui prit la main.

— Nous serons toutes amies, et la paix régnera dans la maison de notre maître. Je vous promets d'être une bonne maîtresse pour vous.

— Par Allah ! s'exclama Samara. Je ne sais pas si ce sont les sucreries ou toutes ces fadaises mielleuses, mais j'ai la nausée !

India éclata de rire.

— Vous me faites penser à ma sœur, Fortune. Elle aussi dit toujours ce qu'elle pense...

Samara fut surprise de la réaction d'India qui, au lieu de se sentir insultée, prenait son attitude à la légère.

— Avez-vous vraiment attaqué le bey avec un poignard, le jour où vous êtes arrivée au palais ? demanda-t-elle, curieuse de savoir si c'était la vérité ou seulement une rumeur.

— En effet, avoua India. Heureusement que je ne vise pas bien !

— Vous êtes courageuse, admit Samara à contrecœur.

— On ne m'a jamais appris à avoir peur.

— Que direz-vous si notre maître prend une seconde épouse ?

— Je serai jalouse, reconnut India, mais il faudra bien que je m'y fasse...

— Il me semble que nous parviendrons à nous entendre, déclara Samara, pensive. Si chacune y met un peu du sien.

Les autres murmurèrent leur approbation.

Azura, cachée derrière un paravent, se réjouit qu'India ait fait la paix avec les femmes du harem. Elle était intelligente : elle se laisserait influencer dans le bon sens, et El Sinut n'aurait pas à souffrir des machinations des janissaires.

Elle revint à la conversation des jeunes femmes, qui roulait à présent sur la sensualité.

India eut la finesse d'admettre qu'elle ne connaissait de l'amour que ce que le bey lui avait appris, la nuit précédente.

— Je suis tellement ignorante ! Je sais qu'il est audacieux de vous demander votre aide, mais j'aimerais tellement plaire à notre maître...

Encore une trouvaille ! se dit Azura, admirative. India allait les mettre dans sa poche, y compris Samara. Et il était également astucieux d'appeler Caynan « notre maître » plutôt que « mon époux ». Elle se mettait ainsi à leur niveau.

Azura hocha la tête. Tout allait encore mieux qu'elle ne l'avait espéré, et Baba Hassan s'en réjouirait aussi lorsqu'elle le lui raconterait.

Oui, c'était parfait !

12

Le chef des eunuques fit irruption dans le harem et vint s'incliner devant India.

— Votre époux vous réclame, madame.

India bondit sur ses pieds.

— Je ne pourrai jamais tout me rappeler, dit-elle avec un petit rire. Puis-je revenir demain ?

— Bien sûr ! s'écrièrent les filles en chœur.

Quand les portes du harem se furent refermées sur la femme du bey, Samara déclara :

— Je dois reconnaître qu'elle n'est pas désagréable. Mais préparez-vous à l'abstinence, mes amies. Le bey ne se lassera pas d'elle de sitôt, et en plus, sottes que nous sommes, nous l'aidons à le retenir !

— Elle aura un enfant plus vite, pouffa Nila. Ainsi, le bey reviendra chercher son plaisir auprès de nous !

— Pourquoi aurait-elle un enfant, alors que nous n'en avons pas ? demanda Léa.

— Bécasse ! dit Mirmah. On met dans notre nourriture ou notre boisson une drogue pour nous rendre stériles. Cela se fait couramment dans les harems d'Istanbul, tu ne le savais pas ? Lady India, on ne lui en donnera pas : au contraire, elle et le bey auront des mets délicats qui augmentent la fertilité...

India avait suivi l'eunuque dans ses appartements, où une jeune fille l'attendait.

— Sur ordre du bey, expliqua Baba Hassan, j'ai écumé le marché aux esclaves depuis quelques semaines afin de trouver pour vous servir une fille qui parle votre langue. J'ai découvert celle-ci il y a presque un mois, et je l'ai éduquée comme il convient. Si elle vous plaît, elle est à vous.

India sourit à la très jeune fille, dont les yeux reflétaient une vive appréhension. Sa silhouette menue était couronnée d'une chevelure d'un roux étincelant.

— Comment t'appelles-tu ? demanda-t-elle en anglais.

— Margaret, madame. Mais on dit plutôt Meggie.

— Tu es anglaise ?

— Non, madame. Écossaise.

— Ah, il me semblait bien reconnaître l'accent... Je suis la belle-fille du duc de Glenkirk, Meggie, et j'ai été élevée près d'Aberdeen.

India se tourna vers l'eunuque.

— Elle est parfaite, vous l'avez bien choisie, Baba Hassan. Elle est écossaise, et comme j'ai grandi en Écosse, je me sentirai un peu chez moi avec elle... Où est le bey ?

— Il dîne avec Aruj Agha, qui est rentré aujourd'hui de voyage. Ensuite, il viendra vous retrouver, madame.

— Mon cousin est-il avec eux ? J'aimerais avoir de ses nouvelles.

— Je vais m'en enquérir, et je vous tiendrai au courant, dit l'eunuque avant de se retirer.

India mena Meggie vers un divan.

— Comment es-tu arrivée à El Sinut ?

— Mon père est capitaine au long cours, madame, et je le suppliais depuis longtemps de m'emmener avec lui, comme il emmenait ma mère lorsqu'elle était jeune. Je devais épouser Ian Murray l'été prochain, avant le rassemblement des clans, alors mon père a dit qu'il me prendrait avec lui jusqu'à Bordeaux, où il devait aller chercher du vin. Nous avons été attaqués dans le golfe de Gascogne, continua la jeune fille d'une voix enrouée, et mon père a été tué sous mes yeux... Les marins survivants et moi avons été capturés. On ne m'a pas fait de mal, mais...

Les larmes ruisselaient sur ses joues.

— ... Mon Ian va épouser cette chipie de Flora MacLean, qui n'arrête pas de lui courir après !

— Ça sera sans doute le cas, petite, dit franchement India, et tu n'y peux rien. Tu as eu de la chance que le chef des eunuques de ce palais t'ait choisie. Tu aurais pu être vendue à un maître cruel ou, pire, à une maison de plaisir. Tu seras bien, avec moi. En tant qu'esclave de la première épouse du bey, tu auras une position importante parmi les autres domestiques.

Meggie s'essuya les yeux d'un revers de main.

— Je vous servirai loyalement, madame, je le promets.

— J'en suis sûre. Tu sais où se trouvent les cuisines ?

— Oui, madame.

— Alors va voir le cuisinier, Abû, et dis-lui que j'aimerais avoir mon souper. Je le prendrai dans le jardin. Mon époux dîne avec un vieil ami.

La servante se hâta d'obéir.

Baba Hassan revint informer India que son cousin était resté à bord du navire.

— Il s'est montré digne de confiance, madame, et il naviguera bientôt sur son propre bateau. Nous en avons capturé deux autres, ces derniers mois. Un français et un hollandais... La fille vous convient-elle vraiment, madame ? Elle ne semble pas capable d'apprendre notre langue, mais elle parle suffisamment de français pour comprendre ce que je lui ai expliqué. Elle paraît de bonne volonté.

— Son père a été tué devant elle, précisa India, et elle était sur le point de se marier. Elle n'est pas encore tout à fait remise. Si elle n'est pas trop sotte, j'essaierai de lui apprendre l'arabe. Au moins quelques rudiments. Ce sera une bonne compagne pour moi, Baba Hassan... Mais vous avez dit que vous l'aviez achetée à mon intention il y a un mois, or j'étais encore esclave, à cette époque.

— Vous étiez en train de tomber amoureuse du bey, madame, et lui de vous. Nous l'avons bien vu, Azura et moi. Je savais que vous finiriez par succomber. Vous êtes jeune, vous êtes belle, pleine de vie. Si j'avais attendu aujourd'hui pour vous trouver une servante, nous aurions perdu beaucoup de temps !

India éclata de rire.

— Vous êtes un homme précieux, Baba Hassan. Je suis heureuse qu'Azura et vous soyez mes amis !

— Je sais que c'est le jour de votre mariage, madame... mais pourrais-je vous entretenir d'un problème sérieux ?

India hocha la tête.

— Je vous prie de ne pas parler de cette conversation à votre époux, ajouta l'eunuque. C'est dans son intérêt, je vous assure.

India était intriguée.

— C'est promis, Baba Hassan.

— J'ai de nombreux contacts à travers le royaume, madame, et j'ai entendu parler, voilà quelques mois, d'un complot visant à assassiner le sultan et sa mère, la régente, dont les instigateurs sont les janissaires. Ils ont envoyé un émissaire pour chercher à gagner les dirigeants des États barbaresques à leur cause, en leur promettant la liberté de gouverner sans rendre de comptes à la Sublime Porte et sans lui payer de tribut. C'est très généreux, mais je ne crois pas à la réussite de ce complot. Ceux qui s'associent à cette trahison risquent la mort. On pardonnera aux janissaires parce qu'ils sont puissants, mais on punira les autres, pour l'exemple. El Sinut est le plus petit État barbaresque, et il est possible que nous ne soyons pas sollicités, mais si nous le sommes, Azura et moi aurons besoin de votre aide afin de dissuader le bey de s'allier aux conspirateurs. Rappelez-vous qu'Aruj Agha est son ami le plus proche, or il ne trahira jamais ses frères janissaires, même s'il désapprouve leurs actes.

— Si j'étais la régente, dit India, je punirais les dirigeants des États barbaresques et j'enverrais à leur place des gens en qui j'aurais toute confiance.

— C'est très précisément ce que va faire la régente.

— Si mon époux est contacté, je vous aiderai à déjouer tout complot contre El Sinut. En attendant, je me tairai, car je ne juge pas nécessaire d'inquiéter Caynan Reis au sujet d'événements qui ne se produiront peut-être jamais. Comment envisagez-vous de décourager l'envoyé des janissaires ?

— S'il se présente ici en premier, Caynan Reis lui conseillera d'aller voir d'abord les beys de Tunis, d'Alger et du Maroc, avant de revenir à El Sinut. Il dira qu'en tant que petit État, il est vulnérable et doit s'assurer que les États plus importants sont prêts à s'engager avant de suivre leur exemple. Si l'agent vient ici en dernier, nous le tuerons afin qu'il ne puisse retourner à Istanbul, et nous enverrons sa tête à la régente pour la mettre au courant des complots qui se trament.

— Pourquoi ne pas le tuer, dans l'un et l'autre cas ?

— Parce que s'il va voir les autres et si ceux-ci sont prêts à trahir le sultan, Caynan Reis révélera leur trahison. Le sultan et sa mère l'en remercieront largement.

— Et Aruj Agha ?

— Il n'en saura rien, madame, donc il nous restera fidèle.

— J'ai beaucoup à apprendre de vous, Baba Hassan... murmura India, pensive.

L'eunuque s'inclina en souriant.

— Je vous remercie, c'est un honneur pour moi.

Meggie revenait, croulant sous le poids de son plateau qu'elle posa péniblement sur la table.

— Abû ne savait pas ce qui vous plairait, madame, déclara-t-elle avec humour, alors il a mis sur ce plateau pratiquement tout ce qu'il y avait à la cuisine !

— Je vous laisse dîner, madame, dit l'eunuque avant de se retirer.

India s'approcha. Il y avait du poulet, du ragoût d'agneau, du riz au safran, des artichauts, du yaourt avec des grains de raisin épluchés, du pain, du miel, des oranges, une grenade, un pichet de citronnade.

— Tu vas manger avec moi, ce soir, Meggie.

— Voulez-vous que je vous serve ?

— Je peux le faire moi-même, répliqua India en choisissant du poulet, du riz et des artichauts.

La servante prit un morceau d'agneau et se coupa un peu de pain.

— C'est bon ? demanda India.

— Très ! répondit la jeune fille. Meilleur que le ragoût de ma mère. Et c'est vraiment de l'agneau, pas du mouton !

India y goûta à son tour.

— En effet, c'est bon... Essaie aussi le poulet, Meggie. Il est parfumé à la sauge.

Leur repas fini, la jeune fille remporta le plateau à la cuisine.

— Où dois-je dormir, madame ? demanda-t-elle lorsqu'elle revint.

— Dans la petite chambre. Assure-toi qu'il y a bien un matelas, puis viens m'aider à me préparer pour la nuit.

Meggie déshabilla sa maîtresse et la bassina d'eau de rose, puis la jeune femme se glissa sous le couvre-pied de soie et lui souhaita bonne nuit.

Quelle journée ! En vingt-quatre heures, elle avait perdu sa virginité et elle s'était mariée... Les histoires des femmes de sa famille lui revenaient à l'esprit. Elle ne les écoutait en général que d'une oreille. Alors qu'elles fascinaient Fortune, India les trouvait un peu choquantes, d'ailleurs elle n'y croyait qu'à moitié. À présent, elle avait totalement changé d'opinion.

Il y avait eu la trisaïeule de son beau-père, Janet Leslie, dont le portrait ornait le grand hall du château de Glenkirk. On disait qu'elle avait été la favorite d'un sultan. Et puis sa propre arrière-grand-mère, la fameuse Skye O'Malley, qui avait vécu à

Alger, à la fois épouse et esclave. Sa grand-tante Aidan, qui avait été la femme d'un prince tartare, puis qui avait été gardée prisonnière dans un harem. Et tante Valentina, kidnappée et retenue dans le harem d'un pacha, celui-là même qui avait réduit en esclavage la mère du duc de Glenkirk, la belle lady Stewart-Hepburn. Enfin Velvet Gordon, la grand-mère d'India, femme du Grand Moghol Akbar...

Elle continuait la tradition familiale, apparemment ! Mais toutes ces femmes avaient fini par rentrer chez elles. Une larme roula sur la joue d'India. Elle avait tellement envie de voir ses parents, Fortune, Henry, ses petits frères ! Avaient-ils pleuré en apprenant qu'elle avait été capturée par des pirates ? Le savaient-ils seulement ? Peut-être pensaient-ils qu'elle s'était sauvée, qu'elle avait épousé Adrian et qu'elle leur reviendrait un jour. Apprendraient-ils jamais ce qui lui était arrivé ?

Elle se mit à sangloter doucement.

Caynan Reis, qui entrait sans bruit dans la chambre de sa femme, se précipita à son chevet.

— Que se passe-t-il, ma précieuse ?

— Je... Ma famille me manque.

Sans un mot, il la serra dans ses bras.

— Ils... ils ne savent même pas où je suis, dit-elle à travers ses larmes.

— Donne-moi un enfant, afin que personne ne puisse t'arracher à moi, mon amour, et je te promets que tu pourras écrire à ta mère. Je t'aime, et je ne supporterais pas que l'on nous sépare.

— Je... je vous aime aussi, mais je voudrais que ma famille soit au courant, qu'elle partage mon bonheur.

— Plus tard, promit-il. Tu es à moi, je veux te garder !

Il l'embrassa avec passion, et tout son chagrin s'évanouit sous la force du désir. Elle aimait, et elle était aimée. Rien n'était plus merveilleux.

— Oh, mon seigneur, murmura-t-elle contre ses lèvres. Je vous adore ! Je suis heureuse avec vous. Laissez-moi vous montrer ce que m'ont appris les femmes du harem, cet après-midi, et dites-moi si cela vous plaît.

Elle échappa à son étreinte et le fit mettre sur le dos. Puis elle s'assit à califourchon sur lui et laissa courir ses mains sur le torse puissant. Il prit ses petits seins quand elle se pencha en avant pour déposer des baisers sur sa poitrine. Il osait à peine respirer, tellement il avait peur qu'elle arrête. Il se demandait jusqu'où irait sa hardiesse, quand elle saisit son sexe dans sa main.

Elle recula, se pencha et, étonnée elle-même mais incapable de s'arrêter, elle le caressa davantage, le sentant grandir, avant de le prendre dans sa bouche.

Il fut secoué d'un frisson tandis qu'elle le taquinait de la langue, des dents, jusqu'à ce qu'il crie grâce.

Elle se redressa, les yeux mi-clos.

— Ça ne vous plaît pas ?

— Oh, si, ma précieuse India... Beaucoup trop ! Tu as bien retenu les leçons des filles ! Maintenant, ajouta-t-il en la soulevant, viens sur moi.

Ce fut au tour d'India de gémir lorsqu'elle le sentit en lui. Cambrée, elle s'harmonisa instinctivement à son rythme, jusqu'à ce que le plaisir les emporte et qu'elle se laisse retomber sur lui, pantelante.

Il la fit rouler sur le dos, tout en restant en elle, et couvrit son visage de baisers.

— Je récompenserai celles qui t'ont donné de si bons conseils, dit-il en souriant.

India se sentit rougir.

— J'ai été audacieuse, murmura-t-elle.

— Terriblement audacieuse, et j'espère que tu ne t'arrêteras pas là, ma chérie.

Elle avait la bouche la plus sensuelle du monde, et il ne put s'empêcher de le lui dire.

— J'aime vous embrasser, avoua-t-elle.

— Mes baisers sont-ils meilleurs que ceux de ton petit lord anglais ?

— Oh, oui ! D'ailleurs je ne l'ai pas embrassé souvent, mais il n'avait pas votre talent, mon seigneur.

— Je vais peut-être le renvoyer chez lui, contre une rançon...

— Ce serait bon de votre part. S'il a survécu à ces mois de galère, il aura suffisamment payé son attitude prétentieuse envers vous. Son père est âgé, et il est le seul fils de sa mère.

— As-tu rencontré ses parents ?

India secoua la tête.

— Son père reste à la campagne, m'a-t-on dit, depuis que son fils aîné a tué lord Jeffers avant de fuir le pays. Quant à sa mère, même le pauvre Adrian devait reconnaître que c'est une femme de mauvaise vie. Il l'évitait le plus possible. Elle souhaitait certainement que son fils m'épouse. Mes parents allaient me ramener en Écosse pour m'éloigner d'Adrian, quand nous nous sommes sauvés.

Les petits baisers qu'il déposait dans son cou lui donnaient la chair de poule.

— Tu avais vraiment l'intention de l'épouser ? Tu n'avais aucune réticence ?

Il était bien difficile de réfléchir quand il était si proche, si tendre...

— Disparaître ainsi ne me plaisait guère, avoua-t-elle, mais papa était tellement têtu ! Avec le recul, je pense que c'est cela qui m'a poussée à prendre cette décision, plutôt que mon amour pour Adrian. Pendant le voyage, je me suis dit que si l'aventure était amusante, elle était peut-être aussi malhonnête. Jamais je n'aurais dû suivre Adrian. Cela n'a servi qu'à blesser ceux que j'aime le plus au monde.

— Mais si tu ne t'étais pas conduite aussi impulsivement, je n'aurais pu te faire mienne…

— C'est vrai, chuchota-t-elle. Oh… mon seigneur, je vous sens grandir en moi. Comment est-ce possible ?

— Chut, petite folle. Laisse-moi t'aimer.

Dieu, l'amour était vraiment plus fort que tout ! Elle ferma les yeux et se laissa envahir par le plaisir qui montait, montait… Si elle avait su à quel point c'était magique, songeait-elle, elle n'aurait pas résisté si longtemps…

— Je t'aime, dit-il un peu plus tard, quand ils furent rassasiés l'un de l'autre. Tu es mon joyau, ma délicieuse épouse, India. Je t'adore.

— Je vous aime, moi aussi, répondit-elle. Je ne savais pas que l'on pouvait connaître un tel bonheur… Faites-moi un enfant, mon seigneur adoré. Faites-moi un enfant…

Enlacés, ils sombrèrent dans un profond sommeil.

Le bey s'éveilla juste avant l'aube, et il contempla la jeune femme qu'il tenait dans ses bras. « Faites-moi un enfant », avait-elle dit. Oui, lui aussi voulait un enfant, pour la première fois de sa vie.

Il soupira. S'ils s'étaient trouvés en Angleterre, il aurait demandé sa main dans les règles, et leur premier garçon aurait été le prochain comte d'Oxton. Mais ils étaient à El Sinut, et leur fils serait en constant danger parce que son père était bey. Toutefois, s'il parvenait à persuader le sultan de le faire bey à vie, l'enfant serait son héritier. Il fallait qu'il rende un grand service au sultan, le plus vite possible. La régente adorait son fils : elle saurait se montrer généreuse.

Ce ne serait pas une requête exceptionnelle. Jadis, il y avait eu des beys de père en fils, à condition que la famille reste loyale au sultan...

Caynan Reis sourit dans la pénombre. Il ne savait pas si leur union avait porté ses fruits... Il devrait continuer, jusqu'à ce qu'India montre les premiers signes d'une grossesse. Et c'était un devoir bien agréable, en vérité !

Un mois passa, puis deux. Caynan Reis se disait qu'il était l'homme le plus heureux du monde. Aruj Agha était reparti en voyage le lendemain du mariage du bey, puis il était revenu, et il resterait quelques semaines au port afin d'effectuer des réparations sur son navire. Osman, le capitaine anglais, dirigeait son propre vaisseau, avec un équipage mixte d'Anglais et de citoyens d'El Sinut, afin d'apprendre aux Arabes à manier ce genre de bateau. Ils n'allaient pas bien loin encore, car les Européens étaient en minorité à bord du *Royal Charles*, rebaptisé le *Sultan Murat*.

— Je ne vous ai jamais connu si joyeux, dit le capitaine des janissaires, un jour que lui et le bey dégustaient un café. Je n'aurais pas cru Caynan Reis capable d'être emporté par l'amour.

— Tous les hommes en sont capables, répondit gaiement le bey. Même Aruj Agha. Un jour, vous trouverez la femme de votre vie, mon ami.

— J'ai aimé une fois, avoua le janissaire, mais ça n'a pas marché. En outre, dans ma situation, une femme est une lourde responsabilité. Autrefois, les janissaires n'avaient pas le droit de se marier, et je crois que c'était mieux. Un homme qui s'inquiète pour son épouse et ses enfants se montre trop timoré, lorsque l'heure est venue de se battre, or ce n'est pas avec la prudence que l'on gagne des batailles. Les guerres sont remportées par ceux qui n'ont peur de rien, et surtout pas de la mort. Un homme marié s'inquiète de ce qui arrivera à sa famille, s'il venait à disparaître. Non, je suis mieux célibataire.

— Vous n'avez pas envie d'avoir des fils ?

— J'ai dû en avoir quelques-uns, quand j'étais jeune, mais je n'en suis pas absolument certain, plaisanta le janissaire.

Le chef des eunuques entrait dans la pièce. Il s'inclina devant son maître.

— Un visiteur en provenance d'Istanbul désire vous voir, mon seigneur.

— Ne peut-il attendre l'audience publique de demain ?

— Je crains que non, mon seigneur.

— Je vous laisse, mon ami, dit Aruj Agha.

— Non ! Vous pouvez tout entendre, j'ai une totale confiance en vous... Fais entrer le visiteur, Baba Hassan.

L'eunuque s'inclina, imperturbable comme toujours. Un instant plus tard, il revint, accompagné d'un colosse qui portait la grosse moustache traditionnelle des janissaires et salua le bey avec respect.

— Parlez ! ordonna Caynan Reis.

— Ce que j'ai à dire est strictement personnel, mon seigneur...

— Je vous présente Aruj Agha, le capitaine des janissaires de cet État. Vous pouvez vous exprimer devant lui.

— Vous soutenez les janissaires, mon seigneur ? demanda l'homme.

— Je soutiens tous ceux qui souhaitent longue vie à notre sultan et l'aident à faire régner la paix.

Le visiteur sourit.

— Je suis Hussein Agha. Le problème dont je veux m'entretenir avec vous est délicat... Ai-je votre parole que rien de ce qui se dira ici ne sera répété ?

Caynan Reis acquiesça.

— Je vous écoute.

— Le sultan est jeune, mon seigneur, commença le janissaire. Il ne régnera pas avant plusieurs années. Nous sommes gouvernés par une femme, ce qui est intolérable. Il faut absolument l'évincer de l'empire.

— Et de quelle façon ? demanda le bey. Vous voudriez la tuer et prendre la régence à sa place ?

— C'est plus complexe, mon seigneur. Le sultan Murat aime beaucoup sa mère, et on ne peut le séparer d'elle... Mieux vaudrait qu'il soit évincé en même temps que la régente, et qu'il continue à vivre près d'elle.

Le bey, pensif, se caressait le menton.

— Et qui mettriez-vous sur le trône de l'Empire ottoman, Hussein Agha ? L'un de ces malheureux vieux princes incompétents qui ont passé leur vie au palais ? À qui pensez-vous ?

— Le sultan a deux jeunes frères.

— Il faudrait tuer l'un d'eux, sinon on pourrait s'en servir pour fomenter une nouvelle révolte, raisonna Caynan Reis. Vous pourriez tuer l'aîné et placer le plus jeune sur le trône, garantissant ainsi un long règne des janissaires. C'est ça ? Quel âge a-t-il ? Quatre ans, cinq ?

— C'est le corps des janissaires qui décidera, déclara Hussein Agha avec raideur.

— Alors pourquoi être venu me voir ? Je suis le bey du plus petit État barbaresque. Mon seul pouvoir est celui que m'a attribué le sultan, et il ne dépasse pas mes frontières. Que désirez-vous de moi, Hussein Agha ?

— Votre appui. Votre loyauté à notre corps. En échange, nous vous accorderons l'autonomie, et vous serez libre d'impôts pour toujours. Vous n'aimeriez pas que votre fils hérite de ce petit royaume ?

— Je n'ai pas de fils, dit posément le bey.

— Mais vous en aurez. Lorsque El Sinut sera à vous, vous pourrez cesser de donner à vos favorites les potions qui les rendent stériles. Vous deviendrez très important, mon seigneur.

L'homme souriait, et Caynan Reis pensa soudain à un furet domestique qu'il avait eu, dans son enfance.

— Avez-vous parlé aux beys des États plus importants ? demanda-t-il.

— Vous êtes le premier, mon seigneur.

Le bey se tut un instant, comme s'il réfléchissait à la proposition du janissaire.

— En tant que petit État, reprit-il, je risque gros. Imaginez que j'accepte de me joindre à vous et que les autres refusent ? Alger et Tunis cherchent à annexer El Sinut depuis des années. Je viens de me marier, et je ne voudrais pas que mon épouse se retrouve veuve à cause de mon imprudence… Non. Je vous soutiendrai quand les autres auront donné leur accord. Si vous échouez, on voudra faire un exemple, et El Sinut serait une cible toute trouvée pour Istanbul. Je dois protéger mon peuple, Hussein Agha. Comprenez-moi : je me moque de savoir qui gouverne, tant qu'on me laisse faire mon devoir et veiller sur le bien-être de mes concitoyens. Je ne dis pas que je refuse, mais seulement que j'attends de voir si mes puissants voisins participent à votre complot. Quand vous en serez certain, je vous donnerai ma réponse, conclut-il avec un sourire amical.

— J'apprécie votre franchise, mon seigneur, et je comprends parfaitement votre position, répondit le janissaire d'un ton doucereux. Je partirai dès demain pour Alger, Tunis et le Maroc.

— En attendant, j'insiste pour que vous soyez mon hôte ce soir ! dit le bey en tapant dans ses mains.

Baba Hassan apparut aussitôt.

— Ordonne à Abû de tuer un agneau et de préparer un festin pour notre noble ami. Vous passerez la nuit au palais, j'espère ? ajouta-t-il en se tournant vers Hussein Agha.

L'homme accepta d'un signe de tête.

— Aruj Agha, veux-tu mener notre visiteur aux bains et veiller à ce qu'il ait tout ce qu'il désire ? Baba Hassan vous prêtera des vêtements propres, et les vôtres seront nettoyés demain matin pour votre départ.

L'homme s'inclina de nouveau.

— Vous êtes un hôte parfait, mon seigneur. Je saurai m'en souvenir...

Les janissaires sortirent en compagnie de l'eunuque, et Caynan Reis demeura seul, pensif. Baba Hassan lui avait annoncé deux jours auparavant l'arrivée de cet émissaire. Le chef des eunuques possédait un réseau de précieux informateurs, et il savait toujours tout à l'avance. Une chance !

Quand il avait appris le complot qui se tramait contre le sultan, Caynan en avait parlé à India, qui s'était montrée sage et prudente dans ses conseils.

— Ce jeune sultan est-il un mauvais monarque, mon seigneur ? avait-elle demandé.

Le bey lui avait répondu que la régente se montrait avisée dans sa manière de gouverner, et que l'empire était paisible et prospère.

— Alors, si j'étais vous, j'éviterais de m'engager dans cette affaire, Caynan, avait dit India. C'est dangereux, et les révoltes fomentées par les janissaires ont-elles déjà abouti ? Ne vous acoquinez pas avec ces traîtres.

Il avait acquiescé. Son épouse était remarquablement intelligente, pour une si jeune femme.

Toutefois, il se rendait compte à présent qu'il avait l'opportunité de léguer un jour El Sinut à son fils aîné. S'il dévoilait le complot à la régente avant qu'il n'ait pu être mis à exécution, ne lui en serait-elle pas reconnaissante ?

Caynan sourit à cette perspective.

13

— Je n'aime guère ce Caynan Reis, dit Hussein Agha en turc, alors qu'il se délassait dans le bassin d'eau tiède en compagnie d'Aruj Agha.

— Pourquoi ? C'est un bon et loyal serviteur de notre pays, répondit Aruj, en turc également.

— C'était bien trop malin de me demander l'accord des autres beys avant de prendre sa décision. Je n'ai pas confiance en lui, et je ne crois pas qu'il nous suivra.

Des esclaves s'affairaient autour d'eux, préparant les tables de massage et les serviettes propres.

— C'est un homme prudent, dit Aruj Agha, défendant son ami. Je le connais depuis dix ans et je ne l'ai jamais vu une seule fois malhonnête. Ce que vous lui avez offert est fort tentant. Il a pris femme récemment, et il recherche la sécurité, mais son État est petit. Ses voisins le guettent comme des vautours, ils sont prêts à l'annexer, ce qui rend Caynan Reis méfiant.

— Au nom d'Allah, qui voudrait de cette misérable parcelle de terre ? grommela Hussein Agha, méprisant.

— El Sinut possède le plus beau port de la région. C'est pourquoi les impôts que nous payons à Istanbul sont plus élevés que ceux de Tunis ou d'Alger.

Quant aux palmeraies, elles donnent des dattes savoureuses, grâce à la richesse du sol. Nous avons aussi des mines de sel, et une source minérale où l'on vient en cure de tous les coins de l'empire, même de Damas.

— Je ne m'étais pas rendu compte que l'endroit était si prospère, dit Hussein Agha, pensif. Peut-être avez-vous raison, à propos de votre bey, et l'amitié qu'il vous porte ne doit pas être négligée. J'ai été impressionné quand il a insisté pour que vous assistiez à l'entretien. Cela montre un certain respect envers les janissaires.

— Il a toujours travaillé dans notre sens et, franchement, il se montre plus que généreux avec les richesses que nous rapportons de nos voyages.

— Si l'on m'a envoyé ici en premier, c'est parce que nous avons pensé que nous pouvions lui faire confiance.

— Vous pouvez lui faire confiance ! s'exclama Aruj Agha. J'en mettrais ma main à couper.

— J'accepte votre parole, car je sais que vous êtes un honnête homme. Je vous ai connu petit, quand vous étiez à l'école du prince, et votre oncle est l'un de nos chefs respectés. Mais sachez bien, Aruj Agha, que si votre bey nous trahit, vous devrez le tuer... Vous avez bien compris ?

— J'obéirai.

— Bon ! Maintenant, si vous pouviez me trouver une jolie fille, ma soirée serait parfaite. Un beau jeune homme comme vous doit en connaître un certain nombre !

— Il y en aura une qui vous attendra dans vos quartiers après le souper, assura Aruj Agha en souriant.

Une fois séchés, massés et habillés, les deux

hommes allèrent se promener dans les jardins, en attendant que le repas soit servi.

Baba Hassan les observa un instant par la fenêtre, avant de se tourner vers la maîtresse des bains.

— Tu as pu glaner quelques informations, Oma ?

— Pas moi, mais Refet, répondit-elle en désignant une esclave qui se cachait derrière elle.

— Parle, mon enfant, dit gentiment Baba Hassan à la jeune fille intimidée.

— Je suis turque, commença-t-elle, or les janissaires parlaient notre langue. Le plus âgé ne fait pas confiance au bey, mais Aruj Agha a juré qu'il était fiable, alors l'autre a été un peu rassuré. Pourtant, il a dit que si le bey les trahissait, Aruj Agha devrait le tuer, et Aruj Agha a dit oui. Ensuite, l'autre a demandé une fille pour la nuit. C'est tout, monsieur.

— Merci, dit Baba Hassan avant de congédier les deux femmes.

Il lui fallait choisir avec soin la fille qui distrairait Hussein Agha. Comme le bey ne s'intéressait plus guère à son harem, il accepterait sans doute que deux de ses femmes honorent les janissaires. La douce Mirmah, qui avait jadis appartenu à Aruj Agha, serait sienne de nouveau pour une nuit. Quant à la fougueuse et rousse Sarai, elle plairait certainement à Hussein Agha. Elle serait capable de le rendre fou de passion et de lui extorquer quelques informations. D'autre part, Samara remplacerait India auprès du bey lors du dîner…

Baba Hassan alla trouver son maître, qui était avec India. De toute évidence, ils venaient de faire l'amour. Il rapporta au bey ce qu'avait entendu la jeune esclave, et lui parla de ses plans pour la soirée.

— Mieux vaut leur offrir des femmes en qui nous avons confiance. Mais si l'idée ne vous plaît pas, j'enverrai chercher en ville deux courtisanes.

— Mes pauvres jeunes femmes ont été bien négligées, ces derniers temps, dit Caynan Reis, les yeux pétillant de malice. Car j'étais occupé ailleurs... Envoyez-en deux aux janissaires : ils se sentiront honorés.

— Mais pourquoi faut-il que Samara prenne ma place au côté de mon époux ? protesta India. Notre visiteur ne se sentirait-il pas également honoré par la présence de la femme du bey ?

Baba Hassan secoua la tête.

— S'il s'agissait d'une soirée normale, madame, je ne l'aurais même pas suggéré, mais la situation est dangereuse. En dehors du palais, peu de gens connaissent votre visage, et je préfère que l'émissaire d'Istanbul ne vous voie pas.

— Je suis d'accord, approuva le bey. Surtout après la merveilleuse nouvelle que mon épouse vient de m'apprendre...

Baba Hassan ouvrit de grands yeux.

— Mon seigneur ! Un enfant ?... Ah, quel bonheur ! Je priais tous les jours pour que cela arrive enfin ! Qu'Allah vous bénisse, lady India ! Puis-je l'annoncer à Azura ?

La jeune femme eut un petit rire joyeux.

— Je ne suis pas tout à fait sûre, puisque c'est mon premier bébé, mais je crois reconnaître les signes... Oui, Baba Hassan, vous pouvez avertir Azura, ainsi que les autres filles, car cela leur donnera l'espoir de pouvoir bientôt partager la couche de mon mari. Cela atténuera le chagrin de celles qui n'auront pas été choisies ce soir. Toutefois, si j'étais vous, j'attribuerais deux femmes à l'émissaire. Si vous lui en offrez une seule, il craindra que ce ne soit une espionne, tandis que deux, ce sera la preuve de la générosité du bey. On n'a sûrement pas envoyé un idiot, pour cette mission. Que diriez-vous de Nila, en plus de Sarai ? Il sera tellement troublé par leur beauté qu'il ne pensera plus à rien d'autre.

Baba Hassan ne cachait pas son admiration.

— Avec la permission de mon maître, c'est ce que je vais faire, lady India.

— Accordé, dit Caynan Reis. N'est-elle pas astucieuse, Baba Hassan ? Quel fils elle va me donner !

— Il se pourrait que ce soit une fille, lui rappela India. Ma mère m'a eue avant Henry.

— Une fille me fera plaisir aussi, à condition qu'elle soit aussi belle que toi, dit galamment le bey en lui baisant la main. J'espère toutefois que le premier enfant sera un garçon, non seulement pour moi, mais aussi pour El Sinut.

— Il est temps de vous préparer, mon cher époux. Vous devriez prendre un bain, car la journée a été étouffante. Mais si Samara essaye de vous séduire, je lui arrache les yeux !

Baba Hassan s'éloigna en riant pour se rendre chez Azura, à qui il annonça la bonne nouvelle.

— Allah soit loué ! s'écria Azura. Nous avons de la chance, n'est-ce pas, Baba Hassan ? India est l'épouse qu'il fallait au bey.

Le chef du harem lui expliqua comment allait se dérouler la soirée.

— Je m'occupe de Sarai et Nila, dit Azura. Quant à Mirmah, elle sera sûrement contente, car elle a gardé un faible pour Aruj Agha. Mais Samara, vous vous en chargerez. Elle met mes nerfs à rude épreuve, et elle sera furieuse d'apprendre que pour elle, la soirée se terminera quand le bey se retirera pour la nuit.

— Je sais comment la prendre, assura Baba Hassan. Elle obéira.

Les janissaires furent accueillis dans la salle à manger du bey par les quatre jeunes femmes somptueusement parées, leurs visages visibles sous les voiles arachnéens. Le bey fit son entrée tout de suite après, souriant et affable. Il indiqua à Samara de s'asseoir près de lui. Aruj Agha la reconnut, ainsi que la gentille Mirmah, et il fut surpris que Caynan Reis leur offre des filles de son harem.

— J'ai pensé que vous apprécieriez le charme féminin ce soir, Hussein Agha, dit le bey. Aussi ai-je fait venir des jeunes femmes de ma maisonnée. La jolie rousse à votre droite s'appelle Sarai, et elle est très douée pour les pratiques exotiques. La blonde, Nila, est insatiable, elle vous donnera le plus exquis des plaisirs. Ma douce Mirmah est la compagne d'Aruj Agha. Il me l'a offerte il y a quelques années, et je crois qu'il sera content de la retrouver pour une soirée...

Hussein Agha en resta coi. Jamais il n'avait vu de telles beautés ! Leur parfum le grisait déjà, et il ne put résister au plaisir de caresser le bras nu de Sarai. Elle sourit, découvrant des dents très blanches. Nila, pour ne pas être en reste, sourit également, passant un petit bout de langue rose sur ses lèvres pleines. Déjà le janissaire sentait le désir monter en lui. Ces femmes étaient-elles là pour le faire parler ? Il oublia son inquiétude lorsque Sarai pressa un sein contre son bras.

— Mon seigneur, dit-il enfin, c'est un grand honneur ! Ces femmes sont les plus belles qu'il m'ait été donné d'admirer.

— Ma longue amitié avec Aruj Agha me pousse à apprécier les janissaires, répondit sincèrement le bey. J'ai hâte de vous voir revenir des autres États. Profitez bien de mes femmes, car je crains de les avoir quelque peu négligées, depuis mon mariage.

— C'est le moins qu'on puisse dire ! intervint Samara, boudeuse. N'est-ce pas, mes amies ? Il est difficile de rivaliser avec lady India, qui est belle et charmante. Même nous, nous n'arrivons pas à la détester. Cependant, maintenant qu'elle attend un enfant, nous allons récupérer un peu notre cher seigneur...

Les autres pouffèrent.

— Votre épouse va vous donner un fils ? demanda Aruj Agha en souriant à son ami. Allah vous bénit ! Quand je pense au jour de son arrivée à El Sinut... Puis-je raconter l'anecdote à Hussein Agha ?

— Bien sûr, répondit le bey.

Les serviteurs commençaient à servir le repas, composé d'une soupe de lentilles à la sauce piquante, d'un couscous au bœuf et légumes, d'un méchoui d'agneau, de poulets farcis aux amandes et au raisin. Il y avait aussi des olives vertes et noires, des concombres au vinaigre, du pain tout chaud, des truites sur un lit de citrons confits. Le dessert, servi avec du thé à la menthe, se composait de pâtisseries au miel et de fruits divers.

Quand il ne resta plus sur la table que la corbeille de fruits, le bey frappa dans ses mains. Les divertissements commencèrent avec un charmeur de serpents, suivi de danseuses qui ondulaient sensuellement au son d'une flûte. Elles procédèrent à un gracieux effeuillage, avant qu'une jeune aveugle vienne chanter des chansons d'amour passionnées, accompagnée de trois musiciennes qui jouaient du luth, du pipeau et du tambourin.

Du coin de l'œil, Caynan Reis observait les janissaires. Sarai avait glissé la main sous le caftan de Hussein Agha et, à en juger par l'expression de celui-ci, elle se montrait fort adroite.

Au bout d'un moment, le bey se leva.

— Il est temps que je me retire. Je vous verrai demain matin, Hussein Agha. Passez une bonne nuit.

Il quitta la pièce avec Samara, qu'il raccompagna au harem.

— Tu as été parfaite, dit-il en effleurant ses lèvres d'un baiser.

— Je suis patiente, mon seigneur... répondit-elle, les yeux brillants.

Il esquissa un sourire.

— Ne répète jamais cela devant ma femme, Samara ! Dors bien.

Elle le regarda s'éloigner, le sourire aux lèvres. Bientôt, India serait déformée par sa grossesse, et le bey reviendrait chercher des distractions parmi son harem...

Caynan Reis, de son côté, se dirigea vers les quartiers du chef des eunuques. Baba Hassan, allongé sur un divan, fumait tranquillement son narguilé.

— J'ai un plan qui devrait me permettre de protéger El Sinut et d'obtenir ce que je désire, déclara Caynan Reis sans préambule.

— Et que désirez-vous au juste, mon seigneur ? demanda l'eunuque.

— Le complot des janissaires échouera, comme toujours, et la Sublime Porte cherchera à se venger. Or ils jugeront plus prudent de s'en prendre aux États barbaresques plutôt qu'aux véritables coupables.

— C'est certain, mon seigneur.

— Mais que se passerait-il si El Sinut dénonçait le complot avant que les janissaires aient l'opportunité de le mettre en action ? La régente en serait sans doute fort satisfaite, et tiendrait à récompenser le loyal bey d'El Sinut. Elle accepterait de me faire cadeau de ce petit royaume. Nous continuerions à payer des redevances, mais El Sinut serait à moi et à ma famille pour toujours.

Baba Hassan réfléchit longuement aux paroles de son maître.

— C'est dangereux, mon seigneur, dit-il enfin. Très dangereux... Rappelez-vous ce qu'a dit l'esclave des bains : Aruj Agha a reçu l'ordre de vous tuer si vous trahissez les janissaires, et il a accepté.

— À mon avis, il a dit cela afin d'apaiser Hussein Agha. Nous partageons une longue et solide amitié, il ne me tuera pas.

— Il y a une chose que vous n'avez pas totalement comprise au sujet d'Aruj Agha, mon seigneur. Sa fidélité va d'abord aux janissaires, car son grand-père était janissaire, son oncle l'est encore, et il a été élevé à l'école du prince d'Istanbul. Il a débuté comme jardinier au palais du sultan. C'est ainsi que commencent bien des jeunes gens ambitieux, avides de prouver leur valeur non pas au sultan, mais aux officiers janissaires. Jusqu'à présent, vous n'avez pas eu de motif de désaccord, mais le cas échéant, ne vous attendez pas à le voir prendre votre parti contre les siens.

Il ne le fera jamais, même s'il croit que ses supérieurs se trompent. Si vous décidez de suivre votre plan, il ne faudra plus jamais lui faire confiance.

— Ai-je le choix, Baba Hassan ? Les autres États vont sauter sur l'occasion de se libérer d'Istanbul. Si Hussein Agha revient me voir, je serai obligé de lui donner mon adhésion, ou alors je deviendrai leur ennemi, et ils tenteront de m'assassiner. Mais si je dis oui au complot, la Sublime Porte se vengera sur moi, car El Sinut est petit, comparé aux autres États qui risqueraient de lui causer des ennuis. Je suis pris entre deux feux.

« D'un autre côté, si je dévoile le complot des janissaires, j'ai une chance de m'en sortir. Je demanderai au sultan de retirer les janissaires d'El Sinut, une fois que nous serons devenus indépendants, et je monterai ma propre garde armée. El Sinut m'appartiendra, et à mes descendants après moi. Le jeu en vaut la chandelle, Baba Hassan, je ne vois pas d'autre moyen de nous garder tous en vie.

— Je n'en vois pas non plus, mon seigneur. À la grâce d'Allah, dit l'eunuque, fataliste.

— Maintenant, mon ami, comment approcher la régente à Istanbul ? Je suis sûr que tu as une idée…

— De deux manières différentes, mon seigneur : ce sera plus sûr. L'Agha Kislar, de la maison royale, m'a offert plusieurs pigeons. Nous allons en expédier trois à la capitale, porteurs de notre message. Je vais aussi envoyer deux jeunes garçons en cadeau au sultan. Ils seront accompagnés de mon plus fidèle assistant, Ali-Ali, qui apportera de ma part un message à Agha Kislar.

— Et si on l'intercepte ?

— Il sera rédigé selon un code connu seulement de moi, de Kislar, et de ceux à qui il fait suffisamment confiance pour leur donner ses oiseaux.

— Pourquoi des garçons, et non de jolies jeunes filles ? demanda le bey.

— La régente a toujours encouragé son fils à préférer la compagnie des garçons. Ainsi, elle ne risque pas de voir une ravissante jeune femme tenter de l'évincer en séduisant son fils. Cela changera sûrement un jour, mais pour l'instant, nous aurons plus de succès avec de jolis garçons qu'avec de jolies filles.

— Comment saurons-nous si le sultan a reçu notre message ? Et le recevra-t-il à temps ?

— Nous n'en saurons rien avant le retour d'Ali-Ali, mon seigneur. Mais rappelez-vous qu'il faudra des semaines pour que Hussein Agha termine sa tournée et revienne à El Sinut. Ensuite, il devra encore rentrer à Istanbul. Les pigeons que j'enverrai dans deux jours iront directement au palais : ils ont été dressés pour ça. Agha Kislar me les restituera par l'intermédiaire d'Ali-Ali.

— Je comprends... Mais pourquoi ne les envoies-tu que dans deux jours ? Pourquoi pas demain ?

— Hussein Agha connaît sûrement l'existence des pigeons. S'il en voyait un s'envoler, que penserait-il ? Ces oiseaux sont uniques, blancs avec des taches noires et des pattes d'un rose vif. Ils sont bien différents de ceux que nous voyons couramment en ville ou sur le marché. Donc nous attendrons que le janissaire se soit remis en route.

— Entendu, dit le bey en se levant. Seule Azura doit être au courant, Baba Hassan.

— Votre femme aussi, répliqua le chef des eunuques. Elle est intelligente. Elle pourra vous être utile, si elle connaît la situation.

— Mais si elle s'inquiète, est-ce que ce ne sera pas mauvais pour l'enfant ?

— L'ignorance serait plus terrible encore. Lady India imaginerait le pire, alors que la vérité lui donnera courage et force. Vous voulez El Sinut pour votre fils, mon seigneur, mais c'est aussi son enfant. Les femmes s'irritent, à juste titre, lorsqu'un homme est trop possessif avec leurs petits. Après tout, ce sont elles qui les portent pendant neuf mois !

— Qu'en sais-tu, Baba Hassan ? Il n'y a jamais eu d'enfant dans ce palais. En tout cas, pas de mon temps ni de celui de Sharif.

L'eunuque haussa les épaules.

— Quand j'étais jeune, j'ai servi la favorite du sultan précédent dans le harem de Yeni Serai. Il était très important, et il y avait beaucoup d'enfants, y compris celui de ma maîtresse. Mais le sultan s'est désintéressé d'elle quand elle a été mère. Finalement, on l'a envoyée avec son enfant dans l'ancien palais, Eski Serai, et j'ai été chargé d'accompagner Azura à El Sinut. C'est ainsi que je connais bien les rapports entre les mères et les enfants. J'en ai beaucoup appris, en cinquante ans d'existence ! conclut Baba Hassan avec un petit rire.

— Je salue ta sagesse, dit le bey.

— Elle est toute à votre service, mon seigneur...

Au matin, Caynan Reis rencontra le janissaire avant son départ.

— Avez-vous passé une agréable nuit, Hussein

Agha ? demanda-t-il aimablement, remarquant les traits tirés de son invité.

Il n'avait pas dû dormir beaucoup.

— Je n'en ai jamais connu de cette qualité ! répondit l'autre avec enthousiasme. Le bey d'Alger et celui de Tunis seront sûrement incapables de me recevoir aussi bien que vous ! J'ai hâte de revenir vous rendre visite. Sarai et Nila sont incomparables !

— Je suis heureux d'avoir pu vous distraire, dit le bey. Qu'Allah vous protège. À bientôt, Hussein Agha.

Le janissaire salua, puis il quitta la pièce.

— Et vous, Aruj Agha, vous avez apprécié votre compagne ? reprit le bey en se tournant vers son ami.

— Oui. Elle est fort plaisante au lit, Caynan... Mais pourquoi vous être montré si généreux envers Hussein Agha ? D'après lui, vos femmes l'ont presque tué de plaisir ! Vous tentiez de l'assassiner ?

Le bey éclata de rire.

— Je voulais me faire pardonner de ne pas avoir tout de suite adhéré à son complot contre le sultan.

— Vous accepterez de collaborer, si les États plus importants sont d'accord ?

— J'agirai au mieux dans l'intérêt d'El Sinut, vous le savez, répondit franchement le bey. N'ai-je pas toujours respecté et soutenu le corps des janissaires ?

— Si, en effet... C'est d'ailleurs ce que j'ai dit à Hussein Agha hier, quand il exprimait des doutes sur votre loyauté.

Le bey lui donna une tape amicale dans le dos.

— Nous sommes comme des cheveux attelés à la même charrette, mon ami. Jusqu'à présent, à nous deux, nous avons su maintenir la prospérité d'El

Sinut. Je suis un bon administrateur, mais je n'aurais pu diriger l'État sans votre aide. Qu'il en soit toujours ainsi.

— À la grâce d'Allah !

— Où en sont les réparations de votre navire ? demanda le bey.

— Nous devrions pouvoir prendre la mer d'ici un mois, et Osman travaille dur sur son propre vaisseau. La première fois, nous sortirons ensemble, je pense. Je lui laisserai la direction du *Sultan Murat*, mais il y aura bien sûr une troupe de janissaires à son bord.

— Je pense que vous avez raison de rendre son grade à ce capitaine. Ma femme sera heureuse de voir que vous honorez son cousin...

En effet, India fut enchantée de la nouvelle.

— Quand vous aurez chassé les janissaires du pays, dit-elle, mon cousin pourra vous aider à composer une nouvelle garde. Beaucoup de soldats, en Europe, sauteraient sur cette occasion.

— Sois plus prudente, ma chérie ! la gronda-t-il gentiment. Rien n'est fait encore... Je regrette de ne pouvoir faire confiance à Aruj Agha dans cette circonstance, pourtant Baba Hassan a raison : mon ami est fidèle aux janissaires.

— Le moment venu, il comprendra peut-être que c'est vous qui avez raison, dit India, rassurante.

Le bey éprouvait une réelle affection pour cet ami avec lequel il chassait et jouait aux échecs, avant l'arrivée d'India. Caynan Reis se sentirait triste quand on renverrait Aruj Agha à Istanbul, mais Thomas Southwood – Osman – prendrait peut-être sa place...

India aurait bien aimé voir son cousin, tout en sachant que ce n'était pas possible. Il faudrait attendre qu'il soit admis dans l'entourage du bey, en tant que fidèle et loyal capitaine.

Thomas Southwood avait entendu dire que le bey avait épousé India, et il était soulagé qu'elle soit enfin devenue raisonnable. Il lui avait promis de la ramener en Angleterre, et il ne lui venait pas à l'esprit qu'elle pourrait ne pas être d'accord, le moment venu. D'ailleurs, comment se justifierait-il de l'avoir abandonnée, s'il parvenait à s'échapper ? De retour au pays, la fabuleuse dot d'India balaierait les réticences d'un éventuel prétendant. Surtout s'il s'agissait d'un Écossais, qui n'aurait jamais entendu prononcer le nom d'El Sinut.

Tom Southwood s'était montré patient, car c'était le seul moyen de parvenir à ses fins. Nombre de fous avaient tenté de s'enfuir et s'étaient retrouvés la gorge tranchée... Il avait donc conseillé aux marins anglais, restés avec lui, de supporter la situation. D'ailleurs ils n'étaient pas maltraités, il fallait bien le reconnaître.

— C'est une extraordinaire aventure, que vous raconterez plus tard à vos petits-enfants au coin du feu, leur disait-il. Tirez profit de votre séjour ici, amusez-vous avec les femmes, gorgez-vous de nourriture exotique, de soleil, de chaleur. Nous rentrerons tous en Angleterre, je vous le promets !

Tout en stimulant le moral de ses hommes, il réfléchissait à la façon dont ils pourraient se sauver. Il fallait que son plan soit parfaitement au point, et il ressassait sans cesse le problème. Les gardiens des phares devraient être neutralisés, afin qu'ils ne donnent pas l'alerte. Il faudrait aussi baisser le lourd filet métallique qui fermait l'entrée du port, puis le relever. On croyait généralement qu'il n'était hissé qu'en cas de menace imminente, mais en réalité, il était mis en place tous les soirs, pour parer à une attaque surprise. Les navires n'étaient pas les bienvenus dans le port d'El Sinut, entre le coucher et le lever du soleil.

Le plus difficile, cependant, serait de pénétrer dans le palais afin d'en faire sortir India et sa servante. Tom Southwood avait appris que la petite était écossaise, et que son père avait trouvé la mort pendant l'abordage de son bateau. Trois marins seulement avaient survécu, et l'un d'entre eux avait eu la sagesse de se convertir à l'islam. On l'avait mis dans l'équipage d'Osman.

Adrian Leigh posait un autre problème. Il était hors de question de le libérer car il était enchaîné à sa rame. Essayer de le sauver serait mettre le projet en péril : tous les esclaves de la galère d'Aruj Agha voudraient qu'on les délivre aussi, or c'étaient pour la plupart des canailles incontrôlables qui s'empresseraient de piller et de violer. Non, c'était impossible, et Tom espérait que sa cousine n'en serait pas trop désespérée. De toute façon, ils préviendraient la famille du jeune Leigh, afin qu'ils proposent une rançon.

Peu à peu, méthodiquement, Thomas Southwood mit tout au point. Ses marins étaient avertis, et se tenaient prêts. Il suffisait de choisir le bon moment, car ils n'auraient pas de seconde chance. S'ils échouaient, ce serait la mort, et pas une mort rapide ! Il avait vu ce que l'on faisait à ceux qui tentaient de s'échapper, et il ne tenait absolument pas à ce que cela lui arrive, ni à aucun de ses hommes. Il attendrait l'instant propice, et ils seraient de retour en Angleterre moins d'un an après l'avoir quittée.

— C'est pour bientôt, annonça-t-il à son équipage. Très bientôt, j'en ai l'intuition. Vous savez tous ce que vous aurez à faire, et nous n'aurons pas droit à la moindre erreur, messieurs.

Et elle ne tarda pas à arriver, cette parfaite occasion…

14

Nue dans les bras de son mari, India souriait.

— Je comprends parfaitement que vous ayez envie d'aller passer quelques jours à chasser dans les collines avec Aruj Agha, mon seigneur, dit-elle doucement. J'ai cinq frères et un tas d'oncles et de cousins. Je sais que la chasse est une occupation d'homme.

Il caressait ses seins, heureux de les voir pointer sous ses doigts.

— Tu as déjà chassé avec eux ? On dit que les Anglaises s'adonnent à ce sport, parfois.

— En effet. Ma mère et ma sœur adorent se joindre aux hommes pour chevaucher toute la journée dans les forêts, mais j'avoue que je n'y prends guère de plaisir.

Elle se pencha pour baiser sa poitrine.

— Je préfère ce genre de distraction, ajouta-t-elle, coquine.

— Tu es insatiable ! dit-il en riant.

Elle était magnifique, encore svelte, à part sa poitrine qui avait pris un peu de volume. Il l'assit devant lui et prit un bouton rose entre ses lèvres.

Comme il la sentait frémir sous sa caresse, il glissa la main entre ses jambes et la pénétra doucement. Elle en eut la tête qui tournait et se cambra tandis que le plaisir montait en elle, magique, magnifique. Enfin, elle fut secouée de la tête aux pieds par les ondes irrépressibles de la passion.

— Monstre ! gémit-elle. Arrêtez... vous allez me tuer !

En riant, il la repoussa sur le dos et s'allongea sur elle.

— J'aime te torturer, délicieuse créature, dit-il en se frottant contre elle. J'adore t'entendre crier...

Elle le sentit entrer en elle, et il ajouta :

— Tu aimes cette torture-là aussi, mon amour ?

Elle noua les jambes sur ses reins et le serra bien fort.

— Et vous, vous aimez celle-ci, mon seigneur ?

— Chipie ! Tu veux ma mort ?

— C'est pour que vous pensiez à moi dans vos collines, mon seigneur. Que vous vous rappeliez ma chaleur, ma douceur.

Il se mit à bouger avec plus de force.

— Et toi, tu te rappelleras comment je te faisais l'amour, lorsque tu seras seule dans ton grand lit, mon India.

De nouveau le plaisir montait, et ils explosèrent ensemble avant de redescendre sur terre, épuisés, ravis.

La tête sur la poitrine de Caynan Reis, India entendit les battements de son cœur revenir à la normale. Elle frotta sa joue contre la peau si douce, si lisse. Elle adorait son odeur, un peu musquée.

— Je vous aime, Caynan, murmura-t-elle dans un soupir.

— Moi aussi, je t'aime.

Oh oui, il l'aimait ! À tel point qu'il avait l'intention, au retour de la chasse, de tenir la promesse qu'il lui avait faite. Il avait récemment rencontré en ville un pasteur protestant, qui avait accepté de les marier et de garder leur union chrétienne secrète.

— Je comprends, mon seigneur, avait-il dit. Il ne faut pas que l'on puisse penser que vous avez cédé aux exigences d'une femme... Il est évident que vous respectez Dieu. Moi aussi, je Le respecte, dans ses différentes incarnations. C'est la raison de ma présence à El Sinut. Je ne suis pas très strict sur la doctrine, ce qui ennuie fort mes supérieurs, alors ils m'ont envoyé ici afin que j'aide les prisonniers protestants. C'est le seul moyen qu'ils ont trouvé pour m'empêcher de corrompre les innocents, avait-il ajouté dans un petit rire.

— J'apprécie votre discrétion, avait répondu le bey. India sera heureuse, or c'est important pour moi. Nous viendrons vous voir dans quelques jours. Il sera plus facile pour moi de vous l'amener en secret que de vous faire venir au palais. En échange, pasteur Haussler, vous pourrez obtenir mon aide pour les prisonniers protestants qui désirent être rançonnés.

Le pasteur l'avait remercié avec effusion...

Oui, ils allaient se marier, comme les parents d'India l'auraient souhaité. Et puis, Caynan Reis avait décidé d'avouer à sa femme qu'il était Deverall Leigh, le demi-frère d'Adrian, le véritable héritier du comte d'Oxton. Cela lui causerait un choc, il le savait, mais il savait aussi qu'elle le croirait quand il lui dirait qu'il n'avait pas tué lord Jeffers. Il avait été accusé à tort et avait préféré s'enfuir plutôt que d'essayer de prouver son innocence. D'ailleurs, y serait-il parvenu ? Le poignard retrouvé dans le corps de la victime lui appartenait, c'était une arme qui lui venait de sa mère et à laquelle il tenait énormément, tout le monde le savait. India comprendrait.

Ensuite, il paierait lui-même la rançon d'Adrian et il l'enverrait chez son oncle, à Naples.

Enfin, quand India aurait mis leur bébé au monde, il l'autoriserait à écrire à ses parents. Il ne voulait pas qu'ils souffrent, comme son propre père avait souffert des années durant.

Sur ces bonnes résolutions, il s'endormit, son épouse blottie entre ses bras.

Au matin, India se leva afin de faire la toilette de son mari, tâche à laquelle elle n'avait pas voulu renoncer. Ils prirent ensuite un rapide petit déjeuner, puis, soigneusement voilée, elle l'accompagna dans la cour où il devait retrouver Aruj Agha.

— Prenez bien soin de mon époux, *kapitan*, dit-elle.

— Comptez sur moi, lady India, répondit le janissaire.

Comme elle rentrait au palais, elle rencontra Samara qui la prit par la main.

— Venez au harem, l'invita-t-elle. Nila et Sarai vont nous raconter leur nuit avec le visiteur d'Istanbul. Elles ont attendu pour en faire le récit que nous soyons toutes réunies. Mais je ne crois pas qu'elles m'apprendront grand-chose, ajouta-t-elle d'un petit ton suffisant.

India n'osa pas refuser, et Samara la conduisit dans la cour de la fontaine, où les autres l'attendaient. Mirmah bondit sur ses pieds.

— Venez ici, madame, dit-elle en désignant un divan où elle obligea India à s'allonger confortablement.

Quand tout le monde fut installé et qu'on eut passé

des plateaux de gâteaux, de fruits et de citronnade, Samara s'impatienta :

— Alors ?

Sarai eut son rire de gorge.

— Nous savons toutes que le sexe d'un homme peut avoir trois tailles. La plus petite est appelée « le petit poisson », la seconde « le vilain singe », et la troisième « l'étalon ». Celui de Hussein Agha n'appartenait à aucune de ces catégories.

Les filles poussèrent un cri de surprise.

— Comment était-il ? demanda Deva.

— Nous l'avons surnommé « le taureau ».

— Je n'avais jamais vu de membre de cette dimension, renchérit Nila. Énorme ! Celui de notre bey fait partie des étalons, mais celui de Hussein Agha est infiniment plus développé !

Les femmes pouffèrent, et India ne put s'empêcher de sourire aussi. Finalement, c'était plutôt amusant !

— Continuez, dit-elle.

— Il nous a prises toutes les deux par les épaules et il est allé s'allonger sur le lit, raconta Sarai. Évidemment, nous nous sommes occupées de lui. Alors il nous a assuré qu'il était un amant infatigable et que nous serions plus que satisfaites quand le jour se lèverait. Nous lui avons promis qu'il ne serait pas déçu non plus.

— J'ai commencé à le caresser avec mes cheveux, reprit Nila. Il a bien aimé, mais il a plus aimé encore que je le prenne dans ma bouche. Il gémissait comme un petit garçon et quand j'ai vu qu'il était à bout, je l'ai chevauché. Par Allah ! Quelle merveille !

— Il était à demi fou de désir, poursuivit Sarai. Les yeux lui sortaient de la tête ! Mais je ne voulais pas que Nila ait tout le plaisir, alors je me suis occupée de sa bouche qui m'en a donné beaucoup aussi ! Nous avons joui toutes les deux en même temps.

— Pendant ce temps-là, il me remplissait comme personne auparavant. J'en avais presque peur, mais c'était si bon !

Les autres ouvraient de grands yeux.

— Continuez, dit Samara, la voix enrouée.

— Nila pleurait de plaisir, mais cette brute n'en avait pas terminé. Il s'est dégagé, m'a mise sur le dos et m'a martelée si fort que j'ai failli m'évanouir. Alors seulement, il a explosé.

— Et tu... commença Léa.

— Deux fois.

— Son surnom lui va bien ! s'écria Leila, envieuse.

— Racontez encore, exigea Léa. Est-ce qu'il vous a prise comme le font, paraît-il, les janissaires ?

— Toutes les deux, confirma Nila. Mais une seule fois, parce que nous n'aimons pas ça, et nous lui avons rappelé que nous appartenons au bey et qu'il ne s'est jamais servi de nous de cette façon. J'avoue pourtant que c'est assez excitant...

— Pas pour moi, grommela Sarai. J'avais peur qu'il me déchire !

India était perplexe.

— Je ne comprends pas...

— Il les a sodomisées, dit crûment Samara. Les janissaires sont élevés sans femmes et on sait que lorsqu'ils sont jeunes, ils font leurs expériences entre eux. Après, évidemment, ils ont des femmes. Il n'y a pas de mal à ça.

— C'est horrible ! dit India en frissonnant.

Samara eut un petit sourire entendu.

— Une femme doit toujours se plier aux désirs

de son seigneur, quels qu'ils soient. Je n'ai rien refusé de ma personne à notre bey.

India resta interdite.

— Elle dit n'importe quoi ! la rassura Sarai, avant de se tourner vers Samara. Tu es une langue de vipère ! Aucune de nous n'a été honorée de cette façon par le bey, tu le sais parfaitement. Inutile de perturber notre maîtresse.

Samara se contenta de hausser les épaules, mais le doute tenaillait l'esprit d'India.

— C'est une menteuse, chuchota Mirmah à son oreille. Nous connaissons notre maître aussi bien qu'elle, et jamais il n'a fait ça.

— Je veux le rendre heureux, dit doucement India.

— C'est le cas. Vous allez lui donner un enfant, ce dont Samara n'a jamais été capable. Elle est aigrie. Ne l'écoutez pas, madame.

Ses paroles réconfortèrent quelque peu India.

— Continuez, dit-elle. J'en apprends beaucoup, et j'essaierai de mettre vos conseils en pratique, même si cela me semble un peu... scabreux.

— Il n'y a rien de scabreux quand on donne du plaisir à un homme, protesta Deva. Surtout si on en reçoit aussi.

Les autres filles acquiescèrent tandis que Sarai et Nila reprenaient leur récit. Elles parlèrent de baisers, de caresses, elles racontèrent comment le janissaire leur avait demandé de faire l'amour ensemble et, excité par le spectacle, les avait prises successivement tout de suite après. Il était aussi insatiable qu'elles. Baba Hassan avait préparé des linges d'amour ainsi qu'une boisson stimulante qu'ils avaient bue tout au long de la nuit. Puis, à l'aube, ils avaient enfin sombré dans le sommeil.

— Il a promis qu'il nous reprendrait quand il reviendrait à El Sinut, annonça Sarai, amusée. Je me demande si le bey se montrera aussi généreux, car il a dit qu'il ne nous donnait à lui que pour l'apaiser.

— En effet, ajouta Nila, il y a des limites à l'hospitalité de notre maître…

Ce soir-là, India soupa au harem avant de regagner ses appartements en compagnie d'Azura. Meggie se hâta de préparer sa maîtresse pour la nuit.

— C'est une bonne petite, remarqua Azura.

— Baba Hassan l'a bien choisie.

— Êtes-vous heureuse ?

— Très heureuse, répondit India. J'aime tant Caynan, Azura ! Jamais je n'aurais cru cela possible. Il y a à peine un an, j'étais une enfant gâtée, et j'ai changé grâce à lui. Je suis plus heureuse que je ne l'ai été de toute ma vie.

— Je suis ravie de l'entendre, India. Baba Hassan et moi savions que vous étiez celle qu'il fallait à Caynan Reis, et nous nous sommes arrangés pour que vous vous en rendiez compte également.

India eut un petit rire.

— Il est comme le fils que vous n'avez pas eu, c'est ça ?

— Oui, c'est ça.

— Maman dit toujours que notre vie est tracée avant même notre naissance. Il n'est donc pas étonnant que je n'aie pas trouvé en Angleterre ou en Écosse un mari à ma convenance, puisque Caynan Reis était ici, à El Sinut. Si je n'avais pas eu la sottise de m'enfuir avec Adrian, jamais je n'aurais connu le grand amour. Comme la vie est étrange…

Azura l'embrassa sur le front.

— C'est Allah qui vous a conduite vers nous, mon enfant.

La journée du lendemain s'écoula paisiblement, mais le ciel était couvert, ce qui arrivait rarement en octobre. L'orage se déclara en fin d'après-midi, avec pluie, tonnerre et éclairs. Les rues furent désertées, et même les intrépides camelots fermèrent leurs étalages.

— Nous partons ce soir, décida Tom Southwood.

— Dans la tempête ? s'étonna son lieutenant.

— Ils ne sont pas habitués aux orages, ici. Tout le monde va se calfeutrer chez soi jusqu'au matin. C'est le meilleur moment, monsieur James. Nous avons navigué par plus gros temps.

— Qu'allons-nous faire des marins d'El Sinut, capitaine ? s'inquiéta Francis Bolton, le second.

— J'y ai longuement réfléchi, monsieur Bolton, répondit Thomas Southwood. J'avais envisagé de leur donner congé à cause de l'orage, mais il y a le risque que l'un d'entre eux ait envie de revenir à bord, ne trouve plus le navire et donne l'alarme. J'ai pensé aussi les tuer, mais je n'y tiens pas, si nous n'y sommes pas obligés. La seule solution est de les faire prisonniers et de les mettre aux fers. Nous les laisserons aux gardiens des phares quand nous quitterons le port. Le temps qu'on les trouve, nous serons en haute mer.

— Et la dame ? demanda Knox.

— M. James, toi et moi irons la chercher au palais, ainsi que sa servante, quand il fera nuit. Monsieur Bolton, vous serez en charge du navire jusqu'à notre retour. Si nous ne sommes pas rentrés avant l'aube, ramenez le *Royal Charles* en Angleterre et racontez à ma famille ce qui s'est passé. Ainsi, ils sauront où se trouve lady India.

— Comment entrerez-vous au palais, capitaine ? Nous n'allons pas y pénétrer comme ça tranquillement !

Tom se mit à rire.

— Non, Knox. Nous n'y entrerons pas « comme ça ». Nous escaladerons le mur. J'ai transformé deux petites ancres en grappins. M. James et moi nous en servirons pour franchir le mur, pendant que vous attendrez à l'extérieur afin d'aider les dames.

Les trois hommes demandaient de plus amples explications, et Tom Southwood poursuivit :

— Voilà des mois que j'observe le palais afin de repérer les points faibles. Les appartements du bey et son harem sont situés autour d'une cour intérieure. Je l'ai fait remarquer à Aruj Agha en lui disant que nos châteaux étaient souvent construits ainsi. Il m'a confié que le palais avait cependant un défaut. Un coin du jardin privé du bey donne sur une petite allée, qui elle-même débouche sur une rue.

« Quand je lui ai demandé pourquoi on n'avait pas fermé l'allée, il m'a répondu que le mur avait plus de quatre mètres de haut et qu'on le débarrassait de toute végétation qui pourrait aider à l'escalader. En outre, a-t-il dit, personne n'a jamais su ce qui se trouvait derrière ce mur, et l'allée est tellement loin de la place principale de la ville que tout le monde en ignore l'existence. Je me suis promené dans la cité chaque fois que nous revenions au port, à la recherche de cette allée, et je l'ai trouvée récemment.

— Êtes-vous certain qu'il s'agit de la bonne allée ? demanda M. Bolton.

— Absolument. Je suis monté il y a quelques jours sur les collines qui surplombent la cité, et de là, j'ai observé le palais. J'avais apporté une petite longue vue, et j'ai suivi le mur des yeux en prenant des points de repère. De retour en ville, je me suis rendu à cette allée et j'ai tout retrouvé. Je suis certain que c'est le bon endroit.

— Aruj Agha s'est-il rendu compte de l'importance de l'information qu'il vous a donnée ? insista M. Bolton, prudent. Vous êtes certain qu'il ne s'agit pas d'un piège ?

— Ce n'en est pas un, Francis. Aruj Agha est fier d'être janissaire, mais aussi de son statut de confident du bey. C'est un courageux soldat, il a bon cœur, il est loyal, mais il se vante volontiers de son importance. Il ne s'est rendu compte de rien, car j'ai noyé ces questions parmi bien d'autres. En outre, il est parti hier chasser avec le bey dans les montagnes. Une raison de plus pour nous enfuir cette nuit.

— Très bien, capitaine. On dirait que vous avez pensé à tout… Que Dieu nous protège ! Je me sentirai mieux quand nous serons en mer, surtout avec tous les canons que les janissaires ont installés sur notre navire.

— Et le pavillon du bey, renchérit M. James. En ce moment, la Méditerranée est le fief des Turcs.

— Peut-être serait-il judicieux de laisser votre cousine chez sa grand-mère en Italie, capitaine, fit remarquer Knox, au lieu de lui imposer la longue traversée jusqu'en Angleterre.

Tom réfléchit un instant.

— Tu as peut-être raison. Aruj Agha supposera que nous voguons vers Gibraltar, pas vers l'Italie.

Et lady India sera plus en sécurité avec la mère de son père, que sur le bateau. C'est une excellente idée, Knox !

— Merci, capitaine, dit le marin, tout rouge de fierté.

— Eh bien maintenant, il est temps de faire sortir les souris de la souricière, capitaine, déclara M. Bolton avec une pointe d'humour.

— Allons-y !

Les consignes furent rapidement données aux marins anglais qui ne tardèrent pas, sans incident, à attacher et à ligoter ceux d'El Sinut avant de les enchaîner à fond de cale.

— On ne vous fera rien si vous ne tentez pas de vous échapper, leur dit Tom Southwood. Mais si l'un d'entre vous est assez fou pour essayer, il sera abattu sans l'ombre d'une hésitation.

Sur le pont, il continuait à tomber des cordes, le tonnerre grondait, les éclairs sillonnaient le ciel d'encre.

— Comment allons-nous au palais, capitaine ? demanda M. James.

— Les chevaux assignés au bateau sont à l'écurie du port, gardés seulement par un lad. J'ai dit à son chef qu'il pouvait rentrer chez lui, tenir compagnie à sa femme par ce mauvais temps. Il ne se l'est pas fait répéter deux fois. Nous ne prendrons que trois chevaux pour ne pas attirer l'attention si nous rencontrons quelqu'un, et les deux femmes monteront en croupe. En route !

Il mit sa cape sur ses épaules et débarqua avec M. James et le fidèle Knox.

— Bonne chance, capitaine ! lança M. Bolton qui restait à bord afin de veiller sur le navire.

Ils sellèrent leurs chevaux sans bruit, puis sortirent de l'écurie, dont ils fermèrent la porte derrière eux.

Thomas Southwood mena ses compagnons à travers les rues silencieuses. La pluie tombait toujours quand ils atteignirent la petite allée dérobée.

Ils mirent pied à terre. Knox tint les chevaux par la bride, tandis que Thomas et M. James lançaient les grappins qui s'amarrèrent fermement en haut du mur blanchi à la chaux. Sans un mot, les deux hommes l'escaladèrent, puis ils remontèrent les cordes et les laissèrent tomber de l'autre côté. Ils disparurent aussitôt. Knox attendit, le cœur battant, en calmant les chevaux effrayés par le tonnerre.

Dans le jardin, Thomas Southwood vit les lumières derrière les paravents ajourés qui fermaient les arcades. Il fit signe à son lieutenant de le suivre, et ils s'engagèrent sur l'allée gravillonnée. Comme prévu, il n'y avait pas de garde dans cette partie du palais réservée au bey. Ils s'arrêtèrent, et Thomas mit un doigt sur ses lèvres.

— Bonne nuit, Azura, disait India.

Une porte se ferma.

— Meggie, reprit-elle, va me chercher une collation. Je meurs de faim !

— Tout de suite, madame.

De nouveau, le bruit de la porte.

Thomas indiqua à son compagnon de ne pas bouger, et il écarta un paravent afin d'entrer dans la pièce.

— Bonsoir, India, dit-il doucement.

La jeune femme reconnut sa voix et étouffa un cri.

— Thomas ! Vous êtes fou ? murmura-t-elle. Si on vous trouve ici, on vous tuera, et je n'aurai aucun moyen de vous sauver !

— Je suis venu vous chercher. J'avais promis de vous emmener quand je quitterais El Sinut, et me voici. Nous partons cette nuit. Votre servante vous accompagnera.

— Non ! déclara fermement India. Je suis mariée, Tom, et heureuse de rester avec mon seigneur. Filez vite, avant qu'on ne vous attrape. Je vous souhaite bonne chance. Dites aux miens que je vais bien.

— Vous venez avec moi, India, dit-il d'un ton sans réplique. Comment pourrais-je rentrer en Angleterre sans vous ?

Elle poussa un soupir.

— Essayez de me comprendre, Tom. Je suis heureuse, j'aime Caynan Reis, et je suis sa femme. Je ne peux pas abandonner mon époux, ma famille le comprendra sûrement... Certes, nos relations ont commencé d'une façon inhabituelle, mais notre union est parfaite, je vous le jure. Maintenant, sauvez-vous ! Je n'ose pas vous demander comment vous vous êtes introduit ici.

— Vous n'avez pas changé ! grommela-t-il. Toujours aussi têtue, India ! Mais je ne partirai pas sans vous. Allez chercher votre coffret à bijoux, si vous le souhaitez. Nous nous en irons dès le retour de votre servante.

— Mon seigneur va arriver, et il vous tuera.

— Caynan Reis est dans les montagnes avec Aruj Agha, rétorqua Thomas. Croyez-vous que je serais assez fou pour venir ici quand votre époux y est ? Allons, dépêchez-vous !

Ils entendirent des pas dans le couloir. India pâlit, tandis que Tom se cachait derrière la porte qui s'ouvrait.

— Voici votre repas, madame. Abû vous a préparé une soupe bien chaude.

India lui prit le plateau des mains pour le poser sur une table basse.

— Ne crie pas, Meggie...

La petite écarquilla les yeux quand elle vit Thomas Southwood sortir de sa cachette.

— Madame ?

— C'est mon cousin, la rassura India. Il est venu me sauver. Je n'irai pas avec lui, évidemment, mais si tu veux partir, je ne t'en empêcherai pas. Je sais que ta mère te manque.

La servante haussa les épaules.

— Il n'y a que ma mère en Écosse, et elle me croit sûrement morte avec papa... C'est mieux comme ça. Ian a dû épouser Flora MacLean, et cette mauvaise fille fera courir le bruit que je suis déshonorée. Elle m'a toujours détestée parce que Ian me préférait à elle... Non. Je reste avec vous, madame.

— Vous venez toutes les deux, décréta fermement Thomas, et je ne veux plus de discussion !

— Si vous ne sortez pas immédiatement, Thomas, je hurle et les gardes vous arrêteront, rétorqua India sur le même ton.

— Pourquoi refusez-vous d'entendre raison ?

— Pourquoi refusez-vous de m'écouter, quand je vous dis que j'aime Caynan Reis et que je suis heureuse à El Sinut ? contra-t-elle avec colère. Partez, maintenant... Partez, Thomas !

Il se détourna comme s'il renonçait, mais il prit son élan pour lui envoyer un violent coup de poing au menton, et la rattrapa comme elle s'effondrait, inanimée.

— Venez, petite, dit-il à Meggie en se dirigeant vers l'arcade.

— Attendez, monsieur ! cria la servante, affolée. Il faut que je prenne des vêtements, sinon ma maîtresse va attraper la mort !

— Alors dépêchez-vous !

Meggie ouvrit un coffre, dont elle extirpa deux longues capes. Devait-elle se précipiter vers la porte afin d'alerter le garde, ou le suivre sans protester ? Cet homme était un parent de sa maîtresse. Que dirait-elle, si le bey le faisait décapiter ?... Quel horrible dilemme !

Finalement, Meggie décida qu'elle ne voulait pas avoir de mort sur la conscience. Elle posa une cape sur ses épaules et alla envelopper de l'autre sa maîtresse, toujours inanimée.

— Prenez aussi un foulard, petite. Et ne criez pas en voyant mon lieutenant.

Elle s'exécuta et suivit les deux hommes sans bruit à travers le jardin. Une fois devant le mur, M. James ligota les poignets d'India à l'aide du foulard, avant de passer ses bras autour du cou de Thomas Southwood.

— C'est un poids mort, capitaine, dit-il. Elle va être lourde à porter.

— Je sais, mais vous l'avez entendue comme moi refuser de me suivre. Je n'avais pas le choix.

Il entreprit la difficile ascension du mur.

— Accrochez-vous à moi, petite, dit M. James à la servante.

Elle obéit, et le lieutenant se mit à grimper à la corde comme un singe, malgré sa charge. Ensuite il l'assit sur le haut du mur, avant d'aider le capitaine à franchir le dernier mètre. Les cordes furent jetées de l'autre côté et, en un rien de temps, Meggie se retrouva dans la rue, où un autre homme les attendait avec trois chevaux.

— Lady India est malade? chuchota Knox, inquiet.

— Elle ne voulait pas me suivre, cette sotte, répondit Thomas. Dans son intérêt, j'ai été obligé de l'assommer.

Le tonnerre grondait, et les chevaux s'agitèrent nerveusement.

— Allons-y!

Thomas se mit en selle, India devant lui, tandis que Meggie montait en croupe avec M. James.

Ils atteignirent rapidement le port. Le capitaine et son lieutenant ramenèrent les chevaux à l'écurie pendant que Knox portait India à bord, Meggie sur ses talons. Il installa les deux femmes dans la cabine du capitaine.

— Où allons-nous, monsieur? demanda timidement la servante.

— Nous rentrons chez nous, petite. Avec l'aide de Dieu. Il faut que je vous enferme, jusqu'à ce que nous ayons quitté le port. Occupez-vous de votre maîtresse. Il y a de l'eau et des fruits sur la table.

Meggie entendit la clé tourner dans la serrure, et elle se dirigea vivement vers India que le marin avait déposée sur la couchette. Elle frémit en voyant l'ecchymose sur le menton de la jeune femme.

— Quelle brute! marmonna-t-elle. J'espère que ma maîtresse ne m'en voudra pas de n'avoir alerté personne... mais je n'aurais pas supporté d'être responsable de la mort de trois hommes.

Elle alla remplir un verre d'eau, et souleva India afin de lui en faire avaler quelques gorgées. Celle-ci toussa et ouvrit enfin les yeux. Elle porta aussitôt la main à sa mâchoire.

— J'ai mal... gémit-elle, avant de regarder autour d'elle. Où sommes-nous, Meggie?

— À bord d'un bateau, madame. Il vous a assommée et il vous a portée jusqu'ici. Oh, madame, si j'avais crié, les gardes l'auraient tué, or c'est votre cousin. Je ne savais pas quoi faire !

— Ne t'inquiète pas, Meggie. Je le tuerai moi-même... Avons-nous quitté le port ?

— Ça ne va pas tarder, malgré la tempête, répondit la jeune fille, terrorisée. Et ce Knox nous a enfermées.

— Bon sang ! pesta India, qui essaya de se redresser, mais retomba sur le matelas. J'ai la tête qui tourne !

Elle posa machinalement la main sur son ventre.

— Ne bougez pas, madame. De toute façon, nous ne pouvons rien faire.

— Il faut garder mon secret, Meggie...

— Pourquoi ne lui avez-vous pas dit que vous êtes enceinte ? Il vous aurait laissée tranquille.

— Je voulais le faire, mais il s'est détourné comme s'il partait, puis il m'a frappée et j'ai perdu connaissance. Maintenant, nous voilà prisonnières, et Tom est occupé à la manœuvre... Non, je ne vais rien lui dire pour l'instant. Je trouverai bien un moyen de lui échapper.

— M. Knox a dit que nous rentrons en Angleterre. Nous ne verrons pas la terre ferme avant des semaines. Où se sauver ?

— J'ai appris la patience, à El Sinut. Une fois à Londres, nous nous échapperons. Nous irons à Greenwood, où il n'y a à cette période de l'année que le gardien et sa femme, que nous éviterons sans peine. J'enverrai un message à mon époux pour lui dire où je me trouve. Cela prendra du temps, et mon bébé sera probablement né avant l'arrivée de Caynan Reis, pourtant je suis sûre qu'il viendra... En attendant, je vais mener la vie dure à mon cousin ! conclut India avec un petit rire mauvais. Cet idiot m'a traitée comme une enfant désobéissante, et il me le paiera cher !

Le navire quittait doucement le quai pour s'engager dans le chenal menant aux deux phares. La tempête faisait rage quand ils y arrivèrent et jetèrent l'ancre. Deux chaloupes contenant quatre hommes furent mises à l'eau. Elles atteignirent rapidement les phares, où les marins bâillonnèrent et ligotèrent les gardiens. Par un signal lumineux, ils indiquèrent que leur tâche était accomplie. Deux marins retournèrent à bord sur chaque chaloupe, tandis que les autres faisaient descendre les chaînes qui fermaient le port.

Les chaloupes retournèrent ensuite jusqu'au phare, chargées des prisonniers qui allèrent rejoindre les gardiens. On referma les portes des phares en plaçant les barres à l'extérieur. Le *Royal Charles* sortit du port, et s'arrêta de nouveau. Les marins des chaloupes remontèrent les chaînes, puis regagnèrent le navire à la rame, sur une mer démontée.

Laissant le commandement à M. Bolton, Thomas entra dans ses quartiers, évitant habilement le broc d'eau que sa cousine lui lançait au visage.

— Imbécile ! Qu'Allah vous vienne en aide, lorsque mon mari apprendra ce que vous avez fait ! Aruj Agha va sillonner les mers à ma recherche, Tom Southwood, et quand vous serez repris, quand ils vous trancheront la gorge, je n'aurai pas l'ombre d'un regret !

— C'est comme ça que vous me remerciez de vous avoir libérée ? Vous n'êtes qu'une sale gamine capricieuse, India !

— J'ai dix-neuf ans, répliqua-t-elle. À mon âge, ma mère avait déjà eu deux maris, deux enfants, et elle attendait le troisième. Ma grand-mère avait eu ma mère et elle était enceinte de mon oncle James. Nous sommes comme ça, dans la famille. Alors cessez de me traiter en petite fille. Je suis une femme mariée, heureuse de l'être. Pourquoi n'avez-vous pas voulu m'écouter, quand je vous ai dit que je refusais de partir ? Pourquoi avez-vous imaginé que je suis une sorte de bébé qu'il faut protéger ? Je ne vous ai rien demandé ! Vous vous êtes introduit chez moi, vous m'avez brutalisée et vous m'avez enlevée. Vous êtes un imbécile !

— Je ne peux plus vous ramener au port, dit-il avec lassitude.

— Je le sais. Croyez-vous que je risquerais la vie de ces hommes qui ont tout mis en œuvre pour s'échapper ? Mais si Aruj Agha vous attrape, il n'y aura pas de quartier. Il faudra qu'il fasse un exemple.

— Vous aimez vraiment le bey, India ? demanda Thomas.

— Oui ! Ne vous l'ai-je pas assez répété ? Je suis l'épouse du bey d'El Sinut, et j'en suis fière !

— Ce n'était pas un véritable mariage, dit-il en guise d'excuse. Vous êtes chrétienne.

— C'est vrai, mais si vous connaissiez véritablement l'islam, vous sauriez que cette union est parfaitement légale. En outre, le bey cherchait un prêtre protestant pour nous marier en secret selon ma religion. Vous deviez être notre témoin, Thomas Southwood.

— Il vous aime donc tant, lui aussi ?

Tom était surpris que le bey soit prêt à mettre sa position en danger pour faire plaisir à sa femme.

— Non, reprit-il fermement. Il a dû vous dire cela afin d'apaiser vos scrupules. Mais jamais le bey d'El Sinut ne prendrait un tel risque ! Un mariage chrétien pourrait lui coûter la vie.

— Il l'aurait fait, et il aurait veillé à ce que rien de mal ne nous arrive… Savez-vous que les janissaires complotent contre le sultan ? Leur émissaire est venu chercher le soutien de Caynan Reis, et il a dit qu'il donnerait sa réponse quand les beys d'Alger et de Tunis auront accepté. Et puis il a envoyé un message à Istanbul pour avertir la régente de ce qui se trame. Il a l'intention de lui demander en remerciement l'indépendance d'El Sinut, afin que nos fils y règnent un jour à leur tour.

Thomas Southwood était stupéfait.

— Croyez-vous que je saurais tout cela, insista India, si mon seigneur ne m'aimait pas, s'il n'avait pas une totale confiance en moi ? Et vous, vous m'avez « sauvée », vous me ramenez de force en Écosse ! conclut-elle, le regard noir.

Thomas songea fugitivement qu'il s'était peut-être trompé, mais il chassa bien vite cette pensée. C'était India qui ne comprenait rien. Si elle était restée, Caynan Reis lui aurait fait un ou deux enfants, puis il aurait pris une seconde, voire une troisième épouse. India ne l'aurait pas supporté, elle aurait été affreusement malheureuse. Mieux valait qu'elle retrouve sa famille à Glenkirk. On inventerait une explication à son absence, on la marierait, et elle oublierait Caynan Reis. Son immense fortune aplanirait tous les problèmes.

— Il est dangereux pour moi d'aller en Angleterre avec vous à bord, déclara-t-il. Nous risquons de rencontrer des pirates, et il faudra nous battre pour continuer notre route, maintenant que nous sommes armés. Je vous laisserai à Naples, chez lady Stewart-Hepburn. Quand vous rentrerez ensuite en Angleterre, on dira que vous avez passé tout ce temps auprès d'elle.

— Et comment expliquera-t-on la disparition de ce pauvre Adrian Leigh ?

— Sapristi, India ! Vous n'êtes tout de même plus amoureuse de cet arrogant petit coq ?

Elle secoua la tête.

— Non. J'aime mon mari. Mais Adrian a été envoyé aux galères à cause de moi. Pourquoi ne l'avez-vous pas emmené avec nous, ce soir ?

— C'était impossible, sans impliquer tous les esclaves de la galère d'Aruj Agha... Votre ancien soupirant est enchaîné sur le même banc que quatre autres hommes. Si j'avais essayé de le libérer, il y aurait eu une révolte générale qui aurait rendu notre fuite impossible. De toute façon, Adrian Leigh n'a que ce qu'il mérite !

Elle le fusilla du regard.

— Vous êtes une canaille, Thomas Southwood ! Si ceci doit être ma cabine durant la traversée, je vous prie d'en sortir. Je ne veux plus vous voir de toute ma vie ! Dehors ! Vous êtes capable de tout pour sauver votre satané navire !

— Ce satané navire va vous ramener dans votre foyer ! répliqua-t-il avec colère.

Elle fit non de la tête et répondit tristement :

— C'est El Sinut mon foyer, désormais.

15

Le lendemain, le soleil brillait dans un ciel limpide. On s'était certainement aperçu, à El Sinut, de la disparition d'India et de sa servante, ainsi que du bateau anglais. Baba Hassan comprendrait tout de suite, surtout si on avait découvert l'unique grappin que M. James n'avait pu décrocher du mur. Pourtant, il y avait fort peu de chances qu'on les rattrape avant Naples. Il faudrait bien deux jours encore pour que l'on alerte Caynan et Aruj Agha, et qu'ils prennent la mer à leur recherche.

Le troisième matin, ils approchèrent de Naples. India, accoudée au bastingage, admirait le ciel bleu pâle voilé d'une brume légère. De petites îles émergeaient de l'eau, et elle distinguait quelques barques de pêche, ici et là.

Tom Southwood vint la rejoindre.

— Dans quelques heures, vous serez auprès de votre grand-mère, India. Vous resterez à bord pendant que je me rendrai chez lady Stewart-Hepburn. Elle est sûrement au courant de votre fuite et elle enverra aussitôt un message à vos parents. Très franchement, je ne serai pas mécontent de me débarrasser de vous, car vous êtes insupportable.

— Et vous, mon cher cousin, vous êtes un prétentieux doublé d'un crétin.

Il serra les mâchoires.

— Un jour, vous comprendrez que j'ai agi pour votre bien…

India leva vers lui son regard doré.

— Allez au diable ! s'écria-t-elle, avant de retourner dans sa cabine.

— Le capitaine vous cherchait, madame, lui dit Meggie.

— Il m'a trouvée. Je suis heureuse de ne plus l'avoir sur le dos. J'espère que lady Stewart-Hepburn sera moins condescendante avec moi.

— Vous ne l'appelez pas grand-mère ? s'étonna la jeune fille.

— C'est la mère de mon beau-père, et je ne l'ai rencontrée qu'une fois, il y a deux ans, en France. Mes grands-parents Lindley sont morts avant le mariage de mes parents, et les parents de maman, le comte et la comtesse de BrocCairn, sont les seuls que j'aie connus. La plupart des femmes de ma famille se sont mariées plusieurs fois, ce qui complique un peu les choses.

Knox leur avait apporté un repas léger qu'elles dégustèrent ensemble, puis Meggie alla chercher une cuvette d'eau pour leur toilette. Elles portaient toujours les vêtements qu'elles avaient sur elles en quittant El Sinut, elles ne disposaient même pas d'un peigne, et India avait laissé tous ses bijoux au palais. Au moins, espérait-elle, cela indiquerait à son mari qu'elle n'était pas partie de son plein gré…

« Caynan ! criait son cœur. Je vous aime ! Je vous en supplie, venez me chercher… »

Le navire pénétrait dans la baie de Naples. Un peu plus tôt, ils avaient échangé leur pavillon ottoman contre deux autres : l'un indiquant qu'il s'agissait d'un bateau anglais, l'autre qu'il appartenait à la compagnie O'Malley-Small.

Thomas Southwood descendit à terre. Il enregistra le bâtiment à la capitainerie, et expliqua qu'ils s'étaient sauvés des États barbaresques en récupérant le *Royal Charles*. Il demanda qu'on envoie un peintre pour le rebaptiser de son véritable nom. Puis, après s'être renseigné sur la villa del Pesce d'Oro, il loua un cheval et partit pour le domaine situé à l'écart de la ville, en bord de mer.

C'était là que Catriona avait épousé Francis Stewart-Hepburn. C'était là aussi qu'elle avait été enlevée et emportée comme esclave en Turquie. Mais Francis n'avait pas abandonné l'amour de sa vie, et il était venu la sauver de sa captivité. Il avait pour cela traversé trois mers et deux détroits. Ils n'étaient pas rentrés tout de suite à la villa del Pesce d'Oro, car la jeune femme était traumatisée ; ils s'étaient installés à la villa Mia, aux environs de Rome.

Quand elle avait été un peu remise du choc, ils avaient pris l'habitude de passer leurs étés à Naples, car lord Bothwell appréciait son climat chaud et ensoleillé. Il y était d'ailleurs enterré – à l'exception dc son cœur, qui était conservé dans un reliquaire dont lady Stewart-Hepburn ne se séparait jamais. Il serait enseveli avec elle, quand son heure viendrait.

Un homme souriant lui ouvrit les grilles du parc, tandis qu'un Écossais en kilt à l'air rébarbatif se tenait à la porte d'entrée de la villa.

— Oui ?

— Je suis le capitaine Thomas Southwood, commandant le *Royal Charles,* un navire de la compagnie O'Malley-Small. Je voudrais voir lady Stewart-Hepburn.

— À quel sujet ?

— C'est d'ordre privé, répondit Tom d'un ton sec, et je ne discute pas avec les domestiques.

— Ne montez pas sur vos grands chevaux, capitaine, dit l'Écossais. Je ne laisse entrer personne sans poser de questions. J'ai juré à mon maître mourant que je veillerais sur son épouse, et ce n'était pas une promesse en l'air.

Tom poussa un soupir.

— Je suis le fils du comte de Lynmouth, qui est l'oncle de la duchesse de Glenkirk. Je suis ici pour parler d'une histoire de famille. Vous me laissez entrer, maintenant ?

— Oui, répondit calmement le cerbère. Suivez-moi, je vais vous conduire auprès de ma maîtresse.

Il introduisit Thomas dans un salon lumineux, qui donnait sur les jardins fleuris.

— Le capitaine Thomas Southwood, madame ! annonça-t-il.

Catriona faisait de la broderie, près d'une fenêtre. Elle se leva avec grâce.

Thomas s'inclina sur la main fine qu'elle lui tendait.

— Southwood, répéta-t-elle. Seriez-vous apparenté au comte de Lynmouth ?

— C'est mon père, madame.

— Comme c'est gentil de me rendre visite ! Vous apportez un message de ma famille ?

— Je vous amène votre petite-fille, lady India Lindley, répondit Thomas en souriant devant son air stupéfait.

— India ?... Mon Dieu ! Jemmie et Jasmine s'inquiétaient tellement pour elle ! Où l'avez-vous rencontrée ? Va-t-elle bien ?

Émue, elle se laissa tomber dans un fauteuil.

— India vous racontera tout dans les détails, madame, mais je vais vous résumer l'aventure. Il y a presque un an, Adrian Leigh, le vicomte Twyford, a convaincu India de s'enfuir avec lui. Ma cousine Jasmine et son mari n'aimaient guère ce garçon. India lui a fait prendre deux cabines afin de quitter l'Angleterre sur l'un de nos navires, et elle s'est présentée à bord sous un déguisement. Heureusement, elle s'est trahie et j'ai enfermé son prétendant dans sa cabine. Peu après, nous avons été capturés par des corsaires barbaresques. J'ai conseillé à mes marins d'accepter la conversion à l'islam, ce que la plupart ont fait. On nous a conduits à El Sinut, devant le bey Caynan Reis.

« C'était la première fois qu'ils capturaient un navire marchand, et comme j'ai accepté de me convertir, on m'a envoyé en mer avec le janissaire Aruj Agha. Puis on m'a fait suffisamment confiance pour me demander d'apprendre aux marins arabes à naviguer sur mon bâtiment. Il y a des mois que je préparais notre évasion quand, voilà trois jours, l'occasion s'est présentée. J'ai pu emmener avec moi India et sa jeune servante écossaise.

Catriona connaissait déjà la réponse à la question qu'elle allait poser :

— Qu'est-il arrivé à India ?

— Le bey s'est entiché d'elle, et on l'a mise dans le harem.

— Pauvre enfant ! soupira Catriona en repensant à sa propre captivité. Comment se porte-t-elle, monsieur ? Quand pourrai-je la voir ?

— Elle est folle de rage, madame, car elle se croit amoureuse du bey. J'ai dû l'assommer pour pouvoir l'emmener avec moi. Je serais heureux que vous m'en débarrassiez, et que vous vous chargiez de la renvoyer à ses parents, en Angleterre ou en Écosse.

— Elle est à bord de votre navire ?

— Oui, madame.

— Je vais envoyer Conall la chercher au port. A-t-elle beaucoup de bagages ?

— J'ai escaladé un mur de quatre mètres de haut avec elle inconsciente, et elle n'a que les vêtements qu'elle portait alors.

— Où se trouvait le bey ?

— À la chasse dans les montagnes avec le capitaine janissaire. Sinon, je n'aurais jamais tenté cette évasion.

— Restez donc chez moi quelques jours, proposa Catriona. Vous et vos hommes devez avoir grand besoin de repos, après cette aventure.

— Je vous remercie, madame, mais nous devons reprendre la mer en direction de l'Angleterre le plus vite possible.

— Si vous continuez votre route vers l'ouest, vous risquez fort d'être de nouveau capturé, dit lady Stewart-Hepburn d'un ton réfléchi. À votre place, je resterais quelques jours à Naples, j'embarquerais de la marchandise, puis je partirais la vendre en Grèce, par exemple. Quand vous reviendrez, le bey se sera lassé de la poursuite, et en plus vous aurez tiré profit du voyage.

Elle souriait, ses yeux verts pétillaient d'intelligence.

— Votre réputation est en dessous de la vérité, madame...

— Voudriez-vous ouvrir la porte pour dire à Conall d'aller chercher India et sa servante ? Il a l'oreille collée au battant afin d'entendre ce que nous disons, mais il devient un peu sourd avec l'âge, je le crains.

La porte s'ouvrit à la volée.

— J'entends très bien, madame, et vous ne devriez pas m'insulter comme ça, moi qui vous suis tout dévoué... Comment s'appelle le bateau, capitaine ?

— Le *Royal Charles,* mais pour l'instant, il vogue sous un nom turc, écrit avec ces drôles de caractères qui ne ressemblent pas à des lettres. La capitainerie vous dira où il est amarré. Je vous remercie, Conall.

L'Écossais sortit de la pièce, tandis que sa maîtresse servait un riche vin rouge dans des verres de cristal. Elle en tendit un à Thomas.

Celui-ci accepta avec plaisir, admira la belle couleur rubis, huma le capiteux bouquet.

— Du vin d'Archambault, madame ? Il vient de la propriété de ma grand-mère, en France... Dieu ! J'en ai rêvé, pendant ces longs mois où j'étanchais ma soif avec de l'eau, du thé à la menthe, de la citronnade et leur atroce café turc.

Il but tout le contenu du verre, avant de soupirer d'aise.

— Délicieux ! Savez-vous que lorsqu'ils ont capturé mon bateau, ils ont jeté toute la cargaison de xérès par-dessus bord ?

Catriona remplit son verre en riant...

Conall More-Leslie alla chercher l'attelage de sa maîtresse ainsi que le cocher, puis il monta sur son cheval et ils se dirigèrent vers le port, où il pria le vieux Giovanni de l'attendre.

— Il y a deux dames à conduire chez notre maîtresse, dit-il. Elles sont sur un bateau, pour l'instant.

Comme il approchait du *Royal Charles,* il vit que l'on était déjà en train d'effacer le nom turc. Il franchit la passerelle et se présenta à M. Bolton.

— Je vais appeler lady India et Meggie, dit le second. Pas fâché qu'elles nous quittent... Des femmes sur un bateau, ça apporte les embêtements, et c'est tout ce qu'on a eu depuis que lady India est montée à bord !

Conall fut surpris par l'accoutrement étrange des deux femmes qui apparurent sur le pont, nu-pieds. Il s'inclina devant India.

— Je suis Conall More-Leslie, le majordome de votre grand-mère, madame. Je dois vous emmener chez elle, ainsi que votre servante.

— Alors, allons-y ! déclara vertement India. Comment descend-on de ce satané bateau ?

— Par la passerelle, madame. J'irai d'abord, votre servante ensuite, puis vous. Vous voulez bien aider ces dames, monsieur Bolton ?

— Oh, oui ! Avec grand plaisir !

— Au revoir, Knox ! cria India. Merci pour tout.

India et Meggie ne tardèrent pas à se retrouver dans un confortable carrosse, qui les mena à travers les bruyantes rues de la cité. Le cœur un peu retourné, la jeune femme s'appuya aux coussins capitonnés de cuir.

— Nous n'avons pourtant pas beaucoup mangé ! se dit-elle à haute voix.

— Il faut s'habituer à la terre ferme, madame, répliqua Meggie. Et peut-être que le bébé a faim... Oh, j'aimerais bien avaler un bol de la soupe d'Abû, maintenant !

— Lady Stewart-Hepburn s'occupera de nous, tu verras, Meggie. Je la connais peu, mais c'est une personne sensée et généreuse.

Ils longeaient la mer, puis le carrosse s'engagea dans l'allée d'accès à la villa del Pesce d'Oro, avant de s'arrêter devant la double porte du manoir. Un domestique vint ouvrir la portière, déplia le marchepied et offrit sa main à India.

Catriona les attendait en haut des marches. Elle tendit les bras à India.

— J'avais bien dit que vous causeriez un scandale si on ne vous mariait pas ! lança-t-elle avec bonne humeur. Enfin, vous voilà revenue saine et sauve... Jemmie va être bien soulagé ! Entrez, ma chérie. Vous semblez épuisée. Il vous faut un bain, un bon repas, des vêtements propres et du repos. Bonjour, petite, ajouta-t-elle en se tournant vers Meggie. Vous avez eu de la chance de vous trouver au service de ma petite-fille, sinon vous ne seriez jamais rentrée chez vous !

Meggie plongea dans une profonde révérence, devant cette superbe femme qui ne semblait absolument pas en âge d'être grand-mère.

— Suivez-moi, reprit lady Stewart-Hepburn en les conduisant, dans la fraîcheur de la villa, vers le salon où les attendait le capitaine Southwood.

— Ah, vous voici, ma cousine, dit-il aimablement.

— Hors de ma vue ! gronda-t-elle, glaciale. Sans vous, je serais encore auprès de mon époux. Jamais je ne vous pardonnerai, Thomas !

— Que racontez-vous ? intervint Catriona. Vous m'avez dit que le bey s'était entiché d'India, capitaine, pas qu'il l'avait prise pour femme !

— Comment une Anglaise de haute lignée pourrait-elle se marier avec un infidèle ? rétorqua-t-il, irrité.

— C'est pourtant la vérité ! cria India, furieuse, avant de se tourner vers sa grand-mère. Il n'a rien voulu entendre, madame. Il m'a assommée et emportée comme un vulgaire sac de farine hors de ma demeure. Caynan sera fou d'inquiétude. Il faut que j'aille le retrouver, madame !

— Il vous remplacera bien vite, dit Thomas. Toutes les femmes se valent, pour ce genre d'individu.

India se rua sur lui, toutes griffes dehors.

— Sale type ! Je vais vous tuer !

Conall More-Leslie se précipita vers la jeune femme et la maîtrisa sans peine.

— Ça suffit, madame, dit-il. On ne tue pas un homme qui a cru bien faire.

— Il n'a pas voulu m'écouter ! hurla de nouveau India, folle de rage.

Jamais elle n'avait été la proie d'une telle colère.

La joue du capitaine saignait.

— Vous m'avez blessé ! dit-il, incrédule.

— Je vous arracherais volontiers le cœur avec mes dents, le menaça-t-elle.

Instinctivement, il recula, frappé par la sauvagerie de son regard.

— Il vaudrait mieux que ma petite-fille aille se reposer, déclara posément Catriona. Susan et May, mes femmes de chambre, s'occuperont d'elle.

Quand India, Conall et Meggie furent sortis, elle se tourna vers Thomas.

— Vous auriez peut-être dû l'écouter, monsieur. Elle semble bouleversée, et ce n'est pas l'attitude d'une prisonnière que l'on a délivrée d'un tyran. Si le bey d'El Sinut l'a prise pour femme, elle est véritablement son épouse. Je comprends votre loyauté vis-à-vis de notre famille, mais avez-vous une idée de ce qui l'attend en Écosse ?

— On lui trouvera un mari, j'espère, répondit-il à contrecœur. Elle est assez riche pour que l'on oublie ses péchés.

— Dieu ! soupira lady Stewart-Hepburn. Enfin, ce qui est fait est fait... Vous allez me laisser débrouiller cette affaire. Resterez-vous quelques jours à Naples avant de repartir, comme je vous l'ai conseillé ? Si le bey d'El Sinut vous attrape maintenant, nous pouvons craindre le pire... Revenez dîner avec nous, ce soir. Mon fils Ian sera là, et je suis sûr que vous vous entendrez bien avec lui. Il est célibataire aussi... Mais avant de partir, laissez-moi nettoyer vos égratignures. Ne vous inquiétez pas, elles sont superficielles.

— India est vraiment insupportable ! grommela-t-il. Votre fils a sûrement eu bien du mal à l'élever.

— Mon fils l'adore, et c'est réciproque. C'est peut-être la raison pour laquelle India ne trouvait pas d'homme qui lui convienne. Pas un n'arrivait à la cheville de Jemmie... Puis le charmant vicomte Twyford est entré en scène, et Jemmie a été plus ou moins jaloux. Cela dit, il est vrai que ce garçon n'était pas un époux convenable pour une héritière du rang d'India, pourtant mon fils aurait pu se montrer plus diplomate. Il me fait souvent penser à son père, Patrick Leslie.

Catriona tira le cordon d'une sonnette, et une servante apparut aussitôt, à qui elle commanda une cuvette d'eau tiède.

— *Si, signora,* dit la jeune fille.

— Vous parlez italien ? s'étonna Thomas.

Lady Stewart-Hepburn se mit à rire.

— Voilà plus de vingt-cinq ans que je vis à Naples et à Rome, capitaine. J'ai quelques domestiques écossais, mais la plupart sont italiens, et il est indispensable que je parle leur langue – qui est par ailleurs fort belle, beaucoup plus musicale que la nôtre…

Catriona nettoya rapidement les petites plaies de Thomas, puis elle monta prendre des nouvelles d'India, qu'elle trouva se prélassant dans un bain parfumé, tandis que May et Susan lui cherchaient des vêtements propres et préparaient son lit.

— J'ai renvoyé le capitaine à son navire, mais il reviendra pour le dîner, annonça lady Stewart-Hepburn.

— Je ne supporte pas sa présence. Comprenez-moi, madame…

— Vous ne m'appelez plus grand-maman, comme en France ?

— Je ne vous ai vue que lors de ce séjour, et je ne parviens pas à penser à vous comme à ma grand-mère, répondit franchement India.

— Alors, appelez-moi Cat. C'est le nom que me donnent mes amis. J'espère que nous serons au moins amies, mon enfant…

— Oh, oui ! s'écria India avec un beau sourire.

Elle sortit du bain, et Meggie l'enveloppa d'une grande serviette avant de sécher ses cheveux, pendant que les deux femmes continuaient leur conversation.

— Pardonnez au jeune Southwood, dit Catriona. Cela partait d'une bonne intention.

— Comme beaucoup d'hommes, il n'a pas écouté ce que je disais, ou il n'a pas voulu entendre… Il faut absolument que je retourne à El Sinut !

— Vous êtes sûre de le souhaiter ?

— Tout à fait ! Oh, Cat, je l'aime, et il m'aime ! Je n'avais jamais été aussi heureuse de ma vie ! Nous avions des quantités de projets. J'ai dit à mon cousin que je voulais rester, je lui ai demandé de porter un message à ma famille, mais non ! Il a fallu que cet âne bâté m'emmène de force, en vertu de je ne sais quel code de l'honneur ! Je ne pourrai jamais lui pardonner le chagrin qu'il nous cause, à mon époux et à moi.

— Je vous comprends, India. Vraiment. Lorsque j'ai été séparée de lord Bothwell, j'ai cru mourir, j'avais le cœur brisé... Il nous faut envoyer un message à votre mari, pour lui dire que vous êtes en sécurité, et nous n'en soufflerons mot à votre cousin. Puisque vous êtes sûre de vous, je n'essaierai pas de vous arracher à l'homme que vous aimez, même si le monde entier est contre !

— Merci, murmura India qui fondit en larmes.

Lady Stewart-Hepburn appela une de ses caméristes.

— May, allez chercher de la soupe, du pain frais, des fruits et du vin pour lady India. Elle a besoin de se restaurer, puis elle se mettra au lit.

Elle s'adressa ensuite à Meggie :

— Quel est votre nom, jeune fille ? D'où venez-vous ?

— Je m'appelle Meggie, madame, et je suis née à Ayr.

— Allez avec May, et restez à la cuisine afin de vous restaurer aussi. Ensuite, vous reviendrez vous occuper de votre maîtresse. Il y a un lit gigogne sous celui-ci, et Susan va vous le préparer.

— Merci, madame, dit la petite en faisant la révérence. Maîtresse ?

— Va, Meggie, je n'ai pas besoin de toi pour l'instant.

Susan apporta à la jeune femme une chemise de nuit de soie.

— Rien de tel qu'un bon bain et des vêtements propres pour se sentir bien, dit-elle.

— Vous êtes écossaise ? demanda India.

— Oui, madame. May est ma sœur, et nous servons lady Stewart-Hepburn depuis toujours. Conall est notre oncle. Nous sommes venus de Glenkirk avec lady Catriona il y a des années.

— Votre pays ne vous manque pas ?

— Pas vraiment. Le climat est beaucoup plus agréable en Italie que dans nos bonnes vieilles montagnes...

Susan aida India à se mettre au lit, et celle-ci fut certaine qu'elle dormirait avant qu'on lui apporte son repas, mais ce ne fut pas le cas. Les deux caméristes installèrent le plateau sur ses genoux et s'assirent près d'elle, pour lui raconter les aventures de leur maîtresse. India éclata de rire quand elles lui expliquèrent que Catriona, en train de mettre Jemmie au monde, refusait encore d'épouser Patrick Leslie tant qu'il ne lui aurait pas restitué une propriété que son père avait incluse dans sa dot.

— Et il a cédé ? demanda India.

— Oui. Elle a perdu les eaux au moment où elle prononçait les vœux du mariage.

— Quelle personnalité ! s'écria India, fascinée par le tempérament de Catriona.

— Elle n'a pas changé, dit Susan. Bien que notre vie soit moins mouvementée qu'autrefois.

Lorsque India eut terminé son repas, les deux servantes débarrassèrent afin de la laisser se reposer.

La jeune femme s'endormit rapidement... pour ne se réveiller que le lendemain. Meggie ronflait paisiblement sur sa couchette. La brise légère lui apportait le parfum des fleurs, les oiseaux pépiaient joyeusement, tout était serein... pourtant El Sinut lui manquait. Catriona avait parlé d'envoyer un message à Caynan, mais par quel biais ? C'était un problème à régler au plus vite.

Lady Stewart-Hepburn, disposée à aider India à rejoindre son mari, avait envoyé Conall au port afin qu'il cherche un navire en partance pour les États barbaresques. Il avait découvert un bateau de pêche dont le propriétaire, un certain capitaine Pietro, acceptait de porter le message à El Sinut.

— Est-il digne de confiance ? demanda India à l'Écossais alors qu'elle prenait un petit déjeuner avec Catriona.

— Il se prétend pêcheur, mais il fait aussi un peu de contrebande. Sa petite felouque fait la navette entre Tunis, El Sinut et Naples sans aucune difficulté, car il paie les redevances portuaires, et la moitié de son équipage est composée d'Arabes. Ils iront porter le message, puis ils reviendront.

— Êtes-vous sûr qu'ils le feront ?

— Oui. Je leur ai promis une belle quantité de pièces d'or. Et j'ai laissé entendre que le bey saurait leur témoigner également sa reconnaissance. Il y aura aussi une récompense supplémentaire quand ils rentreront à Naples avec la réponse du bey. L'appât du gain est un puissant moteur.

— Ils prennent la mer aujourd'hui ?

— Dès que je leur aurai remis votre lettre, madame.

India écrivit aussitôt à son époux. Elle lui raconta comment son cousin s'était introduit dans leur jardin, l'avait assommée et portée jusqu'au bateau. Elle lui dit qu'elle était à présent à Naples, chez la mère de son beau-père qui prenait leur parti et voulait les voir réunis. Mais, à cause des combats incessants entre l'Empire ottoman et l'Europe chrétienne, les deux femmes ne savaient comment y parvenir. Elle terminait en disant qu'elle l'aimait, et qu'il lui manquait.

Le parchemin fut plié, scellé, placé dans une enveloppe de cuir. Conall retourna au port et la remit au capitaine Pietro, en même temps qu'une bourse bien garnie.

— Quand vous arriverez à El Sinut, lui indiqua Conall, allez au palais et demandez à voir Baba Hassan, le chef des eunuques. Dites-lui que l'enveloppe contient un message de sa maîtresse et qu'il doit la remettre au bey sur-le-champ. Ensuite, revenez à Naples avec la réponse. Vous l'apporterez à la villa del Pesce d'Oro, afin de recevoir le reste de la rémunération. Nous comptons sur vous, capitaine.

— Il ne s'agit pas d'un complot contre Naples ? demanda Pietro.

Conall secoua la tête, surpris de constater que ce contrebandier était néanmoins un patriote.

— C'est une affaire personnelle, rien de plus.

L'homme hocha la tête.

— *Bene*.

Une fois son message envoyé, India s'adoucit quelque peu à l'égard de son cousin. Le soir venu, elle accepta de dîner avec Cat, son fils Ian, et Thomas Southwood qui était de nouveau invité. Toutefois, ce fut Ian qui accapara l'attention des deux femmes, en annonçant son intention de s'embarquer avec Thomas.

— Mais pourquoi, grand Dieu ? s'exclama Catriona.

— Parce que le moment est venu, ma chère maman, que je fasse quelque chose de ma vie.

À trente-trois ans, je n'ai passé que trop de temps à des futilités. Il faut que je me prenne en charge.

— Mais que feras-tu sur le navire de Tom ? Tu n'es pas un marin, et tu ne le deviendras pas à ton âge.

— Je peux être négociant, maman. J'ai acheté une cargaison d'huile d'olive et j'ai commandé à mon sellier de Florence douze de ses plus belles selles. J'ai l'intention de les transporter sur le *Royal Charles,* et de leur trouver des acquéreurs. Comme nous passerons par Istanbul, j'achèterai de la soie que je reviendrai vendre à Naples.

— Ian ! Tu es le fils du comte de Bothwell ! protesta Catriona. Comment peux-tu envisager une minute de te lancer dans le commerce ?

— Je suis en effet le plus jeune fils de Francis Stewart-Hepburn, ancien comte de Bothwell, cousin de la famille royale. Mais mon père a été déclaré hors-la-loi et chassé d'Écosse. On lui a tout pris, on a même essayé de le séparer de vous, maman. Il ne reste ni titre ni propriété, et même s'il y en avait, la première épouse de père, Margaret Douglas, les réclamerait, et ses enfants auraient priorité sur nous, les plus jeunes, qui sommes nés alors que vous étiez encore mariée au comte de Glenkirk.

« Je suis le fils de mon père, maman, et je ne saurais vivre dans l'oisiveté. Il n'y a rien pour moi en Écosse, où on me mépriserait d'être le bâtard de Bothwell. Je dois me forger ma propre existence. J'ai été fort bien élevé, j'ai passé plusieurs années à me distraire. À présent, je dois changer. La généreuse rente que vous m'attribuez me permet de tenter l'aventure. Je crois que je réussirai. J'aime les affaires, et si j'arrive à mes fins, je me déciderai peut-être à prendre femme… Cela vous plairait, n'est-ce pas, maman ?

Catriona contemplait ce jeune homme aux yeux bleus, aux cheveux auburn, qui ressemblait tant à son père. Qu'aurait pensé Francis en voyant son fils se lancer dans les affaires ? Mais le monde changeait, et ceux qui refusaient d'évoluer étaient condamnés à disparaître… Oui, Francis aurait été d'accord. Lui-même était en avance sur son époque.

— Si c'est ce que tu veux, Ian, je ne t'en empêcherai pas, déclara-t-elle enfin. Et tâche de réussir, bon sang ! Sois prudent dans tes tractations, sois intelligent, achète ton propre navire dès que tu en auras les moyens. C'est ainsi que tu feras fortune, mon fils, en transportant tes marchandises sur ton propre vaisseau, au lieu de payer quelqu'un d'autre pour le faire.

— Je suis de votre avis, madame, renchérit Thomas Southwood. Le *Royal Charles* m'appartient, c'est pourquoi je tenais tant à le récupérer.

— Accepteriez-vous d'en vendre un tiers ? demanda Catriona. Ce serait un cadeau pour toi, Ian. Ainsi, tu aurais un tiers des profits du navire.

Elle revint à Thomas :

— Cette contribution vous dédommagerait de la perte subie quand vous avez été capturé. Je sais que vous naviguez sous le pavillon de la O'Malley-Small, mais détiennent-ils des parts de ce bateau ?

— J'en suis l'unique propriétaire, madame. Nous sommes plusieurs, dans la famille, à posséder nos propres navires, mais pour un certain nombre de raisons, nous préférons garder le pavillon de la O'Malley-Small.

— Je comprends… Alors, acceptez-vous ma proposition ?

— Oui, madame. La somme que vous me remettrez compensera un peu mes pertes, et me permettra de donner une prime aux marins afin de les dédommager du temps passé à El Sinut.

India avait écouté la conversation avec grand intérêt, mais à présent que le marché était conclu, elle recommençait à se poser des questions. Son message parviendrait-il à destination ? Comment son époux la rejoindrait-il ? Que penseraient ses parents de toute cette histoire ? Elle hésitait à leur écrire, de peur qu'ils ne l'empêchent de retourner à El Sinut. C'était stupide, car ils se trouvaient en Écosse ou en Angleterre, néanmoins il y avait un risque, et elle préférait se taire et attendre.

Il fallut quelques semaines pour redonner au *Royal Charles* toute sa splendeur d'antan, mais les canons installés par les janissaires restèrent à bord. Enfin, par une belle matinée ensoleillée, Ian et Thomas Southwood vinrent prendre congé des dames.

— Quand renverrez-vous India chez elle ? demanda Thomas à lady Stewart-Hepburn. Avez-vous annoncé la bonne nouvelle à votre fils ?

— Je n'en ai pas eu le temps, avec tous vos projets, répondit Catriona, faussement ingénue. Mais je vais le faire très bientôt. Je me plais beaucoup avec India, et j'envisage de l'emmener avec moi à Rome pour l'hiver. Elle retournera chez elle au printemps.

— Je laisse la décision entre vos mains, madame, dit Thomas. J'ai accompli mon devoir, je pars la conscience tranquille.

Il baisa la main de Catriona, avant de se tourner vers sa cousine.

— Je suis heureux de vous voir revenue à de meilleurs sentiments, India.

— Allez au diable ! rétorqua-t-elle avec un grand sourire.

Il éclata de rire.

— À mon avis, vous serez trop vieille pour prendre époux quand vous rentrerez en Écosse, et je vous vois bien rester célibataire… Je vous souhaite bonne chance.

— Adieu, Thomas Southwood. Bonne route… J'espère que vous réussirez dans cette nouvelle aventure, Ian, ajouta-t-elle. Faites confiance à Tom. Il connaît son métier, même s'il a une tête de cochon.

— Dieu vous aide, India, répondit le jeune homme avec un clin d'œil.

Elle comprit qu'il était au courant de ses plans.

— Merci, Ian. Vous ressemblez à votre père, mais je crois que vous avez beaucoup de votre mère aussi, dit-elle en riant.

Quelques jours plus tard, le capitaine Pietro se présenta à la villa del Pesce d'Oro. On l'introduisit au salon, où il resta bouche bée devant le luxueux mobilier et les deux ravissantes femmes, jusqu'à ce que Conall le réveille d'un coup de coude.

— Alors, mon brave, quelles nouvelles ?

Le contrebandier sortit de sa poche l'enveloppe de cuir.

— Nous n'avons pas pu la remettre, *signore*.

— Pourquoi ? cria India.

— Il y a une révolte à El Sinut, madame. La ville est à feu et à sang, les habitants hésitent entre se sauver dans les montagnes et se rebeller. Les janissaires tentent de rétablir l'ordre, et il nous a été impossible d'approcher du palais. D'ailleurs, le bey a été tué. On raconte qu'il s'est montré déloyal vis-à-vis des janissaires. Je suis désolé, madame...

India ne l'entendait plus. Elle s'était effondrée sur le tapis, sans connaissance.

TROISIÈME PARTIE

Écosse et Angleterre, 1627-1628

16

— Je n'aurais jamais cru vous revoir dans cette demeure, dit le duc de Glenkirk à lady Stewart-Hepburn. Bienvenue à la maison, mère.

— Merci, Jemmie.

Catriona regardait autour d'elle. L'endroit n'avait guère changé, depuis toutes ces années. Le portrait de son arrière-grand-mère, Janet Leslie, trônait toujours au-dessus de l'une des deux grandes cheminées. « Par le Ciel, se dit-elle, a-t-elle dû affronter et résoudre des problèmes comme j'en connais actuellement ? »

— Où est India ? demanda le duc.

— Avec sa mère, Jemmie. Elles avaient besoin de parler. India a énormément souffert...

— Venez vous asseoir près du feu, mère, dit-il en la menant vers un confortable fauteuil. India mérite cette souffrance, en punition de sa désobéissance, ajouta-t-il d'un ton sévère. Je suppose qu'après avoir obtenu ce qu'il voulait, ce jeune godelureau l'a abandonnée. Je ne pardonnerai jamais à India d'avoir gâché sa vie !

— Bon sang, Jemmie, tu es devenu borné et étroit d'esprit, avec l'âge ! Il est vrai qu'India s'est enfuie avec le jeune Leigh, mais elle a eu l'intelligence d'embarquer sur un navire de la O'Malley-Small.

Elle est montée à bord déguisée en vieille dame. Le capitaine était un cousin de ta femme, Thomas Southwood, et India a été rapidement démasquée. Il a enfermé ta belle-fille ainsi que son prétendant dans leurs cabines respectives. Ils n'ont rien échangé de plus que quelques baisers...

« Hélas, leur bateau a été capturé par des corsaires barbaresques de l'État d'El Sinut. Tom Southwood a conseillé à ses hommes de se convertir à l'islam afin d'éviter les galères. C'est ce qu'il a fait lui-même, puis il a pu récupérer son navire. Le jeune Leigh, qui avait offensé le bey d'El Sinut, est toujours enchaîné à sa rame. Nous ignorons s'il est encore en vie.

Jemmie était consterné.

— Et ma fille ? Que lui est-il arrivé ?

— Elle plaisait au bey, et il l'a prise dans son harem. Puis il est tombé amoureux d'elle et l'a épousée. Elle l'aimait aussi, mais Tom Southwood l'a kidnappée quand lui et ses marins ont pu s'enfuir d'El Sinut. Comme elle refusait de le suivre, il l'a assommée et emmenée de force à Naples. Elle m'a tout raconté, et j'essayais de la renvoyer auprès de son bien-aimé mari, lorsque nous avons appris qu'il y avait eu une révolte et que le bey avait trouvé la mort. Depuis, elle est inconsolable, c'est pourquoi j'ai décidé de la ramener dans sa famille, au lieu de la garder tout l'hiver à Rome. India a plus que jamais besoin de vous tous, Jemmie.

— Nous avons dit à nos voisins qu'elle était allée rendre visite à des parents en France et en Italie, dit lentement le duc, troublé. Personne ici n'a entendu parler de sa fugue. Avec un peu de chance, on ne saura jamais rien. Elle a presque vingt ans, pourtant je suis certain que nous lui trouverons un mari, grâce à sa fortune.

— Tu ne sais pas tout, Jemmie, objecta Cat. Ne te hâte pas de lui trouver un époux. Elle n'est pas prête à l'envisager. Sois patient…

— J'ai été plus que patient avec elle, madame, mais cette fois c'en est trop ! s'irrita le duc de Glenkirk. J'ai plusieurs possibilités, et je veux la voir mariée avant le jour des Rois. Ainsi, elle ne sera plus sous ma responsabilité. Elle pourra faire n'importe quelle bêtise, ce ne sera pas mon problème. Je l'aime tendrement, mère, autant que mes propres enfants, mais je ne veux pas qu'elle sème le désordre chez moi. Quand India a disparu, Jasmine a refusé d'aller en Irlande chercher un époux pour Fortune, or la pauvre petite meurt d'envie de se marier et de vivre sur ses terres… Je vous assure, madame, il faut marier India le plus vite possible.

— Et qui voudrait de moi, dans mon état ? intervint India qui pénétrait dans la pièce et se dirigeait droit sur son beau-père.

James Leslie s'assombrit quand il s'aperçut que sa silhouette s'était arrondie.

— Par le Christ ! pesta-t-il. De qui est le bâtard que tu portes ?

— Comment osez-vous me parler ainsi ? rétorqua India. Je porte le fils de mon mari. Il est tout ce qui me reste de mon bien-aimé seigneur, Caynan Reis. J'ai eu un époux, père, et je n'en veux pas d'autre. Personne ne prendra sa place.

Le duc de Glenkirk demeura un instant sans voix.

— Vous avez vu votre mère ? demanda calmement Catriona.

— Oui, et je lui ai tout raconté. Elle a compris, elle m'accueille bien volontiers à la maison, mais je lui ai dit que j'avais l'intention d'acheter une propriété près de Cadby, où réside Henry. Je préfère l'Angleterre à l'Écosse.

James avait recouvré ses esprits.

— Et comment expliqueras-tu l'existence de ce bébé ? Tu raconteras que c'est le fils d'un infidèle qui t'avait choisie comme favorite ? Cet enfant est un bâtard, India, c'est aussi simple que ça. Jamais aucun homme ne voudra t'épouser.

— J'étais mariée à Caynan Reis, répéta India avec lassitude.

— Dans une église chrétienne ? demanda le duc, furieux.

Il aimait cette enfant qu'il avait élevée, mais elle était absolument exaspérante.

— Nous avons été mariés par le grand imam d'El Sinut, répondit-elle, cependant mon époux m'avait promis un mariage chrétien dès que nous trouverions un pasteur discret.

— Et pourquoi devait-il être discret ? hurla le duc.

— Parce qu'un gouverneur musulman ne peut se permettre un mariage chrétien, expliqua India. Mon seigneur était le représentant du sultan à El Sinut... Sapristi, papa, le premier mari de maman, le prince Javid Khan, l'a épousée aussi secrètement selon nos rites !

— Tout le monde dira que cet enfant est un bâtard, India, s'entêta le duc.

— Comme on a traité ma mère de bâtarde, peut-être ?

— Ta mère a été élevée par son père, India. Ton grand-père, Akbar, a été assez intelligent pour deviner que si ta grand-mère Velvet rentrait en Angleterre avec elle, on la traiterait de bâtarde. Quand ta mère est arrivée en Angleterre, elle était adulte. Personne, sauf ta tante Sibylla, n'a osé mettre sa légitimité en cause. Encore était-ce parce qu'elle se croyait amoureuse de moi et qu'elle était jalouse de ta mère qui avait ma préférence.

— Je suis riche, papa. Je n'ai pas besoin d'un mari, et je me moque de ce que diront les gens. Si je suis mal reçue en Angleterre, je partirai pour la France, ou pour l'Italie.

— Nous ferions mieux d'abandonner la discussion pour l'instant, intervint Catriona. Le voyage a été long, Jemmie, et j'ai un autre sujet important à traiter avec toi... India, mon enfant, retournez auprès de votre mère, pendant que je m'entretiens avec mon fils.

La jeune femme déposa un baiser sur la joue de Catriona, avant de se retirer.

— Vous l'aimez bien, constata James Leslie.

— Oui. Elle est honnête, et loyale. Donne-lui du temps, Jemmie... Mais passons à autre chose. Comme tu le sais, Bothwell est enterré dans notre jardin, à Naples, cependant son cœur se trouve dans un reliquaire d'argent que j'ai toujours avec moi depuis sa mort. Je l'ai apporté ici, dans sa patrie, et je veux qu'il y soit enseveli. Accorde-moi cela, et je ne te demanderai plus jamais rien.

James Leslie secoua la tête.

— Vous ne m'avez jamais rien demandé, madame, vous avez toujours donné. Mon père a été fou de vous laisser partir.

— Ne dis pas de mal de Patrick. Notre mariage a été arrangé par nos familles quand j'étais encore un bébé. Il était aussi têtu que toi, mon fils, et sauvage comme un poulain des montagnes. Je l'aimais bien, jusqu'à ce qu'il me trahisse en laissant le roi abuser de moi. Mais en vérité, Jemmie, Francis Stewart-Hepburn était le grand amour de ma vie.

— Je trouverai un endroit pour vous deux, promit le duc de Glenkirk.

— Conall, toi et moi serons les seuls au courant, précisa Catriona avec un petit sourire.

— Quand souhaitez-vous que cela soit fait ?

— Dès que possible. Je veux retourner en Italie avant que les routes ne soient impraticables. Je suis venue seulement pour ramener Francis dans sa patrie, et India dans sa famille. Je quitterai l'Écosse avant Noël.

— Restez passer l'hiver avec nous, je vous en supplie.

Elle secoua la tête.

— Je ne supporte plus ce climat, Jemmie. J'ai soixante-cinq ans, et le soleil de Rome convient mieux à mes vieux os.

Lady Stewart-Hepburn ne s'attarda pas à Glenkirk. Cependant, sa famille ayant appris sa présence en Écosse, elle reçut la visite de ses autres fils, Colin et Robert, et de ses filles, Bess, Amanda et Morag, tous enfants de Patrick Leslie. Elle ne les avait pas vus depuis si longtemps que c'étaient pratiquement des étrangers pour elle. Quant à ses petits-enfants, il y en avait tellement !

Ses frères vinrent aussi. Ils avaient toujours été de rudes montagnards, fort différents d'elle. Néanmoins, elle retrouva un peu le « clan » de son enfance, et pleura à chaudes larmes quand ils repartirent...

Elle était impuissante à calmer la colère de son fils. Jasmine elle-même ne savait comment s'y prendre pour lui faire entendre raison. Jemmie était en colère, India aussi : rien n'aurait pu empêcher ces deux fortes volontés de se heurter.

— Pourquoi ne m'a-t-elle pas écouté ? demanda le duc à sa femme pour la centième fois. Je lui avais bien dit que le vicomte Twyford n'était pas pour elle. Et voilà où elle en est, maintenant !

— C'est une veuve qui attend un bébé, résuma calmement Jasmine en lui prenant la main. Elle était légalement mariée, à El Sinut, Jemmie. Et elle était aimée.

— Par qui ? Un beau renégat sans nom et sans passé ? répliqua le duc en se dégageant. Nous ne pouvons pas la laisser élever cet enfant. Il y aura des questions, et que répondrons-nous ? Quel homme voudrait l'épouser sans explication ? Nous avons raconté qu'elle était en Angleterre, puis en France, enfin en Italie auprès de ma mère. D'ailleurs, le fait qu'elle soit rentrée avec maman donne du poids à cette histoire, mais jamais nous ne pourrons expliquer la naissance d'un enfant au printemps ! Je refuse de laisser notre fille gâcher sa vie. Je le refuse !

— Alors, qu'envisagez-vous ?

— Il faut qu'elle se rende à A-Cuil, où elle ne verra personne dès que son état deviendra évident, ce qui ne saurait tarder. Nous prétendrons qu'elle est à Édimbourg, chez des parents. Ensuite, nous mettrons l'enfant en nourrice, et jamais India ne saura où il se trouve. Si la naissance a été difficile, nous lui dirons qu'il est mort, et nous n'en parlerons plus. Alors, nous pourrons lui chercher un mari.

— Tout cela paraît très simple, Jemmie, mais il y a d'autres aspects au problème. Comment expliquer qu'India ne soit plus vierge ? Et surtout, comment persuader notre fille d'abandonner son enfant ? Elle aimait l'homme qu'elle a épousé. Jamais elle ne se séparera de son petit !

— Elle n'aura pas le choix, Jasmine.

— Si vous faites ça, je ne vous le pardonnerai pas ! s'écria la duchesse avec colère.

Il serra les mâchoires.

— C'est pour son bien. Si vous m'aviez permis de lui choisir un mari, au lieu de lui laisser la bride sur le cou, nous n'en serions pas là... J'agirai dans l'intérêt de notre fille ! décréta James Leslie.

— Que dois-je faire ? demanda Jasmine, désespérée, à sa belle-mère.

— Que cette situation ne jette surtout pas la discorde dans votre foyer, conseilla Catriona. Vous aimez votre fille, mais vous aimez aussi Jemmie... India est responsable de ce qui lui arrive, et il faut qu'elle se prenne en charge. Vous ne pourrez pas la protéger toute sa vie, ma chère enfant.

— Vous êtes d'accord avec Jemmie ! s'indigna Jasmine.

— Non, mais je connais bien mon fils. Le heurter de front n'avancera à rien. Pour l'amener là où vous voulez, commencez par faire semblant de le suivre. Il est aussi entêté que moi lorsque j'étais jeune, et aussi insouciant des conséquences de ses actes que l'était son père, ajouta Catriona en riant. Il n'est pas facile, Jasmine, pourtant ne laissez pas ces problèmes cacher le fait que vous l'aimez. India finira par se remettre de son chagrin, par se marier, et alors elle vous quittera. À ce moment-là, il ne faudra pas que vous soyez fâchés, tous les deux.

— Mais comment supporter que le bébé d'India soit confié à des étrangers, que nous ne le connaissions même pas ?

— Arrangez-vous pour savoir où il se trouve. Vous irez voir sa nourrice et lui montrerez que vous vous intéressez au bien-être de l'enfant. Vous paierez pour qu'il reçoive une bonne éducation. Mais Jemmie ne doit pas être au courant.

— Et India ?

— Vous le lui direz quand elle sera enfin heureuse, guérie de son amour perdu…

— J'aimerais que vous restiez avec nous, dit Jasmine, les larmes aux yeux.

Sa belle-mère eut un rire attendri.

— Non merci, ma chère ! Je préfère la vie paisible que je mène à Rome et à Naples. Je ne m'habitue pas à cette agitation. J'ai eu mon compte d'aventures quand j'étais jeune. Maintenant, je me réjouis de contempler mes fleurs, d'admirer la mer, de dîner avec des amis, de recevoir des nouvelles de ma famille. India est sous votre responsabilité, et si j'ai eu plaisir à l'aider dans la mesure du possible, je serai ravie de partir pour Aberdeen demain et de regagner la villa Mia à Rome…

Lady Stewart-Hepburn partit le lendemain matin. Une semaine plus tard, on recevait à Glenkirk un message de sa part, annonçant que le voyage s'était bien passé…

Il faisait de plus en plus froid, les pluies étaient fréquentes et glaciales. Un matin qu'India s'attardait au lit, le duc vint la voir. Ils étaient parvenus à ne pas se disputer, depuis le départ de Catriona, cependant ils ne se parlaient qu'en cas de nécessité.

— Tu te sens bien ? demanda-t-il, bourru.

— Pas trop mal...

— Tu vas quitter Glenkirk, India. Je ne veux pas qu'il y ait de ragots, or tu ne peux plus cacher ton état. Il faut que tu partes.

James Leslie fut surpris de la voir acquiescer.

— En effet. Pour que Fortune ait une chance de trouver un bon mari, il ne doit y avoir aucune rumeur à mon sujet...

— Je suis heureux que tu comprennes, dit-il, quelque peu détendu. Heureux aussi de constater que tu fais passer l'intérêt de ta sœur avant le tien. Je ne suis plus en colère contre toi, mais je dois penser à ton avenir.

Il lui tapota la main, et s'aperçut qu'elle était glacée.

— Où irai-je, papa ? À Édimbourg, avec mon grand-oncle Adam ? Ou à Queen's Malvern ? Personne n'y réside, à cette période de l'année.

— Tu iras à A-Cuil, avec Meggie et le jeune frère de Red Hugh, Diarmid More-Leslie.

— Je vais mourir de froid là-bas ! Vous voulez m'assassiner, papa ?

— La maison est en pierre, et il y a une cheminée dans la grande salle, ainsi que dans la chambre. Tu ne mourras pas de froid. Mais tu seras isolée, et toute honte te sera épargnée. Diarmid nous préviendra quand l'heure sera venue de ton accouchement. Alors ta mère viendra te rejoindre.

— Et qu'adviendra-t-il de mon enfant ?

— Nous nous en occuperons en temps utile, dit-il en passant un bras autour de ses épaules. Écoute, petite, je veux seulement te protéger. Tu es ma fille et...

India éclata brusquement en sanglots.

— Oh, papa ! Je suis si malheureuse ! Je l'aimais… j'aimais Caynan Reis ! Je devrais être à El Sinut, au palais, en train de partager avec Azura et Baba Hassan la joie de la venue d'un bébé. Je ne sais même pas ce qui est arrivé à mon mari. On a dit qu'il avait été tué, mais les filles du harem ? Baba Hassan, et Azura ? Ma place était auprès d'eux. Peut-être même que le drame aurait été évité, si j'avais été là… Azura disait que j'avais une influence apaisante sur Caynan Reis.

Le duc la serra davantage contre lui.

— Si tu t'étais trouvée là, India, tu aurais pu être tuée, ou envoyée dans un autre harem, ou pire encore, vendue au marché aux esclaves. Tu es plus en sécurité ici, avec ta mère et moi, qu'avec ce rebelle.

— Vous n'avez pas compris, papa. Mon époux n'était pas un traître, expliqua-t-elle à travers ses larmes. Les janissaires préparaient un complot contre le sultan, et Caynan a averti la régente. C'était un risque, mais il l'a pris pour nous et pour l'enfant, afin d'obtenir une récompense d'Istanbul. Le peuple d'El Sinut ne se serait pas révolté, ces gens sont calmes et raisonnables. Ce sont sûrement les janissaires qui ont tué mon époux !

— Tu n'y peux rien, petite, dit le duc. Cet homme n'est plus, Dieu ait son âme. Je ne peux pas pleurer sur un homme que je n'ai pas connu, qui m'a volé ma fille et lui a fait un enfant… Je dois te protéger, India. Demain, si le temps le permet, nous irons à A-Cuil. Rassure-toi, tu auras tout le confort possible.

— Oui, papa.

Que dire d'autre ? songea-t-elle tristement. Elle aurait vingt ans l'été prochain, mais elle n'avait aucun contrôle sur sa fortune, et ce serait ainsi jusqu'à ce qu'elle se marie. Où pourrait-elle aller, sans un sou ? Elle était prise au piège, forcée d'obéir à ses parents. Mieux valait qu'ils la croient coopérative, et quand ils ne se méfieraient plus, elle prendrait son fils avec elle et partirait dans un endroit où personne ne la connaîtrait. Elle vendrait ses bijoux et se débrouillerait pour élever seule l'enfant de Caynan Reis...

Le duc de Glenkirk l'embrassa sur le front.

— Je suis soulagé de te voir enfin raisonnable, ma chérie. Je sais que tu as vécu des moments pénibles, mais ne t'inquiète pas : papa s'occupe de tout, comme d'habitude.

« Bon sang ! songea India comme il quittait sa chambre. Il me prend toujours pour une gamine ! »

Il voyait pourtant bien qu'elle était adulte, non ? James Leslie avait été un père merveilleux pour les enfants de sa femme : les trois qu'elle avait eus de son deuxième mari, Rowan Lindley, et le fils naturel du prince Henry Stuart. Sans parler des fils que Jasmine lui avait donnés. Il les aimait tant, qu'aucun d'entre eux n'avait quitté la maison avant India.

Ensuite, Henry, le marquis de Westleigh, avait décidé d'aller vivre sur ses terres, à Cadby, mais les autres étaient restés. James Leslie avait beau déplorer que l'on ne puisse aller marier Fortune en Irlande, il n'était en réalité pas ravi à l'idée de se séparer d'elle. Il aimait avoir sa nichée autour de lui.

Sauf son premier petit-fils...

India ignorait ce qu'il envisageait à son sujet, mais elle aurait le temps de se sauver après la naissance. Sa mère les protégerait, elle en était sûre. Pour l'instant, la jeune femme devait surtout se reposer, afin de ménager le bébé qui grandissait dans son ventre...

Qui était Caynan Reis ? se demanda-t-elle une fois de plus. Tant qu'elle vivait près de lui, elle ne s'en était pas souciée, car il était le bey d'El Sinut, point final. Cependant, il avait eu une vie avant, et elle voulait savoir laquelle. Il fallait qu'elle puisse donner un nom à cet enfant qui ne connaîtrait jamais son père.

Il faisait beau et sec, le lendemain, quand on prépara la petite expédition. India avait accepté de voyager en carrosse plutôt qu'à cheval et, au milieu de la matinée, elle était prête à partir, suivie par deux chariots : l'un chargé de ses malles, l'autre de provisions pour l'hiver.

Jasmine était en larmes. Elle n'aimait guère voir sa fille s'en aller pour leur pavillon de chasse dans la montagne. C'était un endroit relativement petit, et bien trop isolé. Que se passerait-il si le bébé décidait d'arriver un jour de tempête de neige ?

— Je vous en supplie, Jemmie, ne l'envoyez pas là-bas, dit-elle à la dernière minute.

— Ça ira, maman, la rassura India. Meggie me tiendra compagnie, et Diarmid se chargera des gros travaux, comme couper du bois ou chasser du gibier. Je ne voudrais pas être un obstacle au mariage de Fortune.

— Cette petite a plus de bon sens que vous, Jasmine, grommela le duc.

— Je viens avec toi ! déclara Fortune tout à trac.

— Il n'en est pas question ! s'écria Jasmine.

— Si, maman ! s'entêta Fortune. Écoutez, nous sommes isolés, à Glenkirk. Personne ne saura si je suis ici ou à Édimbourg ou ailleurs. Je veux rester près d'India. J'ai perdu ma sœur une fois, cela suffit.

— Voilà ! cria Jasmine en se retournant contre son mari. Je perds mes deux filles à cause de votre obstination et de votre incommensurable orgueil !

James Leslie s'abstint sagement de discuter.

— Allez, en route, Diarmid, dit-il avant de s'adresser à Fortune. Si tu pars avec ta sœur, tu ne pourras pas revenir ici seule, petite, tu seras obligée de rester là-haut. Est-ce que Noël et le jour des Rois à Glenkirk ne te manqueront pas ?

— Je préfère être avec ma sœur, dit calmement Fortune.

La jeune fille se mit en selle sur son cheval favori et suivit la caravane qui s'éloignait.

Jasmine ravala ses larmes.

— India sait-elle ce que vous voulez faire de son bébé, Jemmie ?

— Non. J'ai jugé inutile de l'attrister.

— Vous avez bien fait, reconnut Jasmine.

Elle regardait ses deux filles qui s'éloignaient, et elle crut entendre India éclater de rire quand sa sœur la rejoignit.

— Est-ce que maman pleure toujours ? demanda Fortune à son aînée lorsqu'elle fut à sa hauteur.

— Non, elle s'est arrêtée, dit India qui se tordait le cou pour regarder derrière elle. Qu'est-ce qui t'a décidée à venir ? Tu es déjà allée à A-Cuil ? C'est vieillot, triste... et minuscule. Nous finirons par nous crêper le chignon !

— J'aime mieux être avec toi que coincée à Glenkirk tout l'hiver ! Tu me raconteras tes aventures, tu me diras à quoi ressemble l'amour, puisque c'est ce qui m'attend, l'été prochain.

— Si papa te laisse partir.

— Cette fois, maman l'y obligera... Tu as remarqué, toi aussi, qu'il ne veut pas se séparer de ses « petites ».

Fortune éclata de rire.

— Pauvre papa ! reprit-elle. Il nous aime vraiment ! Pourtant, l'année prochaine à cette époque, nous serons toutes les deux mariées. Henry s'est installé à Cadby, et le roi a écrit à papa pour que dès le printemps, Charles vienne à la Cour prendre la place qui lui revient en tant que duc de Lundy. Père se contentera alors de la présence de Patrick, Adam et Duncan.

India se mit à rire avec sa sœur.

— C'est bon de te voir de nouveau joyeuse, India !

— Je n'ai guère eu de quoi me réjouir, ces derniers temps, mais à présent je vais avoir un enfant, et ce sera mon bonheur.

— Méfie-toi. Papa a l'intention de t'enlever le bébé, bien que maman essaie de le faire changer d'avis.

— Elle y parviendra. De toute façon, personne ne me privera de mon enfant, Fortune. C'est le fils de Caynan Reis, et je le protégerai. Rien de mal ne lui arrivera. Que James Leslie soit damné s'il touche à un seul de ses cheveux !

— Tu as changé, dit doucement Fortune.

Sa sœur esquissa un sourire.

— Oui. Je suis prête à tout pour défendre mon enfant.

17

A-Cuil avait appartenu à la grand-mère paternelle de Catriona. Toute sa valeur résidait dans sa sauvage beauté et la splendide forêt qui l'entourait. Plusieurs générations s'en étaient servies comme pavillon de chasse, et il était toujours entretenu pour des visiteurs éventuels. James et Jasmine s'y étaient eux-mêmes cachés autrefois, pour échapper à un dangereux rival du duc.

Le pavillon était bâti sur une falaise, d'où la vue était spectaculaire. C'était un endroit magnifique, parfaitement isolé et pratiquement invisible, dans son écrin de verdure.

India et Fortune n'y étaient jamais allées. Le chemin se rétrécissait en montant, et plusieurs fois le carrosse fut sur le point de verser. La forêt était si dense que le soleil y pénétrait à peine, jusqu'à ce qu'ils atteignent la clairière où avaient été construits le pavillon et les écuries.

— Bon sang ! s'écria Fortune. C'est drôlement petit !

— Tu peux repartir avec le chariot des provisions, proposa India.

— Pas question ! Ce sera une belle aventure, et l'endroit doit regorger de gibier. Avec Diarmid et moi pour chasser, nous ne manquerons pas de viande fraîche.

India sortit du carrosse, tandis que sa sœur mettait pied à terre.

— Entrons, suggéra India. J'ai hâte de voir à quoi ressemble l'intérieur.

C'était charmant, mais fort exigu. Au rez-de-chaussée, il y avait un séjour avec une grande cheminée et un four taillé dans la pierre, ainsi qu'une petite cuisine. Le mobilier était simple et confortable.

— Par le Christ, marmonna India, il fait plus froid qu'au pôle Nord!... Diarmid! Apportez vite du bois, on gèle! Meggie, va l'aider.

— Oui, madame.

La domestique se précipita à l'extérieur, où il faisait presque moins froid que dans la maison humide.

Les deux sœurs se dirigèrent vers l'étroit escalier.

— Allons voir là-haut.

Il y avait une seule chambre, qui possédait une cheminée, une fenêtre en encorbellement dominant la vallée et la forêt. Sur la droite s'ouvrait un œil-de-bœuf, face à la porte trônait un lit à baldaquin de bonne dimension, ainsi qu'un coffre pour les vêtements. Une petite table et un fauteuil capitonné constituaient le reste de l'ameublement.

— Tout est propre, même les vitres, remarqua India. Papa a dû prévoir de m'envoyer ici dès mon retour à Glenkirk...

Elles redescendirent dans la pièce principale.

— Ici aussi, tout est impeccable, reprit-elle. Mais c'est vraiment petit! Quand je pense au palais d'El Sinut! Mes appartements personnels étaient bien plus grands, n'est-ce pas, Meggie?

— Votre salon, simplement, reconnut Meggie. Mais il y a des gens qui vivent plus à l'étroit encore, madame, croyez-moi.

Diarmid avait déjà allumé un feu dans la cheminée.

— Je vais en faire un dans votre chambre, madame, dit-il.

— Mettez assez de bois pour toute la nuit, je ne tiens pas à grelotter demain matin.

Les charretiers déchargèrent les provisions et les rangèrent, sous la direction de Meggie. Il y avait de la farine, du sel, des épices, des herbes sèches, des tonnelets de vin et de bière, des pommes, une roue de formage et d'énormes jambons. Deux vaches laitières avaient grimpé la côte, attachées au chariot, et on les conduisit à l'étable. On installa dans la cour une demi-douzaine de poules et un coq, tandis qu'on mettait un quartier de bœuf et un cuissot de chevreuil dans le garde-manger. Il y avait même un bloc de sucre et quelques rayons de miel. On avait amené un gros matou pour éloigner les rongeurs, un petit colley et un chien de chasse.

— Voici ta dernière chance de rentrer à Glenkirk, dit India à Fortune alors que les chariots s'apprêtaient à partir.

— Je meurs de faim ! déclara Fortune. Qu'y a-t-il au menu, ce soir ?

— Je vais regarder dans le panier, dit Meggie. La cuisinière nous a préparé ce qu'il fallait, pour que nous n'ayons rien à faire aujourd'hui.

— Quelle gentille fille ! dit Fortune, désignant Meggie qui s'affairait dans la cuisine. Vous avez eu de la chance de vous rencontrer, toutes les deux. Heureusement qu'elle n'a pas préféré rentrer à Ayr.

— Je ne pense pas qu'elle aurait quitté mon service de toute façon, mais quand papa s'est renseigné sur elle, il a appris que sa mère était morte soudainement avant même que Meggie soit capturée.

Comme elle s'y attendait, son fiancé s'était consolé avec sa rivale, donc elle n'avait aucune envie de retrouver son village natal…

Le souper se composa de poulet rôti, de tourte au lapin qu'on réchauffa dans le four, de pain, de fromage et de pommes. India insista pour que Diarmid partage leur repas.

— Vous retournerez à Glenkirk demain, dit-elle, et vous demanderez des carottes, des poireaux et des oignons. Nous ne pouvons vivre sans légumes.

— Entendu, madame. Tant que le temps se maintient, je peux descendre au château quand vous en aurez besoin. Vous faudra-t-il autre chose ?

— Des poires.

— Et des conserves, ajouta Fortune. De la confiture, aussi, j'adore ça.

— Regarde dans la cuisine, Meggie, et vois ce qui manque.

Le repas terminé, Diarmid prit congé des jeunes femmes.

— Je vous laisse le colley. Fermez bien les portes, madame. Je dormirai dans l'écurie, où une petite chambre a été aménagée.

— Vous n'aurez pas froid ? s'inquiéta India.

— Non. La pièce n'est pas grande, et j'aurai l'autre chien pour me tenir chaud.

Les trois jeunes femmes dormirent dans la même chambre, les sœurs partageant le lit tandis que Meggie s'installait sur une couchette.

Le colley monta la garde en haut de l'escalier, comme pour veiller sur leur sommeil…

Le lendemain, il faisait beau, et Diarmid partit pour Glenkirk tandis que Meggie mettait de l'ordre dans la cuisine et que Fortune explorait la maison de fond en comble. Elle découvrit un tub en chêne dans un coin, ainsi qu'une malle contenant des vêtements féminins.

— Crois-tu que c'était à maman ? demanda India.

— Non, répondit Fortune qui essayait un gilet de daim aux boutons de corne et d'argent. Il est trop grand. Et puis, jamais maman ne se serait habillée de cette façon. Ça devait appartenir à la mère de papa. On raconte qu'elle s'est cachée ici afin d'échapper au mariage avec son premier époux. Je vais le garder. J'adore les tenues de chasse.

— Il te va bien, commenta India en souriant, avant de pousser un petit cri.

— Qu'y a-t-il ?

— Il a bougé, murmura la jeune femme. Le bébé a bougé, Fortune !

Elle fondit brusquement en larmes.

— Mon Dieu... Mon fils vit en moi, et son père ne le connaîtra jamais. C'est injuste, Fortune ! Trop injuste !

Fortune vint s'asseoir près de sa sœur et glissa un bras sur ses épaules.

— Tu m'as à peine parlé de lui, depuis ton retour... Tu l'aimais, India ? Il était beau, séduisant ?

India renifla, puis essuya ses yeux d'un revers de manche.

— Oui. Il était grand, avec des cheveux très noirs et les yeux les plus bleus que je connaisse... Sa bouche était magnifique. Elle semblait appeler les baisers.

— À quoi ressemblent les baisers d'un homme ?

— C'est merveilleux. Je ne peux pas t'expliquer... mais un jour, tu comprendras toi-même.

Fortune esquissa une grimace.
— Sans doute, dit-elle, fataliste.

Une paisible routine s'installa au pavillon de chasse. Chaque matin, Fortune allait chercher des œufs, puis elle menait les vaches au pré. India se chargeait de mettre le couvert et de ramasser le linge sale.

Parfois, Fortune allait chasser du petit gibier dans la forêt en compagnie de Diarmid. India et Meggie se promenaient souvent l'après-midi. Meggie faisait la cuisine, le ménage et la lessive, cependant les deux sœurs s'occupaient de la chambre. Chaque matin, elles secouaient les draps, refaisaient le lit. Ces tâches inhabituelles pour elles leur permettaient de s'occuper. Fortune avait demandé son luth et elle jouait, le soir, en chantant des ballades qui parlaient d'amour, de guerre, de héros et de rois. Diarmid l'accompagnait parfois à la cornemuse.

Comme Red Hugh, son frère, c'était un homme taciturne et bon. Avec ses cheveux châtains, ses yeux couleur d'ambre et sa courte barbe, il plaisait aux femmes, mais il ne s'était jamais marié. L'hiver serait long, pour lui...

Toutefois, une tendre amitié se développait entre Meggie et lui. Levé avant l'aube, il allumait le feu dans la cheminée, apportait de l'eau dans la cuisine, avant que la jeune fille soit debout et mette au four le pain qui avait levé pendant la nuit. Meggie était la seule qui parvenait à le faire parler.

— Tu l'as séduit ! la taquina un jour India.

— Bah ! répondit Meggie.

Mais un grand sourire éclairait son visage.

Il se mit à neiger juste avant Noël. Diarmid trouva dans les bois la traditionnelle bûche, qu'ils mirent dans la cheminée. Elle brûla joyeusement pendant presque deux jours. Les jeunes femmes se racontaient des contes de Noël, chantaient des cantiques. Le jour des Rois, elles allumèrent un feu au sommet de la falaise et regardèrent les autres feux, cherchant celui de Glenkirk.

L'hiver était bien installé, et India insista pour que Diarmid dorme devant la cheminée de la pièce commune. Les poules, les vaches et les chevaux occupèrent un appentis contigu à la cuisine, où il faisait plus chaud qu'à l'écurie.

Puis les jours rallongèrent, la neige se fit plus rare.

En mars, le ventre d'India était énorme et elle avait du mal à marcher, pourtant elle ne se plaignait jamais. Elle restait parfois des heures allongée, les mains sur le ventre, une expression rêveuse sur le visage. À quoi ressemblerait son bébé ? Ce serait un garçon, elle en était sûre... Comment l'appellerait-elle ? Caynan Reis était d'origine européenne, mais elle ne savait rien d'autre. Elle ne pourrait même pas donner à l'enfant le nom de son père.

— Je l'appellerai Rowan, en souvenir de notre père, décida-t-elle un jour.

— Oui, mais Rowan *comment* ?

— Rowan Lindley, puisque je ne connais pas le nom de son père... Oui, ça me plaît !

— Et que feras-tu, après la naissance de Rowan Lindley ? Tu as toujours l'intention de t'enfuir avec lui ? s'inquiéta Fortune.

— Oui. Je ne veux pas gâcher tes chances de faire un bon mariage.

— Sapristi ! pesta Fortune. Crois-tu que je me soucie de ce que disent les gens ? Je suis lady Fortune Lindley, fille du défunt marquis de Westleigh, je suis une riche héritière, et ceux qui n'aiment pas ma famille – *toute* ma famille – peuvent aller au diable ! Notre grand-père régnait sur un vaste pays. Notre arrière-grand-mère a rivalisé avec une puissante reine et elle a survécu. Nous sommes des femmes de caractère, nous suivons nos propres lois. Nous vivons comme nous en avons envie, nous faisons ce qui nous plaît, et que le diable emporte ceux qui oseraient nous critiquer !

India éclata de rire.

— Sais-tu à quel point tu m'as manqué quand j'étais au loin, Fortune ?

— C'est normal, je suis ta sœur... Il ne pleut presque plus. Prends ta cape, et allons faire un tour.

— Mais vous enlèverez vos bottines avant de rentrer ! dit sévèrement Meggie. Je ne veux pas de traces de boue sur mes planchers tout propres.

— Viens avec nous, proposa India.

— Je n'ai pas envie, répondit la servante. Et puis j'ai le dîner à préparer. Civet de lapin.

— Encore ? s'écrièrent les deux sœurs.

— Oui, et c'est une chance que Diarmid ait attrapé celui-là, car les provisions s'amenuisent sérieusement. Nous n'avons plus de carottes, plus d'oignons. Bientôt, nous serons au régime pain et fromage...

Les sœurs se promenèrent sur la colline, puis elles rentrèrent au cottage où mijotait le ragoût qui dégageait un délicieux arôme.

India, lasse, monta dans la chambre pour s'allonger un moment. Elle fut réveillée par une douleur aiguë.

— Meggie !... Fortune ! cria-t-elle.

Les deux jeunes filles se précipitèrent dans la chambre. Elles comprirent qu'India allait avoir son bébé plus tôt que prévu.

— Vous savez quoi faire ? demanda Fortune à Meggie.

Celle-ci hocha la tête.

— Je crois... J'ai assisté au dernier accouchement de ma mère. Il faut de l'eau chaude, des linges. Et puis que Diarmid aille prévenir la duchesse.

Fortune alla mettre de l'eau à chauffer, puis elle se précipita vers l'écurie en appelant Diarmid, qui devina aussitôt de quoi il s'agissait.

— Allez vite chercher votre maman, lady Fortune, dit-il. Je serai plus efficace que vous pour assister Meggie, sauf votre respect.

Fortune ne discuta pas. Le brave garçon avait raison !

— J'ai mis de l'eau à chauffer, répondit-elle, et il y a des serviettes propres dans le placard près de la cheminée.

Fortune se hâta de seller son cheval. Il fallait deux heures pour se rendre à Glenkirk, et elle y arriverait avant la nuit. Jasmine devrait faire le trajet dans le noir, mais elle viendrait, c'était sûr !...

Le travail fut dur, et très court. India transpirait à grosses gouttes. Elle jurait comme un charretier, faisant rougir Meggie et sourire Diarmid.

— Madame, il ne faut pas que le bébé entende ces horreurs au moment où il vient au monde ! gémissait la servante.

— Bon Dieu, ce que j'ai mal ! Pourquoi n'arrive-t-il pas ? Aaah !

— C'est bien, madame, dit calmement Diarmid. À la prochaine douleur, vous pousserez pour l'aider à sortir.

— Vous ne devriez pas être là, décréta Meggie. Ce n'est pas convenable.

— Il reste ! aboya India. Il en sait plus que toi, visiblement. En outre, je ne pense pas qu'un corps de femme soit une nouveauté pour lui... Ooooh !

— Poussez ! Poussez !... Bravo ! dit l'homme du ton apaisant qu'il prenait quand il parlait à ses chevaux. Voilà la tête. Des cheveux tout noirs... Poussez encore ! Il est presque là !

La douleur revenait, et India poussa de toutes ses forces. Elle sentit le petit qui glissait hors d'elle.

— Il va bien ? Montrez-le-moi !

Meggie avait recueilli l'enfant dans un drap, et elle le posa sur le ventre de sa mère.

— Le voilà, madame, dit-elle, émue aux larmes.

India le berça un long moment. Il avait des cheveux très noirs... et les yeux bleus qui la regardaient étaient ceux de Caynan Reis. Elle contempla en pleurant ce miracle né de l'amour.

— Tu t'appelles Rowan Lindley, mon fils...

— Donnez-le-moi, dit Diarmid. Il faut que je coupe le cordon ombilical. Ensuite, vous n'aurez plus besoin de moi.

Il sectionna nettement le cordon après l'avoir noué, puis il quitta la chambre.

— Merci, Diarmid... murmura India.

Meggie nettoya le bébé avec de l'huile tiède mêlée de vin, puis elle le redonna à India qui se débarrassa de la délivrance dans la cuvette que tenait la servante. Ensuite, elle déposa le bébé dans son berceau et entreprit de laver India et de la changer, avant de mettre des draps propres dans le lit.

Une fois la jeune femme recouchée, son bébé dans les bras, Meggie ramassa les linges sales.

— Je vous laisse avec votre fils, madame. Je reviendrai un peu plus tard afin de vous apporter à manger et remettre le petit dans son berceau.

India se sentait bien, son enfant tout contre elle... Caynan Reis aurait été fier de lui ! Il la fixait de ses grands yeux bleus, et elle chuchota :

— Nous allons être heureux tous les deux, Rowan, fils de Caynan Reis.

Le bébé, au chaud dans ses bras, s'endormit. Au-dehors, le coucher de soleil était somptueux.

India somnolait quand Meggie revint avec un mélange d'herbes, d'œufs et de vin rouge. Elle coucha le bébé dans son berceau qu'elle tira près de la cheminée, tandis que sa mère se restaurait. India redonna le bol à Meggie et s'endormit instantanément.

La servante sortit sur la pointe des pieds, pour aller rejoindre Diarmid dans la salle de séjour.

— Je vais préparer notre souper, dit-elle. Ma maîtresse et son fils dorment... La journée a été rude ! Croyez-vous que le duc et la duchesse viendront ce soir ?

— Oui. La duchesse va s'inquiéter pour sa fille, et lady Fortune doit être arrivée à Glenkirk. Ils monteront à la torche, et les chiens nous avertiront de leur arrivée...

Ils dînèrent du ragoût de lapin, arrosèrent la naissance de Rowan avec de la bière brune, puis, la vaisselle faite, ils s'installèrent devant la cheminée pour bavarder à voix basse.

Il était tard lorsque les chiens se manifestèrent. Diarmid alla ouvrir la porte et aperçut les lumières des torches à travers les arbres.

Le duc mit pied à terre devant la maison.

— Le bébé est-il né ?

— Il y a déjà quelques heures, milord. C'est un robuste garçon.

Jasmine descendit à son tour de cheval.

— Ma fille va bien ?

— Très bien, milady. Elle se repose. Entrez, Meggie vous en dira davantage.

Le duc prit le bras de sa femme pour pénétrer dans le pavillon.

Jasmine sourit à la servante qui faisait la révérence, puis elle se précipita dans la chambre où dormait India. Elle se dirigea vers le berceau. Le bébé était adorable !

— Maman... ?

— Il est magnifique, ma chérie ! dit doucement Jasmine.

— Il s'appelle Rowan, murmura India avant de se rendormir.

Le cœur de Jasmine se serra. India ne pouvait guère se rappeler son véritable père, pourtant elle avait choisi de donner son nom à son fils...

Elle redescendit au rez-de-chaussée.

— Alors ? demanda Jemmie.

— India dort, elle ne s'est réveillée qu'un instant. Elle a appelé son bébé Rowan, et il est superbe.

— Vous savez ce qu'il nous reste à faire, maintenant, déclara-t-il d'un ton sans réplique, le visage fermé.

— Au nom du Ciel, Jemmie, je vous supplie de renoncer ! India ne vous le pardonnera jamais. C'est ce que vous voulez ? Que notre fille vous haïsse pour le restant de ses jours ?

— Nous n'avons pas le choix, Jasmine, vous le savez. Nous en avons parlé tout l'hiver. C'est le seul moyen de sauver la réputation d'India. On nous a fait pour elle une intéressante demande en mariage que j'ai acceptée, mais elle ne peut se présenter à cet homme avec son fils illégitime...

— Mon petit-fils n'est pas plus illégitime que je ne l'étais, Jemmie ! protesta Jasmine. Je...

— Je ne vois pas comment nous pourrions expliquer son mariage avec un infidèle, coupa le duc. Cette union aura lieu dès que possible. Le comte est disposé à le faire par procuration, ensuite nous enverrons India en Angleterre avant l'été... Vous rappelez-vous le temps que nous avons passé dans ce cottage, Jasmine ? ajouta-t-il, radouci.

— N'essayez pas de m'amadouer ! répliqua-t-elle sèchement.

Meggie était déconcertée par leur échange, mais plutôt que de s'interroger sur sa signification, elle leur servit du vin. Le duc lui ordonna alors de monter et de rester avec sa maîtresse pour la nuit. Jasmine et lui seraient au rez-de-chaussée.

Le bébé se mit à pleurer quand la servante entra dans la chambre, et India se réveilla aussitôt. Meggie lui apporta l'enfant, qui téta avant de se rendormir.

India le nourrit ainsi deux fois au cours de la nuit, en lui parlant doucement, en caressant sa petite tête brune.

Le soleil se levait lorsque le duc entra dans la chambre de sa fille, se pencha sur le berceau, prit le bébé et se dirigea vers la porte.

— Donnez-moi mon fils ! rugit India, tandis que Meggie se réveillait.

— Tu n'as pas de fils, India ! décréta le duc.

On entendit le bruit de ses bottes sur les marches de bois.

India courut derrière lui.

— Rendez-moi mon bébé ! Je vous tuerai si vous lui faites du mal !... Rendez-moi mon fils !

Le duc tendit le bébé hurlant à Diarmid More-Leslie.

— Vous savez ce que vous avez à faire, dit-il.

L'homme sortit avec l'enfant.

India descendait en criant :

— Rendez-le-moi !... Rendez-le-moi !

Elle tomba sur les dernières marches, se releva, se précipita vers la porte, mais le duc lui barrait le passage.

— C'est pour ton bien, ma chérie. Tu seras mariée dans quelques semaines, et je te promets qu'on prendra le plus grand soin du bébé.

Il tendit la main mais elle bondit en arrière, les yeux écarquillés.

— Je veux mon fils !

Elle se jeta sur lui, dans un vain effort pour atteindre la porte.

— Là, là, petite... Tout ira bien, dit-il en la saisissant aux poignets. Jasmine ! Ramenez votre fille dans sa chambre. Il faut qu'elle se repose, si nous voulons qu'elle soit bientôt prête à se marier.

Jasmine fusilla son mari du regard. Jamais elle ne l'avait vu si entêté, si insensible ! Elle voulut prendre India dans ses bras, mais sa fille la repoussa violemment.

— Comment pouvez-vous le laisser faire, madame ? sanglotait-elle. Comment tolérez-vous qu'il m'arrache mon enfant ? Je ne vous pardonnerai jamais ! Ni à vous ni à lui !

Elle s'effondra à terre, en larmes.

18

Elle avait froid. Elle était gelée. Elle était vidée de sa substance, elle se moquait de savoir si elle était vivante ou morte. Rien n'avait plus d'importance, depuis qu'on lui avait enlevé son enfant. Son beau regard doré était terne, elle répondait par monosyllabes quand on lui adressait la parole, elle pleurait à longueur de journée. Le jour où le lait s'était tari en elle, elle avait failli se jeter des créneaux du château de Glenkirk.

Le duc était hors de lui. Il avait agi au mieux, dans l'intérêt de sa belle-fille, et elle refusait de le reconnaître. India n'était plus toute jeune, la proposition de mariage qu'ils avaient reçue d'Angleterre était une véritable aubaine. Elle aurait le noble époux qu'elle méritait, et pratiquement personne ne serait au courant de ses mésaventures. Le futur fiancé avait accepté toutes les exigences qu'imposaient les Leslie, afin de protéger leur fille et sa fortune personnelle.

Début mai, cependant, la mariée n'était toujours pas en état de voyager. Elle maigrissait à vue d'œil, elle était pâle comme un linge. Les seuls signes de vie qu'elle donnait étaient les regards meurtriers qu'elle jetait à ses parents…

Un après-midi, Jasmine essaya de lui parler.

— J'ai tout fait pour l'en empêcher, dit-elle. Pour la première fois depuis que nous sommes mariés, je n'ai pas pu le raisonner. Je cherche désespérément où il a envoyé ton bébé, et quand je le découvrirai, je te jure que rien ne lui manquera !

— Sauf sa mère, répondit India avec amertume. Comment avez-vous pu, madame ? Vous que l'on a séparée de votre mère naturelle, comment avez-vous pu m'arracher cet enfant qui était mon dernier lien avec Caynan Reis ? Au moins, ma grand-mère avait la consolation de vous savoir auprès de votre père, et votre mère adoptive était son amie. Je n'ai même pas ce réconfort. Mon époux est mort, notre fils m'a été volé, et on va me forcer à épouser un inconnu… Je veux mon enfant !

Elle n'avait pas parlé autant depuis son retour à Glenkirk.

— Je ne sais pas où est Rowan, répéta Jasmine. Je le cherche, mais je ne peux pas accomplir de miracles, India. Jemmie est intraitable sur ce sujet. Quant à ton mariage, tout est arrangé, et tu iras en Angleterre dès que tu seras en mesure de voyager. Ton père veut que ce soit avant la fin du mois.

Elle prit la main de sa fille dans la sienne.

— C'est une bonne union, India, ton futur mari a accepté toutes nos conditions. Vu ton âge, tu devrais en être heureuse…

— J'aurais été heureuse d'élever mon enfant dans ma propre maison, et de mener une vie discrète et retirée.

— Qu'aurais-tu expliqué à Rowan ? objecta Jasmine.

— Pourquoi aurais-je eu besoin de me justifier aux yeux de mon fils ? aboya India. Mon arrière-grand-mère n'est-elle pas rentrée d'Alger enceinte ?

Et qui aurait osé mettre en doute son histoire de marchand espagnol, qui avait été son époux ? Tante Willow a été parfaitement acceptée dans la bonne société, elle a même été dame d'honneur de la reine, elle a fait un beau mariage. Pourquoi m'a-t-on arraché mon fils, quelques heures après sa naissance ? Pourquoi le cache-t-on comme s'il était un sujet de honte ?

— Personne n'a jamais discuté la lignée de ma tante, protesta Jasmine.

India eut un petit ricanement.

— Je suppose que c'était plus simple, à l'époque. Si j'avais vécu à ce moment-là, j'aurais mon fils avec moi.

Jasmine poussa un soupir de lassitude.

— Je fais de mon mieux...

— Eh bien, votre « mieux » ne suffit pas, madame. Vous auriez dû empêcher votre mari d'enlever mon fils.

— Ton père ne pensait qu'à te protéger.

— James Leslie n'est pas mon père, madame. C'était Rowan Lindley. Quant à vous, vous m'avez donné la vie, mais il aurait mieux valu que je sois élevée par une louve que par vous. Vous qui paradiez à la Cour en tant que maîtresse officielle du prince Henry, vous qui avez été fière de porter son bâtard... Vous avez gardé cet enfant illégitime, alors qu'on m'a privée de mon bébé né dans les liens du mariage. Maintenant, vous voulez m'imposer un époux, m'expédier en Angleterre et faire comme si tout était parfait, afin que ces satanés Leslie de Glenkirk et leur orgueilleux seigneur soient à l'abri des critiques... Eh bien, madame, j'irai, j'agirai comme vous le souhaitez, mais pour une raison, une seule : m'éloigner de vous et de

James Leslie. Vous ne serez pas les bienvenus chez moi. Je ne veux plus vous voir, à partir du jour où j'aurai quitté cette maison !

Jasmine vacilla, comme si sa fille l'avait frappée au visage. Elle en avait le souffle coupé.

— Qui est-ce ? reprit India.

— Qui ?

— Ni vous ni votre mari n'avez pris la peine de me dire qui est l'être idéal que je dois épouser.

— C'est le comte d'Oxton, commença Jasmine, aussitôt interrompue par une protestation indignée.

— Le comte d'Oxton ? Le père d'Adrian ? Il est mourant, et il a déjà une femme !

— Le père d'Adrian est décédé voici quelques mois, expliqua Jasmine. Sa seconde épouse, l'Italienne, a été renvoyée dans sa famille par le comte actuel, Deverall Leigh.

— Le frère d'Adrian ? Cet assassin ? Franchement, madame, vous dépassez les bornes !

India était outragée à l'idée qu'on puisse lui faire épouser un meurtrier !

Jasmine leva une main en signe d'apaisement.

— Lord Leigh a été lavé de tous les soupçons qui pesaient sur lui dans le meurtre de lord Jeffers. Il est rentré en Angleterre il y a quelques mois, avec la preuve de son innocence, et le roi lui a pardonné. Il a donc pu retrouver son père, qui a disparu peu après. La comtesse douairière a été bannie d'Angleterre… Lord Leigh t'avait vue à la Cour quand tu étais petite, il s'est renseigné et, lorsqu'il a appris que tu n'étais pas mariée, il a fait sa demande. C'est un arrangement parfait, India.

— Vous refusiez que j'épouse Adrian, mais vous voulez que je me marie avec son frère ? J'ai du mal à comprendre, dit India avec une ironie amère.

— Les comtes d'Oxton sont tout à fait respectables, se défendit Jasmine. La mère de Deverall Leigh était la fille de la marquise de Whitley. Le pauvre Adrian avait une mère de basse extraction. La famille di Carlo, à Naples, était encore dans le commerce il y a deux générations.

— Les familles O'Malley et Leslie sont aussi dans le commerce, lui rappela India. Alors, quelle différence ?

— Nos familles ont toujours été nobles, et elles ont fait du commerce parce qu'elles aimaient ça. Les di Carlo ont aidé un duc à éviter un scandale, c'est ce qui leur a permis de s'élever dans l'échelle sociale, et d'ailleurs ils ne sont pas allés très loin. Si la beauté de leur fille n'avait séduit Charles Leigh, on ne sait ce qu'elle serait devenue. C'était une femme légère, et son inconduite notoire est responsable de la mort de ce malheureux lord Charles. Mais le fils aîné sera idéal pour toi. Il est beau garçon, paraît-il, et il est enfin calmé, après toutes les aventures qu'il a vécues.

— Peu m'importe.

— Il veut des enfants, dit doucement Jasmine.

— Et vous croyez que cela me fera oublier Rowan ? répliqua India d'un ton glacial. Grand-mère vous a-t-elle oubliée, madame ? Combien de larmes a-t-elle versées en secret ? J'en verserai bien plus encore, ne sachant pas ce que mon bébé est devenu.

— Je le trouverai, je te le jure !

India fixait sa mère de son regard éteint.

— Je veux un trousseau complet, madame, et tout ce qui m'appartient : bijoux, argenterie, fourrures... J'emporterai tout avec moi, car jamais je ne remettrai les pieds ici.

— Tu auras tout ce que tu voudras, ma chérie, promit Jasmine. Tu es une riche héritière, il n'est pas question que tu arrives les mains vides au mariage.

— Je partirai le 30 mai, et j'irai d'abord à Queen's Malvern. Où se trouve Oxton Court ?

— Pas très loin de Queen's Malvern. Il paraît que c'est un joli domaine campagnard. Cela devrait te plaire.

— Aucune importance. Ce sera ma demeure, jusqu'à ce que la mort m'envoie enfin rejoindre mon bien-aimé Caynan.

— Si tu meurs, objecta fermement Jasmine, qu'adviendra-t-il du jeune Rowan Lindley ? N'espères-tu pas le retrouver un jour ? Si le comte d'Oxton est un homme bon, ton fils pourra peut-être venir vivre avec vous... Mais je t'en supplie, ne répète pas mes paroles à ton beau-père ! Il serait furieux contre moi, et je n'aurais plus aucune chance de retrouver ton fils.

— Croyez-vous que ce soit possible ? demanda India, une note d'espoir dans la voix.

— Si tu obtiens l'amour et la confiance de ton mari, cela deviendra possible, l'encouragea Jasmine.

— Il faut que je lui en parle dès le début, sinon il se demandera pourquoi je ne suis pas vierge... Le comte me prendra pour une fille de petite vertu, mais votre mari n'a pas envisagé cet inconvénient, on dirait. Il n'a pensé qu'à cette bonne occasion de soulager sa conscience en se débarrassant de moi !

Jasmine ne trouva rien à répondre. En fait, sa fille avait raison : James Leslie avait été si heureux de l'offre qu'on lui avait faite, qu'il s'y était raccroché comme un naufragé à sa bouée. Lorsqu'elle avait évoqué cette difficulté, son mari, avec son exaspérante logique, lui avait suggéré de trouver un moyen de restaurer la virginité d'India. La duchesse de Glenkirk avait ravalé la réplique ironique qui lui venait aux lèvres, car son époux semblait parfaitement sérieux, tant il voulait que ce mariage se fasse.

— Tu pourrais raconter au comte d'Oxton que tu t'es mariée à l'étranger et que ton époux est mort peu de temps après, suggéra-t-elle avec prudence. D'autre part, il existe des moyens de restaurer ton hymen, India, et nous devrions y penser. Il n'y a aucune raison pour que tu n'aimes pas cet homme. Tu connais les plaisirs charnels, et je suis certaine que tu souhaiteras faire profiter ton mari de cette expérience. Il faut que tu lui plaises au point qu'il ne puisse rien te refuser, même au sujet du petit Rowan...

— Et quand suis-je censée lui parler de ce « sujet » ?

— Quand tu auras gagné son respect et sa confiance. Ton fils est en sécurité, India, sois-en sûre. James Leslie est dur, mais il n'est pas cruel. Rowan est sûrement élevé par une paysanne, ravie d'améliorer ainsi son ordinaire. Si elle s'occupait mal de l'enfant, elle serait privée de cet argent et sévèrement punie. Rappelle-toi que c'est le serviteur de James qui lui a apporté l'enfant. Je t'ai promis que je le retrouverais, India, et jamais je n'ai failli à une promesse. Alors j'irai le voir personnellement, et j'insisterai auprès de la nourrice sur l'importance de son bien-être. Pendant ce temps, tu t'efforceras d'obtenir l'amour de ton mari afin qu'il te permette de faire venir le petit Rowan chez vous.

— Je dirai au comte que j'ai eu un enfant avant le mariage, s'entêta India. Je ne peux être heureuse sans mon fils, et je refuse d'épouser cet homme s'il ne m'autorise pas à avoir Rowan près de moi.

Jasmine se mordit la lèvre.

— Au nom du Ciel, India, je te supplie d'attendre ! Si ce mariage ne se fait pas, que deviendras-tu ? Jemmie t'enfermera dans la plus haute tour de Glenkirk, et tu n'entendras plus jamais parler de ton fils... Avec un peu d'intelligence, tu obtiendras tout ce que tu désires. Ne gâche pas ton avenir et celui de ton enfant, simplement par esprit de vengeance contre ton beau-père.

India demeura un long moment silencieuse.

— Vous avez raison, madame, dit-elle enfin. Il serait fou de précipiter les événements... Quand mon mariage doit-il avoir lieu, et où ?

— Ici, à Glenkirk, par procuration avant ton départ. Le comte te laisse le choix de celui qui le représentera.

— Puisque Henry et Charles ne sont pas là, il me semble normal que ce soit mon autre frère, Patrick Leslie. Ce sera une bonne répétition de son futur mariage. Lui et mes plus jeunes frères ne connaissent pas grand-chose de la vie dans la bonne société. Malgré vos efforts, madame, ils restent de véritables sauvageons... Fixons la date au 30 mai à l'aube, et je partirai ensuite immédiatement pour l'Angleterre. Le comte m'enverra-t-il une escorte ?

— Tu seras accompagnée par les hommes du clan Glenkirk jusqu'à la frontière, où des hommes du comte t'attendront.

— J'emmène avec moi Meggie et Diarmid More-Leslie. Ils m'ont demandé la permission de se marier, et j'ai accepté. La cérémonie aura lieu tout de suite après la mienne, car il est plus simple qu'ils voyagent en tant que mari et femme.

— Ton père... ton beau-père doit donner aussi son autorisation à Diarmid.

— Je ne vois pas pourquoi il s'y opposerait, dit India d'un ton sec.

— Oh, moi non plus, répliqua vivement Jasmine.

Elle craignait de voir sa fille s'énerver de nouveau.

— Nous n'avons plus beaucoup de temps, madame, reprit India. Commençons mon trousseau sur-le-champ. Et je veux un état précis de mes biens. Rien de ce qui m'appartient ne restera à Glenkirk.

— Je te donne les Étoiles du Cachemire comme cadeau de mariage, dit doucement Jasmine. Tu es l'aînée de mes enfants, et ma première fille. J'aimerais que tu offres ce bijou à ta fille aînée lorsqu'elle se mariera.

— Maman ! s'écria India, bouleversée. Vous voulez vous séparer des Étoiles du Cachemire ?

Jasmine eut un petit rire.

— J'ai toujours eu l'intention de te les donner. En outre, nous vivons simplement, ici. Je n'ai plus guère l'occasion de les porter, et elles restent tristement dans leur écrin. Je suis sûre que tu aimeras les avoir. Si le comte t'emmène à la Cour, tu éblouiras tout le monde !

India réfléchit un instant.

— Ce serait amusant de revenir à la Cour en tant que comtesse d'Oxton, fit-elle remarquer, cependant j'espère que le comte préfère la campagne. Je n'accepterai pas que mes enfants soient élevés par des étrangers.

Jasmine acquiesça.

Le lendemain, une couturière arriva du village afin de prendre commande du trousseau d'India. La jeune femme supporta patiemment les essayages, choisit les plus belles étoffes, velours, soies, brocarts, que contenaient les coffres du château. Le vertugadin n'était plus à la mode, les jupes se faisaient souples, supportées par de nombreux jupons de fine dentelle. Les corsages s'ouvraient en profond décolleté fermé par des rubans, ainsi que les larges manches ballons. India commanda une douzaine de culottes de soie, de chemises de jour assorties et de chemises de nuit délicatement brodées.

— Il ne restera rien pour moi, se plaignit Fortune qui regardait avec envie les corsages brodés de pierreries, les jupes assorties, les capes doublées de fourrure, les bottes et les souliers à boucles d'argent qui s'empilaient, à côté de peignes ornés de perles, de fins mouchoirs, de manchons de fourrure, d'éventails, de masques.

La duchesse avait rassemblé tous les bijoux hérités de son second mari, Rowan Lindley. Elle réserva les joyaux de la famille Lindley pour l'épouse de son fils Henry, le marquis. Ceux que Rowan lui avait offerts, elle les partagea équitablement entre ses deux filles. La brune India avait un faible pour les saphirs et les rubis, tandis que la rousse Fortune penchait pour les émeraudes et les diamants.

India possédait également de vastes commodes pleines de draps brodés, de matelas de plume, d'oreillers, de dessus-de-lit et de rideaux assortis. Il y avait des chandeliers et des salières en argent, des coupes de vermeil, des couverts florentins, des services de table en porcelaine. On emballa tous ces objets précieux avec le plus grand soin.

— Elle ne me pardonnera jamais, n'est-ce pas, Jasmine ? demanda un soir le duc à son épouse.

Jasmine secoua la tête.

— Non, Jemmie, elle ne vous pardonnera pas, et on ne peut le lui reprocher. Croyez-vous qu'un nouvel époux puisse compenser la perte d'un enfant ?

La duchesse caressa doucement la joue de son mari et poursuivit :

— Je vous aime, James Leslie, mais je suis de l'avis de ma fille. Vous vous êtes montré d'une méchanceté monstrueuse. Même moi, j'ignore où se trouve mon petit-fils... Il vaudrait mieux que je le sache, afin de m'assurer que l'on s'occupe bien de lui. Le regard d'une femme est plus sûr que celui d'un homme, dans ce genre de circonstance. Je verrai si la maison est vraiment bien tenue, si la femme à qui vous avez confié l'enfant est gentille, si elle a bon cœur, ou si elle est simplement intéressée par l'argent. India dit que le bébé est né d'un mariage légal, et je la crois. Notre petit-fils ne peut être élevé sans nom, sans avenir...

Le duc acquiesça. Il était lui-même allé plusieurs fois rendre visite à l'enfant, qui était en sécurité dans un coin retiré de ses terres. La nourrice imaginait que le duc s'intéressait à Rowan parce qu'il en était le père, aussi le traitait-elle le mieux possible, espérant une bonne récompense. Rowan était un beau bébé, au regard vif et aux cheveux noirs.

— Lorsque India sera en Angleterre, je vous dirai où il est, promit-il. Je vous connais bien, Jasmine chérie, et vous ne me laisserez pas en paix tant que vous ne l'aurez pas vu de vos propres yeux.

Il lui baisa la main, et elle sourit.

— Cela me convient...

Un peu plus tard, elle rapporta les paroles de James à sa fille.

— Rassure-toi, ma chérie, dit-elle. Jemmie se sent coupable, car il sait que je n'approuve pas sa conduite, toutefois il ne cédera que lorsqu'il te verra mariée et heureuse. Fais un effort, India, pour nous tous... et surtout pour Rowan.

— Entendu, répondit India avec un soupir. Je souhaite par-dessus tout retrouver mon fils.

On avait prévu deux robes de mariée, dont la plus simple serait réservée à la cérémonie par procuration. Le corsage de soie rose pâle avait un décolleté carré, et le jupon était brodé d'or. La jupe elle-même était faite d'un tissu or et argent, les manches bouffantes étaient brodées, et India portait au cou un rang de grosses perles assorties à ses boucles d'oreilles. Elle était coiffée en chignon sur la nuque, et avait aux pieds des mules de soie rose.

Son demi-frère Patrick Leslie était vêtu du traditionnel costume écossais : kilt bleu et vert, chemise blanche, pourpoint de velours sans manches. Il accompagna fièrement India à l'autel où l'attendait le prêtre anglican, et il prononça les vœux d'une voix claire à la place du comte d'Oxton.

India était moins assurée. Les souvenirs de son mariage avec Caynan Reis étaient si présents, qu'elle avait envie de pleurer...

Quand ce fut terminé, elle reçut les félicitations de sa famille, en se demandant à quoi elles rimaient, puisqu'elle avait été traînée de force devant l'autel. Elle assista ensuite au mariage de ses deux domestiques et en ressentit un véritable plaisir, car elle les savait tous deux amoureux.

Tout le monde se retrouva dans la grande salle pour se restaurer, et le duc de Glenkirk porta un toast à sa belle-fille.

— Je te souhaite d'être heureuse, et d'enfanter de beaux garçons.

India, outrée, lui lança un coup d'œil meurtrier en levant son verre.

— Je bois à mon fils… où qu'il se trouve.

Le regard de James Leslie s'assombrit fugitivement, puis il rit.

— Tu n'es plus sous ma responsabilité, dit-il. Mange ton repas, et bonne chance, petite !

Jasmine serra la main de sa fille sous la nappe, la priant en silence de ne pas affronter le duc. India la rassura de la même manière, et ils dégustèrent un léger repas d'œufs brouillés, jambon, saumon mariné, pommes cuites et pain chaud. Bière, cidre et vin coulaient à profusion.

India observait ses jeunes frères, Patrick, Adam et Duncan, en songeant qu'elle ne les reverrait pas de sitôt, alors qu'elle retrouverait Henry et Charles en Angleterre. Patrick serait le second duc de Glenkirk, et les deux autres devraient épouser de riches héritières. « Je ne les connaîtrai jamais vraiment, songea-t-elle avec mélancolie. Heureusement que j'ai eu Fortune ! »

Fortune… La belle, réaliste et pourtant impulsive Fortune. Que lui réservait l'avenir ? Sa dot se composait du château de MacGuire's Ford et de ses terres, mais l'Irlande était un pays tellement agité ! Certes, leurs parents avaient décidé de lui trouver un mari, mais Fortune aurait dix-sept ans en juillet. Qui saurait la rendre heureuse, en Irlande ?

Elle contemplait sa sœur quand celle-ci leva les yeux et lui adressa un sourire d'encouragement.

Fortune n'avait visiblement aucune appréhension pour le futur, et India l'enviait.

— Maintenant que vous m'avez mariée, madame, dit-elle à sa mère, je suppose que Fortune sera la prochaine. Comme vous m'avez trouvé un comte, vous ne pouvez faire moins pour elle.

— Je me moque de sa position, à condition qu'il ait quelque chose dans la tête et dans le cœur ! intervint Fortune en riant. Je suis suffisamment titrée moi-même.

— Nous envisageons de nous rendre à MacGuire's Ford cet été, expliqua Jasmine. Nous n'irons pas à Queen's Malvern. J'ai écrit à Rory MacGuire, notre intendant. Tous les gens là-bas ont hâte de rencontrer l'héritière qu'ils n'ont pas vue depuis qu'elle était bébé.

— Je me rappelle le baptême de Fortune, dans la chapelle de MacGuire's Ford, déclara India. Je me souviens que j'ai dit à notre arrière-grand-père, Adam, que j'avais envie d'un poney plutôt que d'une petite sœur !... Qui a baptisé Fortune, madame ?

— Mon cousin Cullen Butler, répondit la duchesse.

— Un papiste ! s'écria Fortune, choquée. J'ai été baptisée par un papiste, maman ? Pourquoi ne m'en a-t-on jamais informée ?

— Tu connais mon opinion concernant la religion, dit calmement Jasmine. Je pense, comme notre ancienne reine, qu'il y a un seul Dieu, et que tout le reste n'est que détails. C'était aussi l'attitude de mon père, qui autorisait toutes les religions dans son pays. Il est terriblement arrogant de croire que seule sa foi est la bonne et que toutes les autres sont mauvaises. Notre Seigneur Lui-même n'a-t-Il pas dit que dans le royaume de Son père, il y avait de nombreuses demeures ? Et s'il y a de nombreuses demeures, autant de chemins doivent y mener... Oui, tu as été baptisée selon ce que l'on appelle l'ancienne religion. Ta marraine est une respectable dame du village, Bride Duffy, et ton parrain Rory MacGuire. Avant que les Anglais ne lui confisquent ses terres pour me les donner, Rory était le seigneur du château d'Erne Rock. Il s'est toujours fort bien occupé de nos terres, et je lui en suis reconnaissante. Les descendants de Nighthawk et Nightbird sont les chevaux les plus prisés d'Angleterre, et même d'Europe. Rory MacGuire a fait de toi une jeune femme riche, Fortune, ne l'oublie jamais... Quant à ton baptême par un papiste, il est valide, même en Angleterre.

Fortune s'empourpra légèrement.

— J'ai beaucoup à apprendre sur l'Irlande, maman... J'espère que M. MacGuire m'y aidera, afin que je ne risque pas d'offenser mes gens par quelque maladresse. Mais, dites-moi, comment se fait-il que la paix ait régné sur mes terres, toutes ces années ?

— Les catholiques et les protestants s'y respectent mutuellement. Ils ont chacun leur église, et nous nous arrangeons pour qu'ils ne soient pas contaminés par la haine que tentent d'instaurer nos dirigeants politiques et religieux. Ceux à qui nos règles ne conviennent pas sont libres de partir. Je refuse que nos terres soient sans cesse en révolte. C'est vain et dangereux. Cette haine est responsable de la mort de votre père, jamais je ne l'oublierai !

Fortune esquissa une grimace.

— Je ne sais pas si je serai capable de maintenir cette harmonie, dit-elle, tendue.

— Tu es la maîtresse du château d'Erne Rock. Avec l'aide de Rory MacGuire et d'un bon mari, MacGuire's Ford demeurera florissant, affirma sa mère, avant de se tourner vers India. Il est temps de te changer et de prendre congé de nous, mon enfant. La route est longue, mieux vaut ne pas perdre de temps.

India se rendit dans sa chambre, qui était presque vide car on avait tout chargé sur une longue caravane de chariots. Meggie lui ôta sa robe de mariée.

— Dois-je la mettre dans la malle avec les autres robes ?

— Non, je n'y tiens pas. Laisse-la ici. Je te l'aurais volontiers donnée, mais je ne veux plus jamais poser les yeux sur elle.

— Elle serait trop grande pour moi ! répliqua joyeusement Meggie. Et je ne sais pas si j'aurais eu l'occasion de la porter... J'ai sorti votre costume d'équitation. J'ai pensé que vous préféreriez voyager à cheval, plutôt qu'enfermée dans un carrosse.

India enfila avec plaisir la culotte, la chemise blanche, le gilet de daim et les bottes confortables. Elle posa sur sa tête un béret de velours vert orné d'une plume d'aigle, prit les gants que Meggie lui tendait, et s'arrêta un instant sur le seuil de la chambre tandis que la servante s'éclipsait discrètement.

Elle était toujours furieuse après son beau-père, pourtant Glenkirk avait été son foyer durant tant d'années ! Elle était encore une enfant lorsqu'elle était arrivée avec Henry, Fortune et Charles. C'était ici qu'ils avaient grandi, et elle avait été heureuse. Maintenant, l'endroit était associé à la perte de son fils. Le duc avait balayé d'un geste brutal toutes ces années de bonheur. Non, jamais elle ne pardonnerait à James Leslie !

Sans un regard en arrière, elle descendit vivement l'escalier et se dirigea vers la cour, où elle accepta gracieusement les vœux de bonheur des domestiques qu'elle connaissait depuis l'enfance. Elle embrassa ses deux plus jeunes frères et, comme l'aîné, Patrick, lui tendait la main, elle la repoussa et le serra fort dans ses bras.

— Ne te dépêche pas de grandir, chuchota-t-elle à son oreille. C'est dur d'être un adulte, tu sais !

Il se dégagea.

— Ne tire pas trop sur la gueule de ton cheval, India, déclara-t-il. Tu es un peu trop brutale avec lui, et il est sensible. Tu te souviendras ?

Elle lui ébouriffa tendrement les cheveux.

— Promis, dit-elle avant de se tourner vers son beau-père, à qui elle adressa un bref signe de tête. Adieu, monsieur.

Elle rejoignit sa mère.

— Rappelez-vous votre promesse, madame. Je vous enverrai des nouvelles quand je serai à Queen's Malvern, puis à Oxton Court.

Jasmine la pressa contre elle.

— Tu es née d'un profond amour, India... J'ai essayé, quoi que tu en penses, d'être la meilleure des mères pour toi, et je t'aime de tout mon cœur. Que Dieu te vienne en aide, mon enfant.

— Je vous aime aussi, maman, murmura India, les yeux embués de larmes.

Si elle en voulait toujours à James Leslie, elle n'était plus en colère contre sa mère.

Elle se détourna vivement et se mit en selle.

— Adieu ! cria-t-elle avant de lancer sa monture vers le pont-levis.

Cent hommes d'armes de Glenkirk l'accompagneraient à la frontière anglaise. Il y avait un confortable carrosse, au cas où elle préférerait rejoindre Meggie à l'intérieur. Quinze chariots à bagages suivaient, chargés de tous ses biens, ainsi qu'une douzaine de chevaux qui faisaient partie de sa dot.

Le dos bien droit, India balayait du regard le paysage familier, en se demandant dans quelle colline on cachait son fils.

Elle le trouverait. Quoi qu'il lui en coûte, elle trouverait son fils ! Le fils de Caynan Reis ne serait pas élevé par un étranger !

Déterminée, la nouvelle comtesse d'Oxton poussa son cheval en direction du sud.

19

Deverall Leigh, comte d'Oxton, avait parcouru tout l'après-midi son domaine. Après onze ans passés sur la côte méditerranéenne, il ne se lassait pas de la merveilleuse campagne anglaise. Ses terres, situées entre la Severn et l'Avon, étaient à la fois splendides et fertiles. Dans les prairies paissaient des moutons, le verger de poiriers et de pommiers était en pleine floraison, d'immenses prés attendaient les chevaux de son épouse, grâce auxquels il avait l'intention de pratiquer l'élevage.

Son épouse… lady India Anne Lindley, fille d'un duc, sœur d'un marquis et d'un duc…

Une petite garce, une traîtresse qui s'était pâmée dans ses bras en lui jurant son amour. La menteuse ! Elle avait saisi la première occasion de fuir El Sinut avec le bébé qui grandissait en elle. Si toutefois sa grossesse n'était pas un autre mensonge, destiné à l'endormir. Il avait pourtant appris qu'il fallait se méfier des femmes ! Mais il avait laissé cette sorcière aux yeux dorés s'emparer de son cœur, et dès qu'elle l'avait eu, elle l'avait rejeté sans scrupule…

Il se rappelait parfaitement son retour de la partie de chasse avec Aruj Agha. La ville était en ébullition, car deux jours auparavant, un groupe de prisonniers anglais avait récupéré le navire marchand et avait fui El Sinut. C'était un plan finement élaboré, qui avait donné aux évadés de nombreuses heures d'avance. Il devenait inutile de se lancer à leur poursuite, car Caynan Reis savait qu'il avait peu de chances de les rattraper dans l'immensité de la mer. Il avait donc mis cette perte sur le compte du destin.

Puis il avait appris qu'India avait disparu le même soir. Or comme c'était son cousin qui avait préparé l'évasion, il n'était pas besoin de se demander où elle était. Caynan en avait été effondré... et fou de rage.

— On l'a kidnappée, mon seigneur ! avait affirmé Baba Hassan, soutenu énergiquement par Azura.

— Elle vous aime, Caynan Reis, avait-elle renchéri. Elle était si heureuse de porter votre enfant ! Jamais elle ne vous aurait quitté de son plein gré. Allez la chercher, mon cher seigneur !

Baba Hassan avait acquiescé.

— Il y a une partie du jardin qui n'est pas surveillée. Je ne m'en suis pas rendu compte, et je me sens entièrement responsable, mon seigneur. Ils ont franchi le mur à l'aide de cordes et de grappins. C'est seulement lorsque nous avons découvert la disparition de lady India, que nous avons cherché des indices. Un seul grappin restait, mais il était évident qu'il y en avait eu deux, on en voyait encore les marques au sommet du mur. On a enlevé votre épouse et sa servante. Ils ne pouvaient pas laisser la petite derrière eux, et comme elle était des leurs, ils ne pouvaient pas non plus la tuer.

— Pourquoi India n'a-t-elle pas appelé au secours ? avait rétorqué le bey avec fureur. Cela aurait alerté les gardes.

— Peut-être ne voulait-elle pas mettre la vie de son cousin en danger, mon seigneur. C'est une femme, elle a le cœur tendre. Et puis, il y avait ce terrible orage. Il est possible qu'elle ait crié et qu'on ne l'ait pas entendue... Il faut la retrouver, mon seigneur !

Caynan Reis n'était pas convaincu.

— Elle avait l'avantage sur ses ravisseurs. Ils ne pouvaient lui faire franchir ce satané mur de force, ni à la servante. Elle m'a trahi, la garce !

— Et si on les avait assommées ? avait suggéré Azura.

Le bey avait ricané.

— Toutes les deux ? Il serait impossible d'escalader ce mur avec un poids mort. Non, ma bonne Azura. India a toujours eu envie de s'échapper, et elle est arrivée à nous cacher ses véritables sentiments. Elle m'a trompé, elle vous a trompés, vous qui étiez ses amis. Elle ne vaut pas mieux que les autres femmes, quoi que nous ayons pu en penser.

— Rien n'est impossible, s'était entêté Baba Hassan. Les crochets étaient solidement arrimés au mur.

— Et qu'est-ce que ça prouve ? Qu'il y avait deux personnes pour chaque corde ? Nous le savons déjà, mon ami. Il est certes pénible de reconnaître que nous avons été abusés, mais c'est le cas. Elle nous a aveuglés par sa beauté et son charme, uniquement pour mieux nous berner... Ne prononcez plus jamais son nom devant moi. C'est compris ?

Azura se mordait la lèvre.

— Et l'enfant ?

— Je la soupçonne de nous avoir trompés, là aussi.

— Non ! avait protesté Azura. Pas India !

Le cœur brisé, Caynan les avait congédiés tous les deux. Il avait besoin d'être seul. Il aimait encore India, malgré sa trahison. Si elle s'était présentée à l'instant devant lui, il lui aurait pardonné. Quant à l'enfant, malgré ce qu'il prétendait, elle n'avait pu lui mentir à ce sujet. Elle n'avait pu être complice de son cousin avant qu'il se présente dans ses appartements pour l'aider à s'enfuir. Si elle avait menti, comment aurait-elle expliqué plus tard qu'il n'y avait pas de bébé ?...

Le comte d'Oxton se dirigea vers le château, en repensant aux événements qui lui avaient permis de regagner l'Angleterre...

Quelques jours après leur retour des montagnes, Aruj Agha, qui connaissait l'intérêt que le bey portait au jeune aristocrate anglais condamné aux galères, était venu lui dire que le garçon était atteint d'une grave fièvre. On l'avait transporté à l'hôpital des esclaves, près du port.

— Le médecin pense qu'il ne s'en remettra pas, dit-il.

— Par Allah ! pesta le bey. Il faut que je le voie ! Il y a longtemps que j'avais décidé de le libérer contre une rançon, mais le bonheur m'a fait tout oublier. S'il a l'espoir de rentrer chez lui, peut-être trouvera-t-il la force de se rétablir. Maintenant, mon bonheur est en cendres, et cette femme qui m'a apporté tant de chagrin peut être considérée responsable de la situation d'Adrian.

— Adrian ? répéta Aruj Agha, intrigué. C'est son nom ? Comment le savez-vous, mon seigneur ?

— C'est mon demi-frère, avoua Caynan Reis. C'est à cause de lui et de sa mère, que j'ai été obligé de fuir l'Angleterre. Au début, j'ai tenté de séduire India pour me venger de lui. Naturellement, il ne m'a pas reconnu, le premier jour dans la salle d'audience, car il était à peine adolescent lorsque j'ai quitté mon pays, et je ne portais pas la barbe, à cette époque. Je voulais lui dire la vérité après lui avoir volé sa fiancée, afin de le blesser autant qu'il m'avait blessé. Mais rien n'a marché comme je l'avais prévu. J'envisageais de le libérer des galères et de le retenir à El Sinut en attendant le paiement de la rançon. Je me serais alors dévoilé, et lui aurais dit combien j'étais heureux avec cette ravissante Anglaise qui aurait pu devenir sa femme. Sa mère et lui auraient été furieux que je leur prenne non seulement une bonne rançon, mais aussi une riche héritière... À présent, vous me dites qu'il est mourant ? Il faut que j'y aille, car il est mon frère, le fils de mon père, malgré tout le mal qu'il m'a fait...

L'agha accompagna le bey à l'hôpital, où Caynan Reis s'approcha de la paillasse d'Adrian. Il n'y avait plus trace du jeune coq arrogant ! Le garçon gisait, inerte, le visage empourpré. Les yeux de Caynan s'emplirent de larmes, au souvenir du petit bonhomme auquel il apprenait à monter à cheval. Il se laissa tomber sur un tabouret près de lui, et fit signe aux autres de le laisser.

— Adrian, dit-il doucement. Ouvre les yeux, Adrian... Il faut que nous parlions, tous les deux.

Les mots anglais lui semblaient presque étrangers.

Les yeux cernés d'Adrian s'ouvrirent, ses paupières frémirent.

— Qui... qui êtes-vous ?

— Ton frère, Deverall Leigh.

Adrian le fixa un instant. Puis des larmes roulèrent sur ses joues.

— Pardonne-moi, Dev...

— Te pardonner ? C'est à moi de te demander pardon pour t'avoir cruellement condamné aux galères, petit frère, mais j'étais encore en colère contre ta mère et toi.

— Tu savais ?

— Je savais ce que ce pauvre vieux Rogers m'avait dit, cette nuit-là. Que lord Jeffers allait être tué et que je serais accusé d'assassinat. Qu'il fallait que je m'enfuie, sinon je serais pendu. MariElena était farouchement déterminée à ce que tu succèdes à notre père. Évidemment, avec mon entêtement légendaire, je suis resté pour voir ce qui se passerait, mais lorsque j'ai appris que lord Jeffers avait été tué avec mon propre poignard, j'ai embarqué sur le premier navire.

— Comment es-tu arrivé ici ? demanda Adrian, qui fut interrompu par une douloureuse quinte de toux.

Le bey lui donna à boire, puis le reposa doucement contre sa couchette.

— Comme le tien, mon bateau voguait en Méditerranée et, comme toi, j'ai été capturé par les corsaires barbaresques. J'ai été envoyé aux galères, mais quand j'ai prouvé ma compétence, on m'a relâché car je m'étais converti à l'islam. J'ai secondé le capitaine. Puis, un jour, le bey Sharif est venu parler avec mon capitaine. Sa barge s'est retournée, j'ai plongé et je lui ai sauvé la vie. Pour me remercier, il m'a émancipé et m'a pris à son service personnel. Comme nous étions très proches, il m'a adopté officiellement et a demandé au sultan si je pourrais lui succéder. Malade, il voulait démissionner de son poste. Le sultan a accepté. C'est ainsi que je me suis retrouvé bey d'El Sinut...

— Je suis en train de mourir, murmura Adrian.

— Non ! Je vais te renvoyer en Angleterre, on te soignera.

Adrian secoua lentement la tête.

— Je ne reverrai jamais l'Angleterre... Il faut que je répare le mal que ma mère et moi avons fait il y a des années, Dev !

Il toussa de nouveau, puis rassembla son courage pour reprendre contenance.

— Il faut que quelqu'un écrive ma confession, Dev, et que je la signe. Père a horriblement souffert de ton départ. Tu dois lui succéder. C'est toi, le vicomte Twyford. Pas moi.

— Je suis le bey d'El Sinut, Adrian, et cela me suffit. Tu vas rentrer en Angleterre...

— Non ! s'écria Adrian. Ton nom sera lavé, et c'est toi qui retourneras en Angleterre. Ton cœur n'est-il pas là-bas, plutôt que dans ce pays brûlé par le soleil ? Je t'en supplie, appelle quelqu'un qui note ma confession par écrit. Ainsi, je m'en irai le cœur tranquille. Ne me laisse pas mourir avec cet horrible péché sur la conscience, Dev !

Aruj Agha, resté en retrait, intervint :

— J'envoie votre secrétaire, mon seigneur ?

Le bey acquiesça.

Quand, un peu plus tard, le scribe s'assit en tailleur avec son parchemin, Caynan lui demanda s'il comprenait l'anglais.

— Oui, mon seigneur, ainsi que le français et l'italien.

Adrian commença son récit d'une voix basse et entrecoupée. Il raconta comment, suivant les instructions de sa mère, il avait dérobé le poignard que Deverall aimait tant, car il lui venait de sa mère défunte. Il dit que MariElena était devenue la maîtresse de lord Jeffers afin de gagner sa confiance. Il expliqua qu'elle l'avait tué en mettant dans son verre un mélange de cheveux et de verre pilé, puis qu'elle avait ordonné à son fils d'enfoncer le poignard dans la poitrine du mort.

Le secrétaire du bey notait, son impassibilité troublée seulement par quelques haussements de sourcils.

Adrian poursuivit en expliquant que sa mère avait cru ainsi l'attacher à elle pour toujours. Cependant, il avait été bouleversé de voir son père anéanti par la supposée culpabilité de son aîné, et il avait ressenti un immense sentiment de honte en voyant sa santé décliner.

Ensuite, il était allé à la Cour afin d'échapper à la pesante présence de sa mère, et il avait pris du bon temps.

Jusqu'à ce qu'il rencontre India Lindley. Elle était belle, fabuleusement riche, et elle n'avait aucune expérience des hommes. D'abord, il avait considéré comme un jeu d'essayer de la séduire, là où tant d'autres avaient échoué. Puis il s'était dit qu'elle ferait une parfaite épouse, et que sa fortune lui donnerait sur sa mère un pouvoir qu'il n'avait jamais eu. Il avait déployé tout son charme pour la courtiser, sans toutefois la persuader d'aller contre la volonté de ses parents, dont elle était très proche.

Sa mère, entendant parler de cette attirance, s'était hâtée de venir le rejoindre à Londres, afin de lui donner de judicieux conseils. Il les avait suivis, et India avait accepté de s'enfuir avec lui à Naples. Mais le capitaine du navire avait découvert la supercherie et les avait fait voyager séparés l'un de l'autre.

Et puis il y avait eu la capture.

— C'est mon arrogance qui est responsable de tous mes malheurs, conclut-il, mais je ne pouvais quitter ce monde sans avoir lavé mon frère, Deverall Leigh, vicomte Twyford, de tout soupçon. Il est innocent du meurtre de lord Jeffers. Ma mère, la comtesse d'Oxton, et moi sommes les seuls coupables… Que Dieu ait pitié de nous.

— Vous avez terminé, monsieur? demanda poliment le scribe.

— Oui, répondit Adrian dans un souffle. Donnez-moi le parchemin à signer, pendant que j'en ai encore la force.

Il apposa sa griffe au bas du document, avant de s'effondrer, soutenu par son frère.

Deux heures plus tard, Adrian rendait le dernier soupir. On le couvrit d'un linceul et on l'enterra sans tarder, dans un petit cimetière chrétien à l'extérieur de la cité. Le prêtre protestant vint prier pour lui et, malgré l'évident chagrin du bey, il ne posa aucune question…

Caynan Reis s'enferma dans ses appartements avec sa peine. Il possédait désormais un document qui lui permettrait de rentrer en Angleterre, mais il s'en moquait. Il était tombé dans une profonde dépression. Il avait perdu la femme qu'il aimait, un frère qu'il aimait. Plus rien n'avait d'importance…

Mais le destin, qui en avait décidé autrement, l'obligea à prendre une décision.

Deux troupes de janissaires avaient traversé la frontière, l'une venant de Tunis, l'autre d'Alger. Ils se dirigeaient vers El Sinut, visiblement animés de mauvaises intentions. Les espions de Baba Hassan l'informèrent que Caynan Reis était en danger.

L'eunuque se précipita chez son maître.

— C'est après vous qu'ils en ont, mon seigneur. Ils veulent votre tête parce que vous les avez trahis auprès du sultan. La rébellion a été étouffée dans l'œuf à Istanbul, mais il y a eu des batailles à Alger comme à Tunis, parce qu'ils n'avaient pas été prévenus que la révolte était terminée. Alors ils ont décidé de vous assassiner.

— Qui en a donné l'ordre ?

— Le chef des janissaires. Le sultan fera comme s'il ne voyait rien. Pour lui, votre mort est un petit prix à payer. Que les janissaires se vengent sur celui qui lui a permis de conserver son trône, il ne s'en soucie pas, et sa mère non plus. Il faut quitter El Sinut sur-le-champ, mon seigneur !

— Non. Je me battrai.

— Avec quoi ? Vous n'avez pas d'armée, et El Sinut est protégé par une troupe de janissaires qui refuseront de lutter contre leurs frères ! Ils fermeront les yeux, mon seigneur, quand les autres vous abattront. Allah vous a donné la possibilité de retourner dans votre pays au moment où vous en avez le plus besoin. Profitez-en, mon seigneur. Allez retrouver India et votre enfant en Angleterre. Et vivez ! Si vous ne le faites pas pour vous, faites-le pour Azura et moi, qui vous aimons comme un fils... Et votre descendant ? Si vous ne partez pas là-bas, il n'aura ni nom ni fortune. Pourquoi renonceriez-vous à récupérer tout ce que vous avez cru perdu ?

— Mais toi ? Et Azura, et les filles du harem ? demanda Caynan Reis. Je ne veux pas que vous subissiez les conséquences.

— Je gère ce palais depuis plus de temps que je n'ose l'avouer, dit l'eunuque. Et Azura également. Nous serons en sécurité. Je suis certain qu'Aruj Agha vous remplacera, et pour de longues années.

Le bey prit brusquement sa décision.

— J'y vais !

Baba Hassan avait raison. Son père avait besoin de lui, et il avait plusieurs problèmes à régler en Angleterre. D'abord avec sa traîtresse de belle-mère, puis avec lady India Anne Lindley...

Il suivit l'eunuque dans les appartements d'Azura.

Celle-ci sortit une magnifique cape de laine blanche, doublée de soie verte.

— Pour vous, mon seigneur. Il y a deux doublures, entre lesquelles sont cousues des pièces d'or. Le bas du vêtement est plein de pierres précieuses. C'est peu de chose, pour tout le bien que vous avez fait à El Sinut.

Elle drapa la longue cape sur ses épaules, et ferma le col à l'aide de pinces en forme de grenouilles pavées de diamants.

Le bey l'embrassa sur le front.

— Je ne vous oublierai jamais, ma très chère Azura... Si je vous envoyais chercher un jour, accepteriez-vous de diriger ma maison, avec Baba Hassan, comme vous l'avez si bien fait dans ce palais ?

Elle sourit.

— J'ai vécu trop longtemps en Orient pour m'acclimater ailleurs. Mais je vous remercie, mon seigneur.

— Moi aussi, dit Baba Hassan.

Il y eut un petit silence ému, puis l'eunuque reprit :

— Venez, mon seigneur. Il faut que vous sortiez du palais avant qu'il ne soit trop tard. On entend déjà les combats de rue, car les janissaires pillent et sèment la panique partout où ils passent. Une felouque vous attend au port, et j'ai choisi des prisonniers européens qui s'enfuiront avec vous vers Naples, le port le plus sûr pour vous.

Caynan baisa les mains d'Azura, puis il suivit Baba Hassan qui emprunta des couloirs secrets dont il n'avait jamais soupçonné l'existence. Ils se retrouvèrent à l'extérieur du palais. D'étroites ruelles les menèrent au port sans qu'ils aient rencontré âme qui vive. Ils accélérèrent le pas.

Brusquement, un janissaire leur barra le passage. Avant même que Caynan ait eu le temps de dégainer son épée, il lui balafra le visage, de l'œil gauche au coin de la bouche. Aruj Agha, qui arrivait derrière, abattit son épée. L'homme s'effondra, raide mort.

— Un jeune Turc qui voulait se faire remarquer, mon seigneur, mais personne ne gagne les honneurs avec un acte vil, dit Aruj Agha en tendant son mouchoir au bey pour qu'il essuie le sang sur son visage.

— Veillez sur Baba Hassan, sur Azura et sur les femmes du harem, demanda Caynan Reis à son ami.

— C'est promis. Qu'Allah vous protège ! conclut le janissaire, qui disparut dans une allée latérale.

Baba Hassan examina la blessure de son maître.

— Vous garderez une cicatrice, mais ce n'est pas très profond, mon seigneur... Maintenant, hâtons-nous. Il faut que vous quittiez le port avant qu'on relève la chaîne.

Trois jeunes Italiens les attendaient. Baba Hassan leur remit à chacun une bourse contenant une pièce d'or et plusieurs pièces d'argent.

— Conduisez cet homme à Naples, et mon agent vous remettra une autre pièce d'or quand il se sera assuré que votre passager est arrivé sain et sauf.

C'est pour cela que je vous ai libérés. Si vous essayez de me tromper, je saurai vous retrouver, où que vous vous cachiez.

Les trois hommes hochèrent la tête.

— Merci, Baba Hassan, dit le bey d'une voix grave avant d'embarquer sur la felouque.

— Qu'Allah soit avec vous, mon seigneur ! répondit l'eunuque.

Ils quittèrent le port sans encombre...

Trois jours plus tard, ils arrivaient à Naples, où un jeune homme élégamment vêtu les attendait. Il paya les marins et leur fit cadeau de la felouque.

— Je m'appelle Cesare Kira, dit-il à Deverall Leigh. Nous allons nous rendre à la banque de mon père, pour que vous y déposiez vos biens, puis nous arrangerons votre voyage vers l'Angleterre.

Benjamino Kira, le père du jeune homme, tendit la cape de Deverall à sa fille qui s'occupa de découdre la doublure et remit chaque pièce d'or à son père. Celui-ci les compta, les pesa, puis la jeune fille libéra les pierres précieuses qu'elle déposa sur le bureau. Ensuite, elle entreprit de recoudre le vêtement.

— Je n'ai pas besoin de doublure, mademoiselle, dit Deverall. Si la soie vous plaît, gardez-la.

La jeune fille s'illumina.

— Je vous remercie, mon seigneur !

— C'est un beau cadeau que vous lui faites, commenta Benjamino Kira. Ce sera le tissu de sa robe de mariée...

Il sourit de voir sa fille rougir, et revint à Deverall :

— Baba Hassan vous a remis une véritable fortune, mon seigneur. Qu'avez-vous l'intention d'en faire, et en quoi puis-je vous être utile ?

— Je suis l'héritier du comte d'Oxton. Que savez-vous de moi, monsieur ?

— Je sais que vous avez été le bey d'El Sinut pendant neuf ans, et que vous êtes parti à cause de la révolte des janissaires qui en voulaient à votre vie.

— J'ai averti le jeune sultan de la révolte qui grondait et, en remerciement, il m'a livré à ses ennemis. Je n'avais pas le choix, il fallait que je parte... Je vais rentrer en Angleterre et restaurer l'honneur de mon nom, entaché par un crime que je n'ai pas commis. J'ai ici la preuve de mon innocence, et je pense obtenir la grâce du roi. Ensuite, je me marierai et je mènerai la vie à laquelle j'étais destiné.

Le banquier secoua la tête.

— Le sort nous joue parfois de drôles de tours... soupira-t-il. Maintenant, il faut organiser votre rapatriement. Avec votre permission, je vais m'en occuper. Je ferai aussi transporter votre or et vos pierreries en Angleterre...

Deverall Leigh se rendit à Paris avec une caravane de marchands. Là, il fut pris en main par le banquier Henri Kira et envoyé à Calais. À Douvres, Jonathan Kira l'attendait, et il l'accompagna à Londres chez son père, James Kira.

— J'espère que vous avez fait bon voyage, milord, lui dit le banquier anglais. J'ai pris la liberté de m'enquérir de la santé de votre père. Le comte est fragile, mais ses jours ne sont pas en danger immédiat. J'ai aussi surveillé la comtesse, afin de m'assurer qu'elle resterait dans le Gloucestershire tant que vous n'en aurez pas terminé ici.

Il ouvrit un coffret qui se trouvait sur son bureau.

— Voici vos pierres, milord. Voulez-vous vérifier qu'elles y sont toutes ?

Deverall, stupéfait par l'efficacité de la famille Kira, sortit la feuille où il avait répertorié les pierreries à Naples.

— Tout y est, dit-il après avoir fait l'inventaire. Je suppose que l'or est déposé sur un compte, monsieur.

— Naturellement. Vous allez devoir solliciter un entretien avec le roi Charles, n'est-ce pas ?

— En effet.

— Cela peut s'arranger. Le duc de Buckingham et sa famille sont en affaires avec nous...

Le banquier choisit un gros diamant dans le coffret.

— Serti dans de l'or, ce serait un beau cadeau pour le roi... Qu'en pensez-vous ? Et vous pourriez faire réaliser un crucifix orné de rubis et de perles pour la reine.

— Je vous laisse le soin de vous en occuper, répondit Deverall Leigh en souriant. Où vais-je habiter, monsieur, et combien de temps devrai-je rester à Londres ? Vous imaginez bien que j'ai hâte de voir mon père.

— Il va me falloir quelques jours pour organiser l'entrevue avec le roi. En attendant, je serai heureux que vous soyez mon hôte. Je ne tiens pas à ce que quelqu'un vous reconnaisse, tant que vous n'avez pas obtenu officiellement la grâce royale...

Deverall accepta volontiers l'hospitalité des Kira. Quelques jours plus tard, on lui livra un nouveau costume de velours noir, dont le pourpoint s'ornait d'un col de dentelle. Au genou, ses culottes se fermaient par un ruban noir et argent. La soie de sa chemise brillait dans les crevés des manches. Sur ses bas de soie blanche, il portait des souliers à boucles d'argent. Il avait les cheveux courts et, contrairement à la mode, il était imberbe. Son visage était parfait du profil droit, mais à gauche, la cicatrice lui donnait un air menaçant.

Il se rendit à Whitehall dans un carrosse prêté par les banquiers, et fut accueilli par un membre de la famille du duc de Buckingham, qui le conduisit dans un appartement privé en le priant d'attendre un moment. Le roi fit son entrée peu après. Il écouta le récit de Deverall, et parcourut la confession d'Adrian, avant de se lever en demandant à son visiteur de ne pas bouger jusqu'à son retour.

Deverall se servit un verre de vin, fit les cent pas, finit par s'asseoir près de la cheminée, s'interrogeant sur la décision que le roi Charles allait prendre. Accepterait-il la révélation d'Adrian... ou l'enverrait-il à la potence ? Il pleuvait, et il observa, pensif, les gouttelettes qui ruisselaient sur la vitre.

Enfin, la porte s'ouvrit devant le monarque. Deverall bondit sur ses pieds.

— Je me suis entretenu avec mes conseillers, vicomte, commença le roi. Nous considérons la confession que vous nous avez remise comme authentique. Compte tenu de la mauvaise réputation de votre belle-mère, il est fort possible que les choses se soient passées ainsi. Nous avons aussi remarqué que si vous étiez un impétueux jeune homme, vous n'avez jamais été violent. Ni stupide. Jamais vous ne vous seriez battu pour obtenir les faveurs d'une femme légère comme lady Clinton, qui les accordait sans compter. Nous comprenons que vous ayez pris peur et ayez fui l'Angleterre, puisque votre poignard semblait être l'arme du crime. Cheveux et verre pilé... Intéressant !

— C'est une méthode qui a trouvé le jour à Naples, expliqua Deverall.

— Ah, oui ? Et c'est de là que vient votre belle-mère... Vous avez été bien avisé de quitter l'Angleterre, et vous avez connu votre lot de péripéties. Vous allez sûrement trouver la vie dans le Gloucestershire bien monotone ! Vous voudrez vous marier, je suppose...

— Certes, Majesté, si je suis pardonné.

Le roi haussa les sourcils.

— Si vous êtes pardonné ? Par le sang du Christ ! Je ne vous l'ai pas dit ? J'ai dû oublier... Bien sûr, vous êtes pardonné, vicomte Twyford. Mon secrétaire s'occupe de remplir les papiers qui vous éviteront d'avoir des ennuis avec les autorités... Bon ! Y a-t-il une gentille demoiselle qui vous ait attendu tout ce temps ?

— Non, Majesté. Dans ma jeunesse, j'étais trop occupé à courir les jupons pour chercher à me marier. Mais j'ai changé... Il y a des années, lorsque j'étais à la Cour, j'ai croisé une ravissante adolescente, qui doit être à présent en âge de se marier – si ce n'est déjà fait. Elle s'appelle lady India Anne Lindley.

— Vous visez haut, jeune homme ! dit le roi. Lady Lindley est la demi-sœur de mon neveu, une très riche héritière. Toutefois, je crois me rappeler qu'elle était assez fantasque, et qu'elle n'a jamais pu se décider à prendre époux. Sa famille l'a ramenée en Écosse, mais j'ignore si elle s'est mariée depuis... Non, je pense que mon neveu m'en aurait averti, puisqu'il vit la plupart du temps à la Cour. Cependant, elle a au moins vingt ans. Je pourrais vous en chercher une plus jeune, si vous le souhaitez.

— J'y réfléchirai, Majesté, dit Deverall sans s'engager davantage, avant d'extirper de sa poche deux petites bourses de velours. Je vous ai apporté ceci, pour vous et Sa Majesté la reine…

Charles sortit la broche de diamant sertie dans une monture d'or et l'accrocha à son pourpoint.

— Ravissant, milord ! s'écria-t-il.

Il regarda ensuite le cadeau de la reine et ne put retenir un petit rire.

— Bien que vous ayez quitté l'Angleterre depuis longtemps, vous semblez connaître la reine mieux que moi, monsieur ! Elle va adorer ce présent.

Il remit le crucifix d'or, de perles et de rubis dans le petit sac de velours blanc.

Le secrétaire revenait avec la grâce officielle du roi.

— Vous êtes libre de retourner chez vous, monsieur, dit le monarque. Que Dieu vous garde.

Deverall quitta Londres le jour même et, une semaine plus tard, se présenta à Oxton Court pour la première fois depuis onze ans. Son père fondit en larmes en le voyant, et en apprenant qu'il était lavé de tout soupçon.

Sa belle-mère pleura la mort d'Adrian, mais peu après, elle attira Deverall dans sa chambre et tenta de le séduire. Il la repoussa et lui dit ce qu'il n'avait pas avoué à son père : que le roi savait la vérité sur la mort de lord Jeffers. Si quoi que ce soit lui arrivait, elle serait pendue. Pour la première fois de sa vie, MariElena Leigh eut peur. À partir de cet instant, elle s'arrangea pour l'éviter le plus possible, et quand elle le croisait, elle se montrait respectueuse…

Le vieux comte mourut un mois plus tard, épuisé mais heureux de savoir que c'était son fils préféré qui perpétuerait le nom.

MariElena était à présent terrifiée, et elle n'eut pas longtemps à attendre pour connaître le sort qu'on lui réservait. Un messager du roi vint lui annoncer qu'elle était bannie du royaume. Mari Elena di Carlo Leigh était renvoyée dans sa famille napolitaine, et on ne voulait plus jamais la revoir en Angleterre.

— On vous versera une rente trimestrielle à la banque Kira, madame, lui dit sèchement Deverall. Et soyez heureuse que je ne vous aie pas tuée pour le mal que vous nous avez fait. Sans vous, mon père aurait pu vivre encore des années, et mon malheureux frère également... Prenez vos vêtements, ainsi que les bijoux que mon père vous a offerts, mais rien qui ne vienne de la famille.

Il fouilla ses bagages, avant qu'elle ne s'en aille avec la femme de chambre qui l'avait accompagnée depuis Naples. Il y découvrit quelques joyaux de prix, mais aussi une paire de chandeliers de vermeil offerts à la famille par le roi Henry VIII. Sophia, la servante, le maudit entre ses dents, et il les expédia toutes les deux à Londres où on les mena sous bonne escorte jusqu'à leur bateau. Kira en personne vérifia que la comtesse douairière d'Oxton montait à bord...

Alors seulement, Deverall Leigh put s'occuper de cette traîtresse d'India Lindley.

Il contacta son père, grâce à des intermédiaires, et eut la surprise de voir sa demande agréée presque aussitôt. En retour, il accepta que la fortune d'India reste sienne, et qu'elle continue à en disposer comme elle l'entendait. La dot était deux fois plus importante qu'il ne l'avait imaginé. Afin de voir jusqu'où il pourrait pousser ses futurs beaux-parents, il demanda en outre un étalon et onze juments poulinières. Les contrats furent signés, la dot versée, le mariage par procuration célébré.

Sa jeune épouse avait quitté l'Écosse depuis plusieurs semaines, et elle était attendue à Oxton Court d'un jour à l'autre…

Deverall mit pied à terre devant l'écurie. Bientôt, elle serait de nouveau en son pouvoir, et il lui ferait regretter de l'avoir trompé.

Elle ne le reconnaîtrait pas, car Deverall Leigh, rasé de près, avec sa cicatrice et son accent typiquement anglais, n'avait rien de commun avec Caynan Reis, sa barbe et sa pointe d'intonation française… Non, elle ne le reconnaîtrait pas. Il était un homme totalement différent. Un homme qui ne faisait plus confiance aux femmes. Et cette fois, il ne se montrerait pas patient. Il mettrait cette garce à genoux. Plus jamais il ne lui donnerait l'occasion de le trahir.

Plutôt la tuer.

Quand elle lui aurait avoué ce qu'elle avait fait de leur enfant !

20

Lorsqu'ils arrivèrent à la frontière, vingt et un hommes d'armes les attendaient. Le capitaine, envoyé par le comte, jeta un coup d'œil à la caravane de chariots et secoua la tête.

— Je ne peux pas prendre la responsabilité de tout ce monde, dit-il honnêtement. Quinze voitures ! Bon sang, qu'est-ce que la petite peut bien apporter à Oxton Court ?

— Surveillez votre langage ! le réprimanda Red Hugh. Lady India est une riche héritière, et votre maître a bien de la chance. Comme la plupart des hommes, il ne se rend pas compte qu'une jeune mariée arrive avec tous ses biens. Or ma maîtresse en possède en quantité, vous le constatez vous-même...

— Et des chevaux !

— La route pour Londres est-elle sûre ? demanda Red Hugh.

— Comme n'importe laquelle, de nos jours, répondit le capitaine.

Red Hugh se gratta le crâne.

— Nous ne pouvons prendre le risque de vous laisser accompagner lady India avec une escorte si réduite. Je vais renvoyer une partie de mes hommes au château. Les autres et moi irons avec vous jusqu'à Queen's Malvern, où ma maîtresse a l'intention de se reposer quelques jours avant de rencontrer son époux.

— C'est rudement gentil à vous ! approuva l'homme du comte, soulagé. Je ne m'attendais pas à ça ! Je pensais qu'il y aurait un carrosse, et peut-être un chariot...

Red Hugh, l'oncle de Diarmid, renvoya donc vingt hommes à Glenkirk, avec pour mission d'expliquer la situation au duc. Celui-ci le féliciterait de sa décision, il en était certain.

La caravane se mit en route sans perdre de temps, mais à un train raisonnable, pour que les chariots puissent suivre les cavaliers.

Lorsqu'ils arrivèrent à Queen's Malvern, India ordonna que les chariots et les chevaux continuent vers Oxton Court, tandis qu'elle se remettrait de la fatigue du voyage.

Elle fut enchantée de constater que son jeune frère, le duc de Lundy, âgé de seize ans, y résidait. Ils s'embrassèrent chaleureusement.

— Pourquoi n'es-tu pas à la Cour ? demanda India.

Le jeune homme leva les yeux au ciel.

— Je ne pouvais plus le supporter, India. La reine et Buckingham se disputent les attentions du roi, et se chamaillent comme des enfants. J'ignore lequel des deux est le pire ! J'ai demandé à mon oncle la permission de venir voir mes terres à Queen's Malvern, bien qu'il n'y ait en réalité pas grand-chose à voir. On s'occupe au mieux du domaine, et je n'ai rien de plus à faire que d'aller chasser avec Henry et lui rendre visite à Cadby. Néanmoins, cela me change de la Cour, où je suis déjà la proie de mères ambitieuses qui me jettent leurs filles dans les bras. Je suis trop jeune pour me marier, je ne cesse de le répéter, mais tout ce que voient ces satanées matrones, c'est ma parenté avec le roi, mon titre de duc et ma fortune. Tu ne peux savoir combien c'est irritant ! Le moment venu, je choisirai moi-même mon épouse.

India éclata de rire.

— Quelle tragédie d'être beau, riche et courtisé, Charles ! plaisanta-t-elle.

— Tu me trouves beau ? demanda-t-il naïvement.

— Très beau !

— Il paraît que je ressemble à mon père, déclara l'adolescent avec fierté.

— C'est vrai. Je me rappelle bien le prince Henry. Il était tellement gentil avec nous ! J'ai été triste quand il est mort, peu après ta naissance.

— J'aurais aimé le connaître. Mais, évidemment, il n'aurait pas pu épouser maman, même s'il avait vécu, parce qu'il était fils de roi et que les titres qu'elle possédait ne suffisaient pas.

— Maman était une princesse moghole de sang royal, protesta India. La famille de son père est tout aussi ancienne et son sang tout aussi bleu que celui des Stuarts.

— Certes, mais l'Empire moghol n'est pas l'Angleterre.

India rit de nouveau.

— Tu as raison !

Charles leur servit du vin, et ils s'installèrent dans de confortables fauteuils près de la cheminée pour bavarder.

— Parle-moi un peu de ce comte que tu as épousé, dit le jeune homme.

— Je ne sais pas grand-chose de lui, avoua India. Il a fait une demande en mariage, et le duc de Glenkirk a sauté dessus. Il avait tellement hâte de se débarrasser de moi !

— Dis-moi ce qui s'est passé. Tu as disparu un certain temps, et lorsque maman prétendait que tu étais à tel ou tel endroit, je n'y croyais pas. En outre, tu en veux à papa. Pourquoi, India ? Tu as toujours été sa préférée. Que s'est-il passé pour qu'un tel revirement se produise ? Tu peux tout me dire, je garderai tes secrets...

Elle lui raconta sa fuite avec Adrian, sa capture par les corsaires, sa résistance face au bey d'El Sinut, résistance qui s'était peu à peu transformée en profond amour. Puis son enlèvement par son cousin, la mort prématurée de son mari bien-aimé. Enfin son retour à Glenkirk, son exil à A-Cuil, et comment le duc lui avait arraché son enfant juste après la naissance.

— Je ne lui pardonnerai jamais, Charles. Comment a-t-il pu faire une chose pareille ?

— Et ensuite, il s'est précipité sur l'offre du comte d'Oxton, conclut Charles, songeur. J'aimerais pouvoir te renseigner sur cet homme, mais je ne connais que les ragots concernant sa fuite de Londres et son brusque retour. C'est un personnage fort discret.

India haussa les épaules.

— Ça n'a pas vraiment d'importance. Il est mon mari, désormais, et le choix n'est pas pire qu'un autre. Sa réputation n'est pas immaculée, donc il ne pourra pas me reprocher la mienne.

— Tu peux rester à Queen's Malvern autant que tu voudras, India, je suis heureux de t'avoir près de moi.

— Quelques jours me suffiront, le temps que je me prépare à affronter ce qui m'attend à Oxton Court...

Henry Lindley, le jeune marquis de Westleigh, arriva le lendemain matin.

— Je reste jusqu'à ce que tu ailles retrouver ton nouveau mari, annonça-t-il en déposant un baiser sonore sur la joue de sa sœur. Tu as maigri, ma douce… Raconte-moi ce qui s'est passé.

Ils grignotèrent des pommes au four agrémentées de crème fraîche, pendant qu'India recommençait le récit qu'elle avait fait à Charles la veille. Le jeune homme l'écouta sans intervenir, son beau visage impassible.

— Tu as connu de pénibles moments, dit-il enfin, et je trouve que notre beau-père a été dur… Néanmoins, je le comprends, car il a eu peur que tu ne puisses plus te marier, après ce qui t'est arrivé. Les temps ont changé, depuis l'époque de notre arrière-grand-mère. Les puritains gagnent du terrain, et ils t'auraient traitée de femme perdue. La vie aurait été impossible pour toi et ton fils, India.

— J'aurais dû me douter que tu prendrais son parti ! rétorqua la jeune femme, les dents serrées.

Henry Lindley secoua la tête.

— Je ne prends le parti de personne, India. Mais la situation dans laquelle se trouvait le duc était délicate. Si la vérité avait éclaté au grand jour, toi comme ton fils auriez été rejetés par la société.

Il lui tapota la main.

— Résigne-toi à prendre un nouveau départ, poursuivit-il, et peut-être pourras-tu récupérer le bébé, si ton mari tombe amoureux de toi. Ce qui ne m'étonnerait pas, à condition que tu t'en donnes la peine.

— Et toi, mon cher frère, quand te décideras-tu à prendre femme ? demanda India, doucereuse.

Le marquis de Westleigh fit la grimace.

— Par le sang du Christ, je ne suis pas du tout prêt à me ranger ! Charles et moi avons encore quelque gibier à chasser, ici comme à Londres…

— Tu es allé à la Cour ? s'étonna India.

— La mauvaise saison est triste, à Cadby. Oui, j'ai passé l'hiver à la Cour, et quelle histoire ! Le Parlement et le roi se disputent en permanence, au sujet de la catastrophique guerre contre l'Espagne. D'autre part, le Parlement reproche au roi de ne pas soutenir suffisamment les protestants français. Je suis allé plusieurs fois à la Chambre des lords, et j'en ai entendu assez pour préférer le calme de la campagne, dorénavant. Charles Ier est un homme charmant, mais un bien mauvais monarque, je le crains.

Le duc de Lundy acquiesça.

— J'ai peur pour mon oncle. Il n'y a pas que ceux qui détestent Buckingham, India, il y a aussi les fanatiques. Le roi aime les messes anglicanes, et on lui reproche de favoriser les ecclésiastiques que les puritains appellent les arminiens.

— Où est la différence ? demanda India. L'Église est l'Église, un point c'est tout.

— Non, pas pour ces hommes-là. Ils croient à la libre décision plutôt qu'à la prédestination pour obtenir le salut, et leurs rites ressemblent à ceux des catholiques, avec de longs sermons et des prières improvisées. Pour les puritains, tout doit être austère. La grâce de Dieu ne s'exerce que sur ceux qui pensent comme eux. Les deux excès sont ridicules !

— Et puis il y a eu la Pétition des droits, renchérit le duc de Lundy, à laquelle a adhéré la Chambre des lords. Nous ne sommes pas d'accord pour les prêts obligatoires au Trésor, qui ne sont jamais remboursés. Nous n'aimons pas que les soldats de la garde du roi soient hébergés chez nous sans contrepartie, et nous refusons les emprisonnements arbitraires. Le roi a accepté les termes de la Pétition, mais je ne crois pas qu'il les respectera. Il a dissous le Parlement quand celui-ci menaçait de rendre Buckingham responsable du désastre espagnol. C'est alors que Henry et moi avons décidé de rentrer chez nous.

— Il y aura de mauvais moments à passer, prophétisa Henry, sombre. Et j'aime mieux me trouver en sécurité sur mes terres.

Durant quelques jours, India et ses frères oublièrent qu'ils étaient adultes et s'amusèrent comme des enfants à chasser, pêcher, canoter, bavarder dans le parc. C'était sûrement la dernière fois que cela leur arrivait, et ils regrettaient l'absence de Fortune.

Enfin, il fallut mettre un terme à cette agréable récréation. India était à moins d'une journée d'Oxton Court, et elle devait rejoindre son mari. Une douzaine d'hommes de Glenkirk l'escorteraient, avant que Red Hugh ramène sa petite troupe en Écosse. Charles et Henry Lindley accompagneraient leur sœur, tandis que Diarmid et Meggie étaient partis en éclaireurs, prévenir le comte que son épouse arrivait le lendemain.

India se sentait mieux. Les domestiques de ses frères l'avaient dorlotée pendant presque une semaine, et elle avait repris des forces. Ses yeux dorés brillaient comme autrefois. Le jour de son départ, elle portait un ravissant costume d'équitation de soie bleue orné de dentelle, ainsi qu'un béret de velours. Elle chevauchait à califourchon, comme elle en avait l'habitude, sa longue jupe cachant ses jambes.

Ils partirent dès l'aube et s'arrêtèrent à midi afin de laisser les chevaux se reposer, pour arriver à Oxton en début d'après-midi. Red Hugh avait envoyé l'un de ses hommes prévenir le comte.

Du haut des collines qui dominaient Oxton Court, India contempla le domaine de son époux. C'était magnifique ! Des moutons paissaient dans les vertes prairies, ses chevaux s'ébattaient joyeusement. D'un côté de la belle demeure au toit d'ardoise se trouvait un jardin remplis de fleurs, et un petit village occupait le fond de la vallée.

Ils commencèrent leur descente à travers de riches vergers, où pommes et poires mûrissaient doucement. Un endroit paisible, idéal pour élever des enfants, se dit India. « Mon Dieu, pria-t-elle, faites que le comte soit un homme généreux qui me permettra d'avoir mon fils près de moi. Je promets d'être une bonne épouse, mais laissez-moi reprendre Rowan. Il est tout ce qui me reste de Caynan Reis… »

Ils s'approchaient quand tout à coup, un homme sortit dans la cour carrée du château. India plissa les yeux pour mieux le voir, mais elle était éblouie par le soleil. Elle se rendit seulement compte qu'il était vêtu de noir, et elle frissonna. Et s'ils ne s'appréciaient pas mutuellement ? S'ils n'arrivaient pas à s'entendre ?

Les chevaux s'arrêtèrent devant lui. Deverall aida India à mettre pied à terre, et elle risqua un coup d'œil timide vers son visage. Elle fut aussitôt effrayée par la longue cicatrice qui lui barrait la joue, et surtout par ses yeux d'un bleu glacé.

Ses frères étaient descendus de leurs montures. Henry se présenta au comte d'Oxton.

— Bonjour, monsieur. Je suis Henry Lindley, marquis de Westleigh, et voici mon frère, Charles Frederick Stuart, duc de Lundy. Nous vous amenons votre épouse, lady India.

Deverall serra la main que les deux jeunes gens lui tendaient.

— Bonjour, messieurs. Accepterez-vous de passer la nuit ici ?

Il offrait son bras à India.

— Merci, milord, répondit Henry, mais nous devons rentrer dès ce soir afin que je puisse me rendre demain sur mes terres, à Cadby.

— Prenez au moins un verre de vin, insista le comte. Oxton est réputé pour son hospitalité, et je ne voudrais pas que mes beaux-frères partent sans avoir partagé un rafraîchissement avec nous.

— Volontiers, milord.

— Comme c'est joli ! s'écria India en admirant la cour ornée de multiples fleurs et d'une fontaine de pierre.

— Vous aimez les jardins, madame ? demanda le comte.

Elle se força à lui sourire.

— Oh, oui !

— J'en suis heureux, car cette demeure est désormais la vôtre, et vous pourrez l'aménager comme il vous plaira.

Ils pénétrèrent dans la salle commune dont les murs étaient couverts de bannières, souvenirs de victoires passées. Les hautes fenêtres en arcades laissaient largement entrer le soleil de l'après-midi. Une vaste cheminée était encadrée de deux lions.

Des domestiques s'affairaient en souriant timidement à India, qui leur répondit avec grâce.

On leur servit du vin, et la conversation roula sur les superbes vergers du comte, qui promit aux deux jeunes gens de leur faire parvenir des paniers de poires et de pommes après la récolte. India demeurait silencieuse.

Puis ce fut l'heure de se quitter.

— Je regrette que vous partiez si vite, dit-elle à ses frères, les larmes aux yeux.

— J'espère que tu t'entendras bien avec le comte, murmura Henry en la serrant dans ses bras. Sa cicatrice est un peu effrayante, mais il semble plutôt sympathique. Je suis à Cadby, si tu as besoin de moi.

Charles l'embrassa à son tour.

— Sois sage, petite sœur, dit-il avec un sourire taquin, en cueillant du doigt une larme qui avait roulé sur la joue de la jeune femme.

— Joli conseil de ta part ! rétorqua-t-elle dans un petit rire brisé.

— Nous sommes tout près de toi, ne l'oublie pas, dit-il doucement.

Le comte raccompagna les deux jeunes gens dehors, et India resta seule, ne sachant où aller. Son époux l'avait pratiquement ignorée depuis leur arrivée, et elle sentait l'irritation la gagner. On ne pouvait pas dire que l'accueil avait été chaleureux ! Il ne lui avait pas adressé plus d'une douzaine de mots !

Néanmoins, elle se reprit. Après tout, il était sans doute nerveux, lui aussi, vis-à-vis de cette épouse qu'il ne connaissait pas. C'était à elle de le mettre à l'aise.

Lorsque Deverall Leigh revint dans la pièce, elle lui sourit.

— Je suis heureuse d'être enfin là, milord, dit-elle aimablement.

— Vous êtes très belle, déclara-t-il, mais je suppose que beaucoup d'hommes vous l'ont déjà dit…

— Pas tellement, si l'on excepte mes frères, mes oncles et mes autres parents.

— Lorsque le roi m'a accordé sa grâce, il m'a suggéré de prendre une épouse plus jeune. Quel âge avez-vous, madame ?

— J'ai eu vingt ans le 23 juin. Pourquoi n'avez-vous pas suivi le conseil du roi ?

— Parce que c'était vous que je voulais. Comment se fait-il que vous ne soyez pas déjà mariée ? On vous dit frivole, pourtant vous choisissez d'épouser un homme que vous n'avez jamais vu. Pour quelle raison ?

India ravala la colère qui montait de nouveau en elle. Il lui parlait franchement, et elle devait aussi se montrer honnête. Au moins sur un point.

— Ce n'est pas moi qui ai choisi, milord, c'est mon beau-père, le duc de Glenkirk. J'avais refusé toutes les autres demandes en mariage parce qu'elles ne me convenaient pas. Et, pour votre information, j'ai déjà été mariée, en Europe, alors que je résidais chez ma grand-mère. Mon époux est mort et je ne tiens pas à en parler davantage. Mon beau-père a décidé que je vous épouserais car c'est la seule offre qu'il a reçue depuis mon retour, or il tenait absolument à ce que je me remarie. Votre famille est convenable, et comme votre réputation a légèrement souffert, le duc a jugé que vous étiez un parti idéal.

— En effet, dit-il doucement.

La petite garce ! Aussi directe que d'habitude !

Cependant, Deverall ne se lassait pas de la contempler. C'était vraiment la plus belle femme au monde !

— À la vérité, je suis soulagé que vous ne soyez pas vierge, madame, reprit-il. Les jeunes filles ont leur pudeur, or je ne suis guère patient… Aimeriez-vous voir vos appartements ? Vos servantes vous attendent, mais il va falloir trouver un logement pour Diarmid. Quelle est sa position ?

— C'est mon garde du corps, répondit-elle.

Il s'abstint de manifester son amusement.

— Vous n'en aurez pas besoin à Oxton Court, madame, mais comme il est le mari de votre camériste, nous lui trouverons une place convenable parmi vos gens. Venez.

Il lui prit la main pour l'entraîner vers le vaste escalier, puis dans l'aile ouest du château.

Meggie fit la révérence quand ils entrèrent. Elle se précipita pour prendre les gants et le béret de sa maîtresse.

— Regardez comme c'est joli, ici ! s'écria-t-elle. Et milord nous a attribué une chambre privée, à Diarmid et à moi !

— Je suis contente que cela te plaise, Meggie, dit India à la jeune femme rayonnante. Diarmid, poursuivit-elle à l'intention du domestique qui attendait respectueusement à l'écart, savez-vous lire et écrire ?

— Oui, madame.

— Alors vous serez le régisseur de mes biens personnels, puisque le comte m'assure que je n'ai pas besoin de garde du corps à Oxton… Cela résout-il le problème, milord ? ajouta-t-elle.

— Parfaitement. Je suis ravi de constater que vous avez l'esprit vif, et j'espère que nos enfants hériteront de ce trait de caractère.

Il vit une ombre fugitive passer dans son regard.

— Tout va bien, madame ?

— Oui, milord…

Ainsi, elle était troublée par l'évocation des enfants ? La traîtresse ! Qu'avait-elle fait du leur ? Et cette allusion à un mari décédé, dont elle n'avait pas envie de parler... Voulait-elle lui faire croire qu'elle en souffrait encore ? Elle paierait pour toutes ces perfidies, se promit Deverall.

— Souperez-vous avec moi ce soir, madame ? Ce sera une sorte de repas de mariage, après que le prêtre aura béni notre union...

— Avec plaisir, mentit-elle.

Lorsqu'il avait parlé d'enfants, elle avait eu bien du mal à refouler ses larmes, mais comment aurait-elle justifié cette crise de désespoir ?

— Je vous laisse vous reposer de la fatigue du voyage, dit-il avant de se retirer.

India remarqua qu'il empruntait une petite porte dans la cloison, et non l'entrée donnant sur le couloir. Le boudoir dans lequel elle se tenait était une pièce ravissante, aux panneaux de bois encadrés de doré. Autour de la cheminée, deux anges montaient la garde. Les rideaux étaient de velours bleu clair, les meubles bien cirés, les sièges capitonnés de couleurs vives. Il y avait au sol des tapis persans, et sur les guéridons des chandeliers d'argent et des bols de pots-pourris.

— N'est-ce pas magnifique ? s'exclama Meggie.

— C'est aussi joli que les demeures de ma propre famille, acquiesça India.

— Et venez voir la chambre ! suggéra la camériste, enthousiaste.

India dut reconnaître que sa nouvelle chambre était également ravissante, tendue de velours rose, avec un lit à baldaquin qui avait été garni de ses propres draps brodés. Sur chaque table de chevet se trouvait un chandelier d'argent. La cheminée faisait face au lit, ornée d'une biche, d'un faon et d'un cerf dont les cors étaient de cuivre. Un confortable fauteuil et un guéridon invitaient au repos, ainsi qu'un siège aménagé dans l'épaisseur du mur, près de la fenêtre. Le reste du mobilier se composait d'une table, de deux chaises, et de plusieurs commodes de bois sculpté.

— C'est très joli, dit India en respirant le parfum des roses qui ornaient la table. Et tu as tout rangé. Merci, Meggie.

— Tout ? Oh, non, nous en aurons pour des jours à installer toutes vos affaires, madame... Maintenant, laissez-moi vous déshabiller. Vous avez sûrement envie de vous allonger un peu avant le dîner.

— J'aimerais d'abord prendre un bain. Je ne tiens pas à enfiler une robe propre avec cette odeur de cheval qui me colle à la peau.

La servante esquissa un sourire.

— D'autres n'hésiteraient pas. Je ne connais personne d'aussi méticuleux que vous, madame.

— L'eau est bonne pour la peau, répliqua India. Tu veux garder ton grand gaillard d'Écossais, n'est-ce pas, Meggie ? Alors soigne ton corps. J'ai vu quelques jolis minois, dans le hall...

— Oh ! Si j'en surprends une en train d'essayer de séduire mon mari, je lui arrache les yeux ! s'écria Meggie avec fougue.

India se rappela qu'elle éprouvait la même jalousie à l'égard de Caynan Reis... En irait-il de même avec Deverall ? Elle en doutait. Mais il était son époux, et elle s'en accommoderait au mieux, dans l'intérêt de son bébé. Elle lui avait déjà avoué qu'elle avait été mariée et, Dieu merci, il ne lui avait pas demandé d'emblée si elle avait eu des enfants. Elle n'était pas encore prête à partager ce secret avec lui. Non, il fallait d'abord qu'elle gagne sa confiance, car il ne semblait pas avoir un caractère facile !

Après le bain, elle somnola quelque temps, avant que Meggie lui passe la robe de brocart crème, prévue pour la cérémonie religieuse qui devait avoir lieu dans la chapelle du château. Elle mit les Étoiles du Cachemire à son cou, et les effleura avec émerveillement.

Deverall l'attendait en bas de l'escalier.

— La chapelle n'est pas loin, nous irons à pied, expliqua-t-il en lui offrant un bouquet de roses blanches.

Elle prit son bras et ils sortirent dans le soleil couchant. Une légère brise agitait doucement les feuilles des arbres.

La petite église était éclairée par des cierges, et toute la domesticité était rassemblée pour le mariage du maître. Le prêtre annonça que, puisque le comte d'Oxton et lady India Lindley avaient accepté le mariage par procuration célébré le 30 mai de l'an de grâce 1628, ils étaient légalement mari et femme. Ce soir, le 18 juillet, il allait les bénir au nom de Dieu et du roi.

Le couple s'agenouilla.

— Que personne ne sépare ceux que Dieu a unis. Au nom du Père, du Fils et du Saint-Esprit, amen.

— Amen, répéta la foule.

— Maintenant, milord, vous pouvez embrasser la mariée, reprit le prêtre.

India ouvrit de grands yeux tandis que le comte effleurait froidement ses lèvres. Embrasser ? Elle n'y avait pas songé. Et faire l'amour ?... Ciel ! Dans sa hâte d'échapper à Glenkirk, elle avait chassé de sa tête ce genre de pensées.

Le comte et elle se dirigèrent vers le porche, sous les acclamations des domestiques.

— Vous avez semblé surprise, quand je vous ai embrassée, fit remarquer le comte alors qu'ils retournaient vers le château.

— C'était à peine un baiser, milord, répondit-elle. Plutôt la caresse d'une aile de papillon.

— La passion ne doit pas être exhibée, madame, dit-il, réprobateur. Je ne pouvais cependant guère me dérober à cette formalité, les serviteurs auraient été déçus.

— Si je vous demandais de me laisser seule cette nuit afin que je me repose du voyage, seraient-ils aussi déçus ? demanda-t-elle hardiment.

Il fronça les sourcils.

— C'est moi qui le serais, madame. En outre, vous avez eu le temps de reprendre des forces chez votre frère.

— Je ne suis pas encore prête à recevoir un homme dans mon lit, avoua-t-elle.

— Pourquoi ?

Elle trébucha, et il la soutint vivement.

— Je ne sais pas précisément… mais c'est ainsi.

— Vous ne semblez pas avoir une grande expérience des hommes, madame, mais moi je suis prêt à recevoir une femme dans mon lit, or vous êtes ma femme. Vous êtes seulement un peu intimidée, mais je ne suis pas un monstre.

Et il avait tellement envie de l'avoir dans ses bras, cette traîtresse ! Elle se donnerait à lui, qu'elle le veuille ou non. Il avait rêvé de cette nuit pendant des mois, il n'était pas question qu'elle la lui refuse ! Plus jamais !

Tout s'était passé comme il l'avait prévu, jusqu'à présent. Elle n'avait pas reconnu Caynan Reis, avec ses cheveux courts, la triste cicatrice qui le défigurait. Il s'exprimait en anglais, il avait rasé la barbe qui lui masquait le bas du visage, sa peau n'avait plus le hâle doré dû au soleil. Quand il lui ferait l'amour, cette nuit, ce ne serait pas comme le bey d'El Sinut, avec une passion pleine de respect. Ce serait le comte d'Oxton qui prendrait son épouse.

Il était encore furieux contre elle. Comment avait-elle pu le quitter après avoir juré mille fois qu'elle l'aimait, alors qu'elle portait leur enfant ? S'il n'avait été obligé de fuir El Sinut, il ne l'aurait peut-être jamais retrouvée... Et où était leur bébé ?

Certes, il faudrait bien qu'il se dévoile à elle, un jour ou l'autre, mais d'abord, il tenait à sa vengeance.

Ils soupèrent dans la petite salle à manger, en tête à tête. Ils dégustèrent des huîtres, un petit rôti de bœuf, du canard en sauce, une truite sur lit de laitues braisées, des légumes frais, du pain chaud et du fromage.

Il la regardait picorer dans son assiette.

— Vous n'avez pas faim ?

— C'est délicieux, répondit India en entamant son second verre de vin. Mais j'ai perdu l'appétit, ces derniers temps. Les repas ne sont pas très raffinés quand on voyage, même dans les meilleures auberges.

— Eh bien, si vous avez terminé, vous pouvez monter dans votre chambre vous préparer pour moi, madame.

Elle bondit pratiquement sur ses pieds, et sortit de la pièce aussi vite que possible.

Il la suivit des yeux avec un sourire carnassier. Elle avait peur !

Elle sentit son regard tandis qu'elle s'enfuyait. Bon sang, quel genre d'homme était-il pour s'imposer ainsi à elle ? Certes, ils étaient mariés, mais ils ne se connaissaient que depuis quelques heures, ils ne savaient rien l'un de l'autre… Soudain, elle comprit. Si le mariage était consommé, elle ne pourrait demander l'annulation, or elle lui avait déclaré tout de go qu'elle n'avait pas choisi cette union. Il ne voulait pas prendre le risque de perdre sa dot.

Quel mufle !

Après tout, elle n'était plus une vierge effarouchée, et son mari s'acquitterait sans doute rapidement de son devoir conjugal avant de retourner dans sa chambre. Elle ne serait pas la première à qui cela arriverait, ni la dernière. Il aurait été agréable qu'ils se connaissent mieux avant d'en arriver là, mais tant pis.

— Vous étiez si belle à l'église, madame ! dit Meggie en remettant les Étoiles du Cachemire dans leur écrin. Je vous ai sorti une jolie chemise de nuit, ajouta-t-elle avant de ranger la robe de mariée. Le comte a l'air d'un vrai gentilhomme…

— Oui.

— Quelle terrible cicatrice il a, le pauvre ! Je me demande comment il l'a reçue. On ne l'imagine pas dans une rixe. C'était peut-être un accident.

India se passa sur le visage un linge parfumé à la rose, se lava les dents, se rinça la bouche à l'eau mentholée, puis elle enfila la chemise de soie rose pâle.

— Tu peux aller te coucher, Meggie.

Elle s'assit au bord du lit pour brosser ses longs cheveux, tandis que la camériste sortait de la chambre. India sourit. Meggie appréciait visiblement la vie de femme mariée... Puis elle regarda autour d'elle, enchantée de la sérénité qui régnait dans la pièce.

La porte de communication s'ouvrit, et le comte entra dans la pièce, entièrement nu.

— Ôtez votre chemise, ordonna-t-il. Sauf lorsque vous serez indisposée, ou enceinte, ou lorsque je ne passerai pas la nuit avec vous, je veux que vous dormiez nue, madame. Comme moi. C'est bien compris ?

Elle obéit, et il la contempla des pieds à la tête.

— Vous êtes belle, dit-il.

Elle était complètement déconcertée.

Il la prit à la taille et la retourna, son dos contre la poitrine musclée, avant de prendre un de ses seins dans sa main.

Elle avait du mal à respirer. Elle ne s'était pas attendue à cette attitude, elle avait peur. Cet homme était dangereux ! Et elle était à sa merci. Elle luttait contre l'angoisse, il ne fallait pas qu'elle la montre. Mais quand il glissa un doigt entre ses lèvres, elle ne put s'empêcher de sursauter.

— Sucez ! ordonna-t-il.

Après une seconde d'hésitation, elle effleura son doigt de la langue en une caresse suggestive.

— Encore ! dit-il.

Il caressait du pouce le bout de son sein, et le cœur d'India s'affola. Elle léchait à présent le doigt avec plus de fougue, tandis qu'il continuait à jouer avec sa poitrine. Puis sa main descendit vers son mont de Vénus, en ouvrit les plis délicats.

— Petite garce, murmura-t-il. Vous êtes déjà prête... Vous avez envie de moi, madame ?

Il avait ôté son doigt de sa bouche.

— Vous êtes mon mari, répondit-elle d'une voix mal assurée.

Il eut un rire de gorge.

— Catin ! Vous voudriez être lutinée même si je n'étais pas votre mari, hein ?

Ses doigts continuaient leur exploration, et elle se tordait déjà de plaisir sous la caresse de plus en plus intime.

Elle le détestait, car il jouait avec sa frustration ! Cette idée lui donna le courage de se détacher de lui pour l'affronter.

— Comment osez-vous me parler sur ce ton, milord ? Je suis votre épouse, pas une fille de ferme que l'on renverse dans le foin !

Il lui saisit les cheveux et l'embrassa longuement, profondément. Un baiser qui lui coupa le souffle. Puis il la fit basculer sur le lit avant de s'allonger sur elle, de lui écarter les jambes et de la pénétrer à longs coups rageurs, malgré les efforts qu'elle faisait pour se dégager.

Mais il était trop tard. Elle était prête, en effet, et bien qu'elle ait envie de se refuser, son corps l'accueillait avec joie. Ils gémissaient tous les deux. Quand India s'accrocha à son dos, il s'enfonça plus profondément encore.

— Nouez vos jambes autour de moi, petite garce ! gronda-t-il à son oreille.

Elle obéit spontanément, et il reprit de plus belle.

Elle n'en pouvait plus… elle ne pouvait résister davantage !

Et elle se laissa retomber sur le dos, haletante, après l'explosion magique qui l'avait envoyée dans les étoiles…

— Ô mon Dieu… sanglota-t-elle lorsqu'elle eut retrouvé son souffle. Je vous déteste !

Il demeura au-dessus d'elle un instant, le cœur battant, la respiration saccadée. Il y avait si longtemps ! Si longtemps qu'il n'avait connu la douceur de son corps, l'assouvissement qu'elle seule pouvait lui apporter... Il avait envie de la prendre dans ses bras, de lui dire la vérité. Mais c'était impossible, car il n'avait pas confiance en elle. C'est une traîtresse, une chatte en chaleur. Elle ne valait pas mieux que MariElena, elle offrait son corps pour parvenir à ses fins.

Il s'arracha à elle et se leva.

— Bonne nuit, madame, dit-il avant de se diriger vers la porte qui menait à sa chambre.

India demeura abasourdie. Elle avait mal partout. Pourtant elle se sentait étrangement détendue, et honteusement comblée. Il l'avait traitée de garce, de catin, et elle avait l'impression d'en être une. L'unique baiser de Deverall avait éveillé en elle des souvenirs qu'elle ne pouvait chasser de sa mémoire. Les larmes roulaient sur ses joues, elle ne savait plus très bien pourquoi elle pleurait...

Il s'était conduit comme un rustre, elle ne s'attendait pas à ce comportement de sa part. Elle avait cru qu'il prendrait simplement ce qui lui était dû. Or cet homme froid, austère, avait fait preuve d'une passion débridée. Elle se roula en boule sous la couverture. Quelle erreur d'avoir accepté ce mariage !

Quelles surprises son époux lui réservait-il encore ? Elle avait envie d'être aimée. D'être aimée par un homme qui n'était plus, et non par ce Deverall Leigh, comte d'Oxton. S'il n'y avait pas eu son bébé, elle aurait souhaité mourir...

Il l'entendait pleurer, de l'autre côté de la cloison, et son instinct le poussait à aller la consoler.

Pourtant il résista. Cette petite peste sanglotait parce qu'il avait été brutal, mais c'était elle qui lui avait fait perdre toute raison. Elle, sa peau, son parfum si familier... cela l'avait poussé à la folie. Elle le détestait probablement. Tant pis. Pourquoi se soucierait-il de ce qu'elle pensait ? Elle l'avait trompé, l'avait abandonné. Peut-être ne lui pardonnerait-elle jamais, mais ce n'était pas grave. Il la remplirait de nouveau de sa semence, et cette fois, elle ne lui volerait pas son enfant.

21

India se réveilla moulue. La lumière filtrait par l'entrebâillement des rideaux. Comme elle n'entendait pas de bruit, elle se hâta d'enfiler sa chemise de nuit avant l'arrivée de Meggie.

Elle avait vécu la plus étrange des nuits de noces, se dit-elle en se recouchant. Finalement, il ne s'était montré ni cruel ni brutal, seulement un peu trop déterminé. Il faudrait qu'elle lui enseigne des manières plus raffinées en amour ! Certes, il s'était assuré qu'elle prenait aussi du plaisir, mais il l'y avait obligée, plutôt que de la laisser suivre son propre rythme. Visiblement, il ne connaissait guère les femmes...

Elle ne revit son époux que le soir, au souper. Elle avait passé la journée à aider Meggie et Diarmid à déballer ses affaires. C'est ce qu'elle lui expliqua, avant de l'interroger sur ses propres activités.

— Je me suis occupé du domaine, répondit-il. C'est une lourde charge, car nous subvenons à nos besoins grâce aux troupeaux et aux vergers que vous avez remarqués hier. Avec vos chevaux, madame, j'espère monter un élevage de pur-sang. Sont-ils irlandais ?

— Oui. Les terres irlandaises ont été offertes à ma mère pour son dix-huitième anniversaire par mon père, le marquis de Westleigh. L'intendant en est l'ancien propriétaire. Il a choisi personnellement l'étalon, Nightsong, et les juments. Le domaine servira de dot à ma jeune sœur, Fortune.

— Je vous remercie pour l'étalon et les poulinières... Maintenant, madame, nous avons à parler. Les domestiques de cette maisonnée sont tous âgés, et il est grand temps qu'ils jouissent d'un repos bien mérité dans leurs cottages du village. Vous aurez donc la responsabilité d'en trouver de nouveaux. Puis-je compter sur vous ?

— Certainement, dit India, flattée de la confiance qu'il lui témoignait. Diarmid More-Leslie deviendra majordome, si Dover accepte de lui expliquer en quoi consistent ses tâches avant de s'en aller. Cela vous convient-il ? Il s'agit de votre maison, et je ne voudrais surtout pas vous contrarier.

L'ombre d'un sourire effleura les lèvres du comte.

— Si vous me consultez avant de prendre les décisions définitives, ce sera parfait.

La fin du repas se déroula dans le silence. Puis India se leva.

— J'ai l'habitude de prendre un bain, chaque soir avant de me coucher. Viendrez-vous me rejoindre cette nuit, milord ?

— Oui.

Elle se retira dans ses appartements. Quel homme curieux ! songeait-elle tandis que Meggie préparait le bain.

Elle prit soin de relever ses cheveux, afin de ne pas les mouiller, et se savonna soigneusement. Quand elle fut séchée et vêtue de sa chemise, Diarmid et son épouse vidèrent le tub, puis ils lui souhaitèrent bonne nuit. Une fois seule, India se débarrassa de sa chemise de nuit et se glissa entre les draps.

La chambre était éclairée seulement par les bûches qui brûlaient dans la cheminée, et la jeune femme somnola un peu, jusqu'à ce qu'elle soit réveillée par le bruit de la porte.

Comme la veille, le comte était nu, mais cette fois elle eut le loisir de l'observer. Il avait un corps parfait, constata-t-elle.

Il se mit au lit.

— Je suis heureux de voir que vous avez suivi mes instructions, dit-il.

— Me prier d'être nue pour vous accueillir n'est pas une demande exorbitante, milord, répondit-elle.

— Allongez-vous, reprit-il en rabattant les couvertures. J'ai envie de vous examiner en détail, madame, ce dont je n'ai pas eu l'occasion hier soir. Je veux voir ce que m'a envoyé le duc de Glenkirk.

— Comme une de mes juments ? rétorqua-t-elle sèchement.

— Exactement, madame.

— Puisque nous sommes dans une situation fort intime, ne serait-il pas mieux d'en venir aux prénoms ? Je comprends que nous nous montrions cérémonieux en public, mais dans mon lit...

Il lui baisait le bout des doigts, puis il en mit un dans sa bouche et le suça, tandis que son autre main s'insinuait entre les cuisses de la jeune femme. Quand elle fut tout humide de désir, il releva la main et glissa un doigt dans sa bouche.

— C'est votre goût, expliqua-t-il.

Elle fut choquée, et en même temps extrêmement excitée. Cet homme froid et correct avait une sensualité encore plus primitive que celle de son cher Caynan Reis. Elle frissonna.

— Vous avez froid, India ? demanda-t-il en baisant ardemment la paume de sa main.

— À quoi jouez-vous, Deverall ? murmura-t-elle.

— J'essaie de me faire pardonner mon attitude grossière d'hier soir. J'ai envie de vous faire l'amour, India... Mais peut-être préférez-vous que je vous viole ? C'est ça ?

— Non ! s'écria-t-elle tandis qu'il jouait de la langue avec son oreille.

— Vous avez dû penser que j'avais de bien mauvaises manières au lit...

Elle eut un petit rire.

— Oui !

— Alors laissez-moi vous faire changer d'avis, India, dit-il en prenant ses lèvres.

Le baiser fut tendre, profond, sensuel. Elle tremblait de tous ses membres. *Ses* baisers. La façon dont *il* l'embrassait...

Il fut surpris de sentir ses larmes salées. Pourquoi pleurait-elle ? Au lieu de lui poser la question, il prit son visage entre ses mains et cueillit ses larmes du bout de la langue.

— Ne pleurez pas, India. Je ne vous ferai plus jamais de mal... Souhaitez-vous que je vous laisse seule ?

— Je veux être une bonne épouse, répondit-elle dans un sanglot.

Dieu, elle se conduisait comme la dernière des sottes !

Il accepta cette réponse et se mit à embrasser son cou, sa poitrine. Elle murmura quelques mots, calmée, et il prit un bout de sein entre ses dents.

Elle enfonça les ongles dans ses épaules. Elle avait dit au tout début à Caynan Reis, qu'elle se demandait quelle sorte de femme elle était pour tant aimer faire avec lui ce qui était réservé aux époux. Cet homme était son mari : pourtant, avec lui, elle se sentait l'âme d'une fille de joie. Elle le connaissait à peine, et elle le désirait de toute son âme. Elle caressa la tête brune penchée sur elle.

La garce ! se disait-il. Elle lui répondait avec fougue, même si elle s'efforçait de le cacher. Comme elle avait vite oublié le bey d'El Sinut ! Elle gémissait tandis que le plaisir montait en elle sous ses caresses. Il l'aurait tuée, s'il ne l'avait aimée comme un fou !

Il parcourait son corps de baisers sensuels, et elle poussait de petits soupirs de joie pure. Il fallait la punir, songea-t-il. Il passa les jambes soyeuses sur ses épaules, s'accroupit et l'attira à lui.

Elle poussa un cri de surprise lorsque sa féminité se retrouva contre la bouche de Deverall. Mais il la tenait fermement, et il se mit à jouer habilement de la langue, jusqu'à ce qu'elle en soit tout étourdie.

— Deverall !

La première vague de plaisir explosa en elle, et elle en fut secouée alors qu'il continuait sa tendre exploration. La seconde vague la submergea. Mais il ne la lâchait pas, il ne cessait pas.

Elle avait l'impression de mourir !

Il la posa enfin sur le lit pour la pénétrer et, tandis que la troisième vague l'emportait, elle hurla son plaisir, parcourue de spasmes éblouissants.

Il ne se lassait pas d'aller et venir en elle. Il n'y avait pas deux femmes comme India sur terre, et tant pis si elle n'était qu'une petite garce tricheuse. Il explosa enfin. Puis il releva la tête et vit qu'elle était à la limite de l'inconscience.

— Je t'aime, murmura-t-il en français contre sa bouche. Je n'aime que toi, ma précieuse India...

Dans un état second, elle entendit *sa* voix.

— Je vous aime aussi, Caynan, répondit-elle. Revenez-moi, je vous en supplie…

Elle tomba aussitôt dans un profond sommeil.

« Je vous aime aussi, Caynan. Revenez-moi… » Les mots le frappèrent de plein fouet. Qu'est-ce que cela signifiait ? Elle l'avait abandonné. À moins que…

Baba Hassan et Azura avaient déclaré que jamais elle ne l'aurait quitté de son plein gré, mais il n'avait pas voulu les écouter. Elle avait seulement fait semblant de l'aimer, pensait-il, pour pouvoir plus facilement partir avec son cousin, le moment venu…

Et s'il avait pensé cela, c'était parce qu'il se méfiait des femmes, depuis le jour où sa belle-mère l'avait séduit puis rejeté en riant, dès qu'elle s'était entichée d'un autre amant. Elle avait fait de lui un homme, prétendait MariElena, mais il s'était vite rendu compte qu'elle avait agi ainsi afin d'avoir une arme contre lui. Pire encore, il était terriblement honteux d'avoir trahi son père. Puis elle lui avait conseillé gaiement de ne plus jamais faire confiance à une femme. Il avait pris cet avis au pied de la lettre…

Mais soudain, il était assailli de doutes. Et si India avait été effectivement enlevée par son cousin ? Si on l'avait forcée à retourner en Écosse ?

Deverall Leigh retourna dans sa chambre. Vêtu d'un peignoir, il se mit à arpenter la pièce comme un lion en cage. Comment allait-il révéler la vérité à India, et comment réagirait-elle à son manque de confiance ? Elle serait folle de rage, il en était sûr. N'avait-elle pas essayé un jour de le poignarder, sous l'emprise de la colère ? Or cette situation était bien pire encore…

Il lui fallait du temps pour réfléchir. Il allait s'isoler quelques jours, afin de trouver un moyen de se sortir de ce bourbier.

India ne vit pas son mari pendant plusieurs jours. Il lui fit dire le lendemain matin qu'il devait s'absenter. Après leur nuit de folle passion, elle en fut soulagée. Cet homme étrange, intense, représentait une énigme, et elle avait besoin de temps pour la résoudre.

Elle se lança dans la tâche de trouver de nouveaux domestiques. Dover, l'ancien majordome, appréciait Diarmid à qui il avoua s'être inquiété de savoir qui reprendrait le flambeau.

— Il n'y avait personne ici d'assez compétent pour un tel travail, expliqua-t-il. Moi-même, j'ai succédé au vieux Rogers car j'avais été son assistant à Londres. Quand le comte a été accusé de meurtre, nous ne sommes plus retournés à Londres. Le jeune maître Adrian, oui, mais pas la famille. Les gens vous aiment bien ici, vous réussirez.

Diarmid éclata de rire.

— J'en suis flatté, mais je ne suis qu'un brave gars des montagnes. J'ai besoin de toute l'aide que vous pourrez m'apporter, Dover.

— Il ne s'agit pas d'expérience, petit. C'est une question de tempérament, d'attitude...

La seule qui tenait à rester était la cuisinière, Mme Cranston.

— J'ai remplacé Mme Dover quand elle est morte, il y a huit ans, dit-elle à India. Je suis plus jeune que les autres, et pas encore prête à raccrocher mon tablier!

Elle se tenait devant sa jeune maîtresse, les poings sur les hanches, les joues rouges de la chaleur des fours, et secouait vigoureusement la tête.

— Auriez-vous besoin de bras supplémentaires ? proposa India.

— Ma foi, mes aides sont jeunes et je les aime bien, mais si je pouvais avoir un garçon de plus pour servir à table et une autre fille de cuisine, ça m'arrangerait, madame.

— Pensez-vous à quelqu'un en particulier ?

— Eh bien, oui, madame. J'ai une nièce et un neveu qui conviendraient. Ils sont travailleurs et honnêtes, car ma sœur les a élevés à la dure.

— Mon époux prendra la décision finale, madame Cranston, mais je pense qu'il sera d'accord. Amenez-les au château, où ils seront logés et nourris. Quel âge ont-ils ?

— Le garçon neuf ans et la petite onze, madame, répondit la cuisinière, tout heureuse. Je vous remercie de tout mon cœur !

Le comte resta absent cinq jours et, à son retour, il remarqua que tout le monde était de fort bonne humeur. Le soir, au repas, India lui raconta les changements qu'elle avait effectués – avec sa permission, évidemment, ajouta-t-elle. Il les approuva sans réserve. La jeune femme en avertit le personnel, avant de se retirer et de se préparer pour son époux.

Lorsqu'il entra dans sa chambre, elle eut la surprise de le voir en chemise de nuit de soie.

— Nous avons à parler, déclara-t-il en se mettant à marcher de long en large.

— À quel sujet ?

India se demandait en quoi elle avait contrarié cet homme mystérieux.

— Votre premier mari, pour commencer.

Son cœur bondit dans sa poitrine. Qu'avait-il entendu dire ? Adrian était-il rentré en Angleterre et avait-il raconté ses mésaventures à son frère ?

— Que voulez-vous savoir ? risqua-t-elle, nerveuse.

— Vous m'avez dit qu'il était mort.

— En effet.

— Comment est-il mort ?

— Il y a eu une révolte dans son pays, et on l'a tué.

Elle avait la gorge serrée, et les larmes n'étaient pas loin.

— Comment avez-vous appris son décès ?

— Comment ? répéta-t-elle.

Où voulait-il en venir ?

— Oui, comment ?

— J'étais à Naples avec ma grand-mère, lady Stewart-Hepburn. Elle tentait de s'arranger pour que je puisse retrouver mon époux, quand on nous a dit qu'il y avait eu une rébellion et qu'il avait trouvé la mort. Je ne suis jamais retournée dans son pays. Lady Stewart-Hepburn m'a raccompagnée à Glenkirk. J'aurais aimé m'acheter une maison ici, en Angleterre, y vivre en paix jusqu'à la fin de mes jours, mais mon beau-père ne l'entendait pas ainsi. Je vous l'ai dit, c'est lui qui a tenu à ce que je me remarie. J'ai cédé uniquement pour lui échapper et obtenir le contrôle de ma fortune. Néanmoins, milord, si vous éprouvez quelque inquiétude, je promets d'être une bonne épouse sur tous les plans.

Elle l'avait cru mort ! Mais cela n'expliquait pas comment elle était arrivée à Naples, bien que Deverall soit certain que c'était sur le navire de son cousin.

— Qui était cet homme que vous avez épousé, India ? Comment s'appelait-il ?

India ferma les yeux un instant afin de se ressaisir, puis elle le regarda bien en face.

— Il s'appelait Caynan Reis, et c'était le bey de l'État barbaresque d'El Sinut... Vous êtes content maintenant, milord ? J'étais sa prisonnière, et je suis devenue son épouse parce que nous étions amoureux l'un de l'autre ! Cela vous choque ? Vous voulez divorcer parce que j'ai été la femme d'un infidèle ?

— Comment l'épouse d'un bey a-t-elle pu arriver à Naples ? demanda-t-il. N'est-il pas inhabituel qu'une femme de harem voyage si loin ?

— Quelle importance ? cria India, à bout de nerfs. Pourquoi toutes ces questions, milord ?

Il s'immobilisa enfin et vint s'asseoir près d'elle sur le lit. Il lui prit le visage entre ses mains.

— Regardez-moi, India. Regardez-moi...

Les yeux bleus s'adoucissaient.

— Vous ne reconnaissez pas Caynan Reis ? J'ai une cicatrice et j'ai rasé ma barbe, mais c'est moi, mon amour...

Elle écarquilla les yeux. *Sa* bouche ! *Ses* baisers ! C'était donc cela qui la taraudait, depuis le début...

Elle se dégagea, furieuse.

— Monstre ! grinça-t-elle en bondissant de l'autre côté du lit. Je... Sale individu ! Comment avez-vous pu me faire ça ? Et vous prétendez m'aimer ? Je vous tuerai !

Elle lui jeta au visage un vase, qu'il esquiva.

— C'est moi qui vous tuerai ! contra-t-il. Mais pas avant de savoir ce que vous avez fait de mon enfant !

— Votre enfant ! Votre enfant ! C'est tout ce qui vous intéresse ?

Elle s'empara de sa brosse à cheveux et la lança dans sa direction.

— Pourquoi n'êtes-vous pas venu me chercher à Glenkirk ? Savez-vous combien j'ai souffert à cause de vous, *mon seigneur* ?

Elle cherchait du regard un autre projectile, mais il n'y avait plus guère de bibelots. Alors elle se jeta sur lui, toutes griffes dehors.

Il faillit éclater de rire en voyant cette petite furie nue monter à l'assaut, mais la situation était trop grave. S'il ne parvenait pas à la calmer, il ne sortirait rien de bon de cette confrontation. Aussi la saisit-il aux poignets, avant de la serrer contre lui.

— India, India... supplia-t-il. Il y a eu un terrible malentendu auquel nous devons mettre fin. Cessez de vous débattre comme un beau diable, et dites-moi comment vous êtes arrivée à Naples. C'était avec Thomas Southwood, n'est-ce pas ?

— Je ne dirai rien si vous continuez à me brutaliser !

Il relâcha légèrement son étreinte.

— Comment êtes-vous arrivée à Naples ? répéta-t-il.

Elle poussa un soupir.

— Mon imbécile de cousin a appris qu'une partie du mur de votre jardin donnait sur une ruelle de la cité. Il est venu avec un de ses hommes, la nuit du terrible orage. Je lui ai dit que je vous aimais, que je voulais rester à El Sinut, j'ai essayé de le raisonner. J'aurais pu crier, sans être toutefois sûre que les gardes m'entendraient à cause du tonnerre, mais c'était mon cousin, et je ne tenais pas à être responsable de sa mort. Il pouvait bien s'échapper d'El Sinut, cela m'était égal. Mais il n'a rien voulu savoir. Il m'a assommée, m'a fait franchir ce satané mur et m'a déposée à Naples. Meggie a préféré me suivre.

« Une fois à Naples, j'ai tout avoué à lady Stewart-Hepburn : que je vous aimais et que j'attendais un enfant, ce que je n'avais pas eu le temps de dire à mon entêté de cousin. Cat, ma grand-mère, était d'accord pour que je parte vous rejoindre, mais on nous a parlé de la révolte et on nous a annoncé votre décès. J'ai cru en mourir... Cat m'a ramenée en Écosse, et quand Glenkirk a eu vent de mon état, il m'a exilée dans un pavillon de chasse perdu dans les montagnes, avec Meggie et Diarmid. Ma sœur Fortune a tenu à venir, elle aussi, et nous sommes restés là jusqu'à la naissance de Rowan.

— Rowan ?

— Notre fils. Je lui ai donné le nom de mon père, dit-elle doucement.

— Où est-il ?

— Je n'en sais rien, répondit India, au bord des larmes.

Il fronça les sourcils.

— Vous ne savez pas ? Qu'avez-vous fait de mon fils, madame ? cria-t-il avec colère.

— Rien du tout ! Mon beau-père me l'a enlevé, quelques heures après sa naissance. Il le cache quelque part, mais il n'a jamais voulu dire où. Rien de tout ceci ne serait arrivé si vous étiez venu me chercher à Glenkirk, au lieu de jouer ce jeu pervers avec moi ! Pourquoi, mon seigneur, pourquoi m'avoir fait ça ?

Il laissa passer un silence.

— Parce que je suis un pauvre fou, dit-il tristement. J'ai cru que vous m'aviez quitté de votre plein gré, India. Baba Hassan et Azura prenaient votre défense, mais je refusais de les écouter.

Il lui parla brièvement de sa belle-mère, de la raison pour laquelle il ne pouvait plus faire confiance à une femme.

India soupira.

— Mais vous, Deverall, comment avez-vous pu rentrer en Angleterre ? Et d'où vient cette cicatrice ?

— Je suis revenu ici grâce à Adrian. Il était malade, et je lui ai révélé mon identité. Alors il m'a avoué le crime que sa mère avait comploté afin de me déshériter. MariElena a empoisonné lord Jeffers, puis elle a impliqué mon frère, qui était encore un enfant, en lui ordonnant de planter mon poignard dans la poitrine du cadavre. Adrian a insisté pour dicter sa confession, et il l'a signée… Je n'envisageais pas de quitter El Sinut, mais les janissaires ont appris que j'avais prévenu le sultan de la rébellion, et ils ont envoyé des troupes pour me tuer, tandis que le sultan acceptait de fermer les yeux. Heureusement, Baba Hassan a été averti, et il a arrangé mon départ. Près du port, j'ai été attaqué par un jeune janissaire qui m'a blessé. Aruj Agha passait par là, il a tué mon agresseur, ainsi j'ai pu me sauver.

— Et les autres, au palais ? demanda India.

— Aruj Agha a promis de veiller sur eux, et j'ai appris qu'on l'avait nommé bey. Donc, ils sont tous en sécurité.

Deverall serra davantage la jeune femme contre lui.

— Savez-vous à quel point je vous aime, India ? demanda-t-il.

— Mais vous n'avez pas confiance en moi, mon seigneur, et je ne suis pas sûre de pouvoir vous le pardonner, répondit-elle calmement.

— C'est terminé, je vous le jure.

Il scella sa promesse d'un baiser.

— Diarmid ! s'écria-t-elle brusquement. Diarmid sait où est Rowan, car c'est lui qui l'a emmené, sur l'ordre de mon beau-père !

— Glenkirk ne ferait pas de mal au bébé ?

— Non, affirma India. En me l'enlevant, il voulait seulement que je paraisse respectable. Et si j'ai évoqué mon premier mari, c'était pour gagner votre estime, et peut-être votre amour. Ensuite, je vous aurais parlé de Rowan et je vous aurais demandé la permission de l'amener ici. Ma mère m'a juré de découvrir où on le cache, et de s'assurer qu'il était bien traité. Je ne l'ai pas quitté volontairement, Deverall, et j'ai fait tout ce que je pouvais pour savoir où il était. Mais à Glenkirk, personne n'ose braver le duc. Les gens lui sont fidèles, souvent unis par quelque lien familial… Dieu, comme j'ai envie de tenir mon bébé dans mes bras !

— Nous interrogerons Diarmid dès demain matin, madame, promit Deverall. Ensuite, nous irons le chercher.

Pour la première fois depuis qu'ils s'étaient retrouvés, il eut un vrai sourire.

— Il faut envoyer Diarmid le plus tôt possible. Ils ont l'intention de se rendre en Irlande, cet été, afin de trouver un mari pour Fortune. Si nous n'avons pas leur autorisation avant qu'ils s'en aillent, personne ne voudra nous aider. Il est peut-être déjà trop tard, ajouta India, le cœur lourd.

— Diarmid fait partie d'Oxton Court, désormais, la rassura le comte. Il parlera, et nous irons chercher notre fils nous-mêmes, mon amour. Nous nous passerons de la permission de Glenkirk. Et je promets de ne plus jamais douter de vous. Ma folie nous a coûté trop de chagrin…

— La mienne aussi, reconnut équitablement India. Nous ferons ériger un monument funéraire à la mémoire d'Adrian. Le malheureux ! Si j'avais refusé de m'enfuir avec lui, il serait encore en vie...

— Mais nous ne nous serions jamais rencontrés, ma chérie, ma ravissante première épouse.

— Votre ravissante *unique* épouse, le reprit-elle en riant. Vous feriez mieux de vous habituer à moi, Deverall Leigh, parce que vous n'aurez jamais d'autre femme !

Pour ponctuer ses paroles, lady India Anne Lindley Leigh embrassa son époux avec passion, et Deverall Leigh, comte d'Oxton, sut qu'elle disait la vérité.

ÉPILOGUE

Oxton, été 1629

— Alors, tu m'as pardonné ? demanda le duc de Glenkirk à sa belle-fille.

— Deverall m'a convaincue que c'était mieux ainsi, monsieur, répondit-elle.

— Mais tu m'en veux toujours... Je sais que ton vrai père était Rowan Lindley, India, mais je suis celui qui t'a aimée et élevée après sa mort. Fortune et toi êtes mes filles. Je n'ai pas agi par cruauté, ni par méchanceté, mais dans ton intérêt. Je t'en prie, ma chérie... J'ai passé la pire année de ma vie, en pensant que tu me haïssais et que tu me haïrais peut-être pour toujours.

— Si Deverall ne s'était pas révélé être le bey d'El Sinut, répliqua India, j'aurais sans doute perdu Rowan à jamais, et je ne puis m'empêcher de me demander ce qu'aurait fait mon père dans cette situation. Vous n'avez pas cru en moi, monsieur. Et lui, m'aurait-il fait confiance ? Vous n'avez pas voulu m'écouter. Et lui ? Je sais, tout est bien qui finit bien, mais si Deverall n'avait pas été Caynan Reis...

Sa voix s'éteignit dans un soupir.

— Certes, répondit le duc, mais mon petit-fils était en sécurité, India. Flora a pris grand soin de lui.

— C'est vrai, renchérit la duchesse en venant se placer au côté de son époux. Tu as retrouvé Rowan, India. Cesse de ressasser ce qui aurait pu être, et contente-toi de te réjouir.

La glace qui enserrait le cœur d'India fondit d'un coup tandis qu'elle regardait son petit garçon qui courait dans l'herbe, suivi par sa nourrice. Rowan Leigh, le futur comte d'Oxton, était un robuste bambin qui possédait les cheveux noirs et les yeux très bleus de son père. À dix-sept mois, il était heureux de vivre, et jamais il ne se rappellerait le temps passé sans sa mère.

— Vous me promettez de ne plus douter de l'un de vos enfants, papa ? demanda-t-elle.

— Je le jure ! déclara le duc d'un ton solennel en embrassant la main de la jeune femme.

— Je vous le rappellerai quand Fortune cherchera enfin un mari, lui dit la comtesse d'Oxton.

Le bébé dans ses bras s'impatientait. India le changea de sein.

— Adrianna est un vrai petit goinfre, dit-elle tendrement.

La petite fille avait tout juste une semaine.

— Et elle est aussi belle que sa mère, ajouta Deverall avant de sourire à sa belle-mère. Je crois, Jasmine, que votre petite-fille a vos yeux turquoise, bien qu'il soit un peu tôt pour l'affirmer. Il m'a semblé déceler cette couleur étonnante dans son regard.

— Espérons qu'elle mènera une vie plus calme que la mienne, répliqua la duchesse de Glenkirk avec bonne humeur.

— L'arrière-arrière-petite-fille de Skye O'Malley ? intervint le duc en riant. Cela m'étonnerait, madame. Cela m'étonnerait ! L'aventure, les femmes de cette famille l'ont dans le sang ! Dieu seul sait combien d'histoires invraisemblables cette petite vivra, combien de dangers elle affrontera quand elle aura grandi !

— Elle pourrait devenir aussi sage que tante Willow, objecta India.

Puis elle surprit l'étincelle dans les yeux de son mari, elle vit ses parents qui retenaient un fou rire, et elle éclata de rire à son tour.

— Vous avez raison, papa. Pas l'arrière-arrière-petite-fille de Skye O'Malley !

Rendez-vous au mois de mars
avec trois nouveaux romans de la collection

Aventures et Passions

Le 1er mars 2001

Passion dans le bayou

de Patricia Hagan (n° 5807)

1858, États-Unis. Angela vit avec ses parents dans une plantation de Louisiane. Elle est promise à un mariage avec un gentil mais insipide garçon de bonne famille. Heureusement, la jeune femme fait la connaissance dans le bayou d'un jeune, beau et pauvre cajun surnommé Gator. Mais la passion qui va naître n'est pas la bienvenue au sein de sa riche famille, et le jeune couple est séparé par ruse. Quelques années plus tard, la guerre de Sécession éclate, et la jeune femme est condamnée pour espionnage. Elle va être prise en charge par un soldat Nordiste, qui n'est autre que le beau Gator...

Le 8 mars 2001

Courtisane d'un soir

de Lisa Kleypas (n° 5808)

L'inspecteur de police Grant Morgan est appelé auprès d'une jeune femme qui vient d'être victime d'une tentative d'assassinat. Grant reconnaît Vivian Duvall, courtisane renommée, qui s'était bien moquée de lui récemment. L'agression a rendu la jeune femme amnésique, et Grant est bien décidé à en profiter pour se venger des affronts qu'elle lui a fait subir. Mais le caractère de Vivian a bien changé, et la terrible courtisane a fait place à une charmante jeune femme...

Le 23 mars 2001

Le prince de Mayfair

de Brenda Joyce (n°5809)

Lady India Lindley est follement amoureuse d'un aristocrate, Adrian. Ses parents ne voyant pas cette relation d'un très bon œil, India s'enfuit en bateau avec son amant vers l'Italie. Mais le navire est pris d'assaut par des pirates barbares : Adrian est envoyé aux galères tandis que India devient la promise de Canyan Reis, le seigneur de ces barbares. Destinée à devenir esclave de son harem, la belle n'a pas dit son dernier mot...

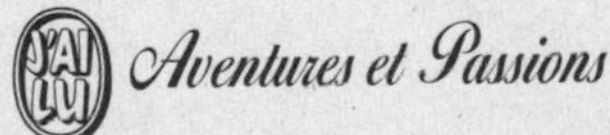

Quand l'amour s'aventure très loin, il devient passion

Ce mois-ci, découvrez également
deux nouveaux romans de la collection

Amour et Destin

Le 1er février 2001

Un ennemi de jeunesse

Marnie De Marez (n° 5806)

Alors que Paula est adolescente, sa mère se remarie avec un médecin. Paula et son demi-frère, Jean-Guilhem, ne s'entendent pas : Paula lui reproche d'accaparer l'attention de ses parents et Jean-Guilhem la trouve égoïste et prétentieuse et ils cessent définitivement de se voir. Quelques années plus tard, Paula a terminé ses études de médecine en pédiatrie. Elle décide de partir s'installer en Indochine où un poste de pédiatre l'attend. Mais à sa grande surprise, elle découvre que le médecin chef de l'hôpital n'est autre que Jean-Guilhem, plus beau et plus attentionné que jamais...

Le 22 février 2001

L'homme au cœur sauvage

de Kathleen Eagle (n° 5781)

Le séduisant K.C. Houston est un dresseur de chevaux réputé. Il passe de ranch en ranch selon ce qu'on lui propose. Cette fois, il se rend dans le Wyoming sur les terres de Ross Weslin, qui fait appel à lui pour dresser ses mustangs sauvages. Mais dès son arrivée, il apprend que Ross vient de mourir et rencontre donc l'une des sœurs du défunt, la jolie Julia...

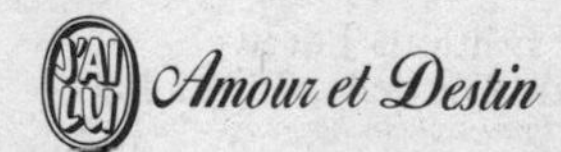

Quand l'amour donne aux femmes le choix de leur destin

5784

Composition Chesteroc International
Achevé d'imprimer en Europe (France)
par Maury-Eurolivres – 45300 Manchecourt
le 22 janvier 2001.
Dépôt légal janvier 2001. ISBN 2-290-30914-1

Éditions J'ai lu
84, rue de Grenelle, 75007 Paris
Diffusion France et étranger : Flammarion